鄭樑生編校

明代倭寇史料

第六輯

文史哲出版社印行

國家圖書館出版品預行編目資料

明代倭寇史料 / 鄭樑生編校. -- 初版. -- 臺北市：文史哲, 民 86
冊: 公分
ISBN 957-547-622-0 (第一輯：精裝). --
ISBN 957-547-623-9 (第二輯：精裝). --
ISBN 957-547-624-7 (第三輯：精裝). --
ISBN 957-547-625-5 (第四輯：精裝). --
ISBN 957-549-094-0 (第五輯：精裝). --
ISBN 957-549-585-3 (第六輯：精裝). --
ISBN 957-549-586-1 (第七輯：精裝)
1. 中國 － 史料 － 明（1368-1644）
626.65　　86010119

明代倭寇史料 第六輯

編校者：鄭　樑　生
出版者：文史哲出版社
http://www.lapen.com.tw
登記證字號：行政院新聞局版臺業字五三三七號
發行人：彭　正　雄
發行所：文史哲出版社
印刷者：文史哲出版社
臺北市羅斯福路一段七十二巷四號
郵政劃撥帳號：一六一八〇一七五
電話886-2-23511028 · 傳真886-2-23965656
實價新臺幣九〇〇元
中華民國九十四年(2005)元月初版

ISBN 957-549-585-3

作者簡介

鄭樑生，桃園縣楊梅鎮人。先後畢業於省立臺北師範學校、國立臺灣師範大學、日本國立東北大學，獲日本國立筑波大學文學博士學位。主修明史、日本史、中日關係史。曾任中小學教師、國家圖書館編輯、主任、研究所教授，現爲淡江大學榮譽教授。著有《明史日本傳正補》（臺北，文史哲出版社，一九八一）、《元明時代東傳日本的文獻》（同上，一九八四）、《明代中日關係研究》（同上，一九八五。日文版由東京雄山閣於同年發行）、《元明時代東傳日本的水墨畫》（同上，一九八七）、《日本通史》（臺北，明文書局，一九九三）、《朱子學之東傳日本與其發展》（臺北，文史哲出版社，一九九九）、《中日關係史》（臺北，五南書局，二〇〇一）、《史學方法》（同上，二〇〇二）、《日本史》（臺北，三民書局，二〇〇三）、《中日關係史研究論集》一～十三集（臺北，文史哲出版社，一九九〇～二〇〇四）。編校《明代倭寇史料》一～五輯（同上，一九八七～一九九七）。譯《日本國會的立法過程》（臺北，國立編譯館，一九九五）、《清代水利社會史研究》（同上，一九九六）、《東北軍閥政權研究》（同上，一九九八），及其他多種。

序

倭寇乃明朝之重大外患，其寇掠行爲曾予當時沿海各省數十縣居民之生命財產與官宇廨舍帶來莫大的禍害，致使當時中國人畏倭如虎，聞倭色變，而閭巷小民，甚且指倭相詈罵，用噤其小兒女。有明一朝，爲此用兵，戰禍連綿未嘗間斷，至萬曆末年始靖。由是可知，倭寇之爲患也大矣。

因此，有關倭寇之文獻，早於嘉靖年間即有之，時朝廷大員，對倭寇肆虐海疆問題，莫不憂心忡忡，各抒宏論，且上書皇帝，慷慨陳述因應之策，以補時艱。而身負剿倭重任之文武官員，皆對當時征討之詳情具文上達。此類之奏章疏表保存至今者爲數固然不少，然而時人以聞見所記而流傳之篇什亦甚夥。舉凡征剿之情形，明廷對倭寇問題之所見與策略，對倭寇將領之人事問題等等，皆屬之。惟上述之原始資料泰半皆未整理，仍保存於原始文件或善本之中，間亦有散佚海外者。故學者如欲深入研究此一方面之問題，自非遍覽上述諸種文獻不爲功。果非如此，則不免見此遺彼，零星綴輯，自難究明歷史真相。

中外學者研究倭寇問題者不可謂少，然因受到史料之限制，致難以窺見倭寇問題之全貌。尤以隆慶以前倭寇之寇掠情形及明廷因應之策，誠鮮有所見，即使轟動一時之國際戰爭，萬曆年間日本豐臣秀吉侵略朝鮮之際，明朝遣派大軍救援朝鮮之實際情況，恐有深入考察者亦不多見。苟非當時明廷傾力救援，吾恐朝鮮之淪入日人之手，不待甲午戰後。

編者有鑑於此，乃著手於臺灣各地公藏之善本書中鈔錄有關之資料，其散佚日本而經閱目者亦予以蒐集。臺灣明清兩代善本尤多，逐一閱覽鈔錄，其費神可知矣。而編輯之初，原有意以時間先後秩序排列，俾便引用，然以若干資料如海防設施、奏疏等未載干支年月者，誠難一一考其先後，終乃以史料性質排列，鈔錄時俱根據原書以存其真，有板本不同而見異文者，則註明之。同一史料並見他書者，亦並載之以供參考。

由於本史料乃獨力成編，且資料之蒐集、鈔錄不易，曠日廢時，雖歷閱六、七百種資料，然而掛一漏萬，在所難免。

查閱之時，蒙中央圖書館特藏組主任封思毅並各執事先生，漢學資料中心資料組劉組長顯叔先生，及臺北故宮博物院研究員吳哲夫教授，和該院圖書館王景鴻館長併各位執事先生鼎力相助，得以順利完成。

編輯之時，幸得內人李雙妹，小女卉芸在編錄期間襄助甚多，文史哲出版社社長彭正雄先生慨允付梓，此史料集乃得問世。此書之刊行，倘能對相關研究之學者有所助益，或能免去蒐尋之勞而逕入問題核心之探討，而見前人之所未見，斯所冀也。而數年編此之心血，亦不致白費，是所至幸。

一九八七年三月　**鄭樑生**　謹識

明代倭寇史料 第六輯 目次

序……一
凡例……七
皇明寶訓……一二一二三
皇明祖訓……一二一二九
御製大誥續編……一二一三一
皇祖四大法……一二一三三
大明律……一二一三五
大明律集解附例……一二一三九
大明律疏義……一二一四三
大明律講解……一二一四五

大明集禮……二二四七
大明會典……二二四九
善鄰國寶記……二二五九
續善鄰國寶記……二二九三
皇明通紀……二三〇七
皇明通紀述遺……二三三五
新刊校正皇明資治通紀……二三四五
皇明通紀統宗……二三五一
皇明紀略……二三五九
皇明大事記……二三七五
國史紀聞……二三八七
新刻明政統宗……二三九一
皇明鴻猷錄……二四三五
皇明法傳錄（高汝栻輯）……二四三九
皇明法傳錄（陳　建輯）……二四五七
皇明從信錄（陳　建撰）……二四六三

皇明從信錄（沈國元述）……二四八三
吾學編……二五一一
國榷……二五二五
明通鑑……二六三三
明詩綜……二七一九

凡例

一、本書乃據國家圖書館及臺北故宮博物院所典藏之善本書、線裝書、四庫全書，及日本古籍中鈔錄有關倭寇方面史料編校而成。

一、本書所鈔錄之史料俱以卷第之先後次序排列。

一、所鈔錄之史料均詳加標點，俾便研閱。

一、史料之日期均據原書干支。

一、凡日本年號之下均附中國年號及西元紀年，俾便核閱。

一、洪武二十五年以前日本爲南北朝時代，故並附兩朝年代，北朝置前，南朝在後。

一、校訂結果之記載方式，如某字之錯誤明顯者，則將其正確文字書於各該字下之（）中。

一、如某字確爲衍字，則於各該字〈〉中書一「衍」字。

一、凡爲人名、地名，而於史料誤記者均加考覈訂正，將其正確者書於各該姓名或地名下之（）中。如需補充說明者，則於附註作扼要說明。

一、凡爲姓名或僧侶法號，而於史料記載不全，且比較陌生者，則將其「姓」、「名」或「字」、

「號」書於各該「姓」、「名」或「字」、「號」下之（）中，俾使讀者能知其全名或字號。

一、凡爲日本之地名，而於史料所誤記者，均加考覈訂正，將其正確者書於各該地名下之（）中。

一、如史料所紀文字有乖史實，則於附註中說明其原委，或另加按語考訂之，以求其真。

一、凡本書所鈔錄之史料，其所記載之內容或文字如與他書有出入，均逐卷註明其校訂結果，且以①②③……別其校訂之先後次序。

一、本書各頁邊欄均附以該史料所自出之名稱，俾便核閱。

明代倭寇史料（六）

皇明寶訓

明陳治本等編明萬曆刊本

卷六

太祖高皇帝寶訓

馭夷狄

○洪武四年九月辛未

太祖御奉天門，諭省府臺臣曰：「海外蠻夷之國，有爲患於中國者，不可不討，不爲中國患者，不可輒自興兵。古人有言：『地廣非久安之計，民勞乃易亂之源。』如隋煬帝妄興師旅，征討琉球，殺害夷人，焚其宮室，俘虜男女數千人。得其地，不足以供給，得其民，不足以使令。

徒慕虛名，自弊中土，載諸史冊，爲後世譏。朕以海外諸蠻夷小國，阻山越海，僻在一隅，彼不爲中國患者，朕決不伐之。惟西北胡戎，世爲中國患，不可不謹備之耳。卿等當記所言，知朕此意。」

憲宗寶訓

馭夷狄

○（成化十七年）十月癸卯

禮部奏：「海外諸國及西域番王朝貢者，於所過驛傳需索無厭。」上乃勅各國王曰：「日者海外諸國及西域番王等遣使臣朝貢，沿途多索船馬，夾帶貨物，裝載私鹽，收買人口，酗酒逞兇，騷擾驛遞，非禮違法，事非一端。所過官司累經陳奏，欲依國法治之，則念其遠人，欲不治之，則中國之人被其虐害。今特降勅開諭：繼今以後，王遣使臣，必選曉知大體，謹守禮法者，量帶傔從，嚴加戒飭，小心安分，毋作非爲，以盡奉使之禮，以申納款之忱。俾奉使者得以保全，供應者得免煩擾，豈不彼此兩全哉！」

○成化十八年四月癸丑

琉球國中山王尚真復乞不時進貢，謂：「小之事大，當如子之事父。」禮部言：「其意實欲假進貢之名，以規市販之利，宜不聽其所請。」上乃賜勅諭之曰：「朝廷定爾國二年一貢之例，事已具前勅，玆不再言。但臣之事君，遵君之勅可也。屢違勅奏擾，可乎？子之事父，奉父之命可也，屢方命陳瀆，可乎？所以固拒者，非為惜費，蓋二年一貢，正合中制，朕所以恤小之意實在此。王其欽遵之，毋事紛更！」

世宗寶訓

馭夷

○（嘉靖二十六年）十一月丁酉

日本國王（室町幕府第十二任將軍）源義晴，遣使（策彥）周良等求貢。故事：倭夷十年一貢，船不過三，人不過百，良等以四船六百人先期而至。上曰：「倭夷不守貢朝，又挾帶人船越數，三司巡海等官不遵例阻回，乃容潛住港外，引起事端。且往年宗設（謙道）之叛，尚未正法，其令新巡撫官（朱紈）亟為處分，及宋素卿曾決否，一併查奏！」

○嘉靖三十四年二月庚辰

先是，工部右侍郎趙文華疏陳備倭七事，崑山縣致事侍郎朱隆禧亦奏請添設巡視福建都御史，并開互市之禁。上諭閣臣曰：「南北兩欺，不宜怠視，本兵若罔知者。文華、隆禧二臣之疏，似不同泛奏者，當有依焉。今南破北虛，豈為國之道耶？祖宗養教恩深，豈以怨讟時君而忘先聖大德？卿等其集兵部科臣示朕此意，令盡忠猷以告！」於是兵部尚書聶豹等震慴陳狀，大略謂：文華之疏已經澤（擇）行，隆禧所奏則科臣駁寢在前，且事屬紛更，故臣等不敢輕議。得旨：「南北兩欺，倭賊殘毀地方尤甚。昨下諭求平勦長策，欲豹等入告忠猷。今此疏何有忠猷之告？其更悉心計處以聞！」於是豹益惶恐謝罪，因上便宜五事。上曰：「爾等職任本兵，坐視賊欺，不能設一策平勦。及奉諭問，卻（卻）又泛言具對，摭拾舊文塞責。豹，姑降二級，侍郎翁溥等各奪俸半年，所司郎中張重降二級調外任，餘奪俸三月。已，復降勅切責（浙江總督）張經師久罔效，令其嚴督諸臣亟爲勦賊安民，如再因循，重坐不貸！」

○六月乙亥

巡按直隸御史周如斗以倭患疏論失事諸臣之罪，因請更調精兵，協濟軍餉，責諸臣以討賊必效，仍錄遊擊周藩死事之忠。兵部覆如御史言。上曰：「近日江南調至狼、土諸兵不爲不多，督撫官遲疑觀望，不能進勦，養寇貽患，以致新賊繼至，合勢益熾，又欲增調各兵，不過假此遷延時月，奚有實心平賊之忠？今姑從所擬施行，若又有師久無功，（總督）周琉等罪不赦。巡撫史褒善奪俸三月，褫把總婁宇，都指揮劉恩至職，令戴罪殺賊。下同知都文奎、洪以業于按臣問。周藩贈都督僉事，錄其子襲陞三級。」

穆宗寶訓

弭盜

○隆慶二年十月庚辰

廣賊曾一本等駕船二百餘艘，突至南澳，窺福建玄鍾界。撫按塗澤民、王宗載疏請大征。上命兩省督撫鎮巡官竭力夾剿，務期蕩滅，不得推諉，以致滋蔓。

核功罪

○隆慶三年正月乙卯

論閩廣剿寇功，賞福建巡撫塗擇民、總兵李錫，兩廣總督張瀚、廣東巡撫熊桴、總兵郭成、參將張元勳、蔣伯清銀幣，有差。先年二年七月中，海寇曾一本突犯福建界，官軍出海迎擊於柘林鹽埕及馬耳澳等大破之，前後擒斬七百人，死水火者萬人。至是，事聞。兵部請大破賞格，先給賞而後行勘，以勸邊臣効力者，故有是命

懷遠夷

○隆慶三年十二月辛酉

琉球國中山王尙元遣其臣守備由必都等歸我被虜人口，守臣以聞。上嘉尙元屢效忠誠，賞銀五十兩，綵段四表裏，仍賜勅奬勵。由必督等各給銀幣，有差。

皇明祖訓

明太祖勅撰，明洪武間内府刊本

一、四方諸夷，皆限山隔海，僻在一隅，得其地不足以供給，得其民不足以使令。若其自不揣量，來撓我邊，則彼爲不祥；彼既不爲中國患，而我興兵輕伐，亦不祥也。吾恐後世子孫倚中國富強，貪一時戰功，無故興兵，致傷人命，切記不可。但胡戎與西北邊境，互相密邇，累世戰爭，必選將練兵，時謹備之。

今將不征諸夷國名開列于後：

東北

朝鮮國 即高麗，其李仁人及子李成桂今名旦者，自洪武六年至二十八年，首尾凡弑王氏四王，姑待之。

正東偏北

日本國 雖朝實詐，暗通奸臣胡惟庸，謀爲不軌，故絕之。

正南偏東

大琉球國朝貢不時，王子及陪臣之子，皆入太學讀書，禮待甚厚。

小琉球國不通往來，不曾朝貢。

西南

安南國三年一貢

真臘國朝貢如常其國濱海

占城國自占城以下諸國來貢時，內帶行商，多行譎詐，故沮之。自洪武八年沮至洪武十二年，方乃得止。其國濱海。

蘇門答刺其國濱海

西洋國其國濱海

爪洼國其國居海中。

湓亨國其國居海中。

白花國三弗齊國，其國居海中

浡泥國其國居海中。

御製大誥續編

明太祖勅撰，明洪武十九年内府刊本

牙行第八十二

天下府州縣鎭店去處，不許有官牙、私牙，一切客商應有貨物，照例投税之後，聽從發賣，敢有稱係官牙、私牙，許鄰里坊廂拿獲赴京，以憑遷徙化外。若係官牙，其該吏全家遷徙，敢有爲官牙、私牙，兩鄰不首，罪同。巡闌敢有刁蹬，多取客貨者，許客商拿赴京來。不應税而税者，且如海南。民有取新婦者，其縣官將下禮牲口并新婦，俱要税錢，已行拿赴京師，治以死罪。今山東膠水縣丞歐陽祥可，不鑒前非，又將人家下禮牲口索要税錢，詐取財物，自取之罪，安可逃乎？所以罪同海南縣官者，爲其蹈惡也。

皇祖四大法

卷五

明何棟如撰，明萬曆原刋本

法治

○洪武十三年春正月癸巳朔己亥，胡惟庸等既伏誅，上諭文武百官曰：「朕自臨御以來十有三年矣，中間圖任大臣，期於輔弼，以臻至治。故立中書省以總天下之文治，都督府以統天下之兵政，御史臺以振朝廷之紀綱。豈意奸臣竊持國柄，枉法誣賢，操不軌之心，肆奸欺之，蔽嘉言，結於衆舌，朋比逞於群邪，蠹害政治，謀危社稷，譬隄防之將決，烈火之將然（燃），有滔天燎原之勢。賴神發其奸，皆就殄滅。朕欲革去中書省，陞六部，倣古六卿之制，俾之各司所事；更置五軍都督府，以分領軍需。如此則權不專於一司，事不留於壅蔽，卿等以爲何如？」監察御史許士廉等對曰：「歷朝制度皆取時宜，況創制立法，天子之事，既出聖裁，實爲典要。但慮陛下日應萬幾（機），勞神太過。臣愚以爲宜設三公府，以勳舊大臣爲太師、太傅、太保，總率百僚庶務，其大政如封建發兵銓選，制禮作樂之類，則奏請裁決，其餘常事，循制奉行，庶幾臣下絕奸權之患，主上無煩劇之勞。」上然之。

○洪武十六年夏四月甲戌朔乙未，遣使賷勘合文冊賜暹羅、占城、真臘諸國。凡中國使至，必驗勘合相同，否則爲僞者許擒之以聞。

大明律

明太祖勅撰，明隆慶二年重刊本

關津篇

問刑條例

一、在京、在外軍民人等，與朝貢夷人私通往來，投託管顧，撥置害人，因而透漏事情者，俱問發邊充軍。軍職有犯，調邊衛帶俸差操。通事并伴送人等係軍職者，從軍職之例；係文職有贓者，革職爲民。

私出外境及違禁下海

凡將馬、牛、軍需、鐵貨、銅錢、段匹、紬絹、絲綿私出外境貨賣及下海者杖一百，挑擔馱載之人減一等，物貨、船車並入官；於內以十分爲率，三分付告人充賞。若將人口、軍器出境及下海者，絞；因而走泄事情者，斬。其拘該官司及守把之人，通同夾帶或知而故縱者，與犯人同罪；失覺察者減三等罪，止杖一百，軍兵又減一等。

謹按：凡民間有將馬、牛及軍需、鐵貨、銅錢、段（緞）匹、紬絹、絲綿私出外境通夷去處貨賣，及私下洋海者杖一百，其挑擔馱載物貨之人減一等，杖九十，所獲物貨、船車並入官；於內以十分爲率，將三分給付告人充賞。若將興販人口，及私造軍器出境及下海貨賣者，絞；其私將馬、牛、物貨、人口、軍器出外之人，因而走泄境內機務事情者，斬。其該管官司及守把關隘軍官、巡檢軍人、弓兵人等，如有通同夾帶馬、牛、物貨、人口、軍器出外，或知情而故縱放行者，並與犯人同罪，至死減等，杖一百，流三千里。若失於覺察者，該管官司及守把官員各減罪三等，罪止杖一百；軍人弓兵又減各官罪一等，通減四等罪，止杖九十。此出境下海罪雖難同邊關，亦不分首從。

會典

一、夷人開市，除書籍及玄黃紫色大花、西番蓮段（緞）匹，並一應違禁之物，不許收買。

問刑條例

一、凡夷人朝貢到京，會同館開市五日，各鋪行人等將不係違禁之物入館兩平交易，染作布絹等件立限交還，如賒買及故意拖延騙勒，夷人久候不得起程，并私相交易者問罪，仍於館前枷號一個月；若各夷故違潛入人家交易者，私貨入官，未給賞者量爲遞減。通行守邊官員不許將曾經違犯夷人起送赴京。

一、會同館內外四鄰軍民人等，代替夷人收買違禁貨物者問罪，枷號一個月，發邊衛充軍。

一、各邊夜不收出境探聽賊情，若與夷人私擅交易貨物者，除真犯死罪外，其餘問調廣西煙瘴地面衛所食糧差操。私自販賣硫黃五十斤，焰硝一百斤以上者問罪，硝黃入官；賣與外夷者，不拘多寡，比照私將軍器出境律條坐罪；其合成火藥賣與鹽徒者問發邊衛充軍。兩鄰知而不舉者，各治以罪。

一、官民人等擅造二桅以上違式大船，將帶違禁物貨下海前往番國買賣，潛通海賊，同謀結聚，及為嚮導劫掠良民者，正犯處以極刑，全家發邊衛充軍。若止將大船雇與下海之人分取番貨，雖不曾造有大船，但糾通下海之人接買番貨者，俱問發邊衛充軍。其探聽下海之人，番貨到來私下收買販賣若蘇木、胡椒至一千斤以上者，亦問發邊衛充軍，番貨入官。若小民撐使單桅小船於海邊捕取魚蝦，採打柴木者，巡捕官旗軍兵不許擾害。

一、官員軍民人等，私將應禁軍器賣與夷人圖利者，比依將軍器出境因而走泄事情者律各斬，為首者仍梟首示眾。

新例

一、嘉靖三年四月，刑部議奏：「今後但有夷人貢船未曾報官盤驗，先行接買番貨販賣者，比照探聽下海之人。番貨到來，私下收買販賣若蘇木、胡椒至一千斤以上者事例，問發邊衛充軍；其交結夷人互相買賣、借貸，誆騙財物，引惹邊釁，及教誘為亂者，比照廣、川、雲、貴、陝西等處事例，問發邊衛永遠充軍。其代替夷人收買違禁貨物，比照會同館內外軍民事例問罪，枷號一個月，發邊衛充軍。若私下包攬打造違式海船賣與夷人圖利者，比照私將應禁軍器出境因而走泄事情者律各斬，爲首者梟首示眾。其累犯不悛者，止將正犯問罪。」奉聖旨：「這禁治交通夷人私自買賣等項事情，既比擬律例開具明白，都依擬行。欽此！」

弘治十年定直犯死罪以不待時「絞罪」條

附錄篇

越度緣邊關塞，因而出外境者。

將人口、軍器出境及下海者。

大明律集解附例

明萬曆間勅定明萬曆間浙江官刊本

卷一五

關津

私出外境及違禁下海

凡將馬、牛、軍需、銅錢、段（緞）疋、紬絹、絲綿私出外境貨賣及下海者杖一百，挑擔駄載之人減一等，物貨、船車並入官；於內以十分爲率，三分付告人充賞。若將人口、軍器出境及下海者，絞；因而走泄事情者，斬。其拘該官司及守把之人，通同夾帶或知而故縱者，與犯人同罪。失覺察者減三等罪，止杖一百；軍兵又減一等。

纂註：軍需鐵貨作一句讀，謂可爲軍需之鐵貨未成軍器者耳。因而走泄事情，承將馬、牛等物及將人口、軍器二項言失覺察者，主拘該官司及守把之人言。夫馬、牛與軍需鐵貨及銅錢、段（緞）疋、紬絹、絲綿，皆中國利用之物，不可有資於外國者也。若有此等貨物私出外國境內貨賣，及私下泛海者杖一百；其挑擔駄載貨物之人減一等，杖九十，船、車並收入官；於貨內以十分爲率，將三分給付告人充賞。若將興販人口與應禁軍器出境及下海貨賣者，向敵之心可惡，故坐以絞。若私將馬、牛等物，人口、軍器出境下海之人，因而走泄中國事情於外夷者，與姦細之情不殊，故坐以斬。其出境下海犯人，應該拘管之官司及守把關津官吏軍兵民等，如有通同夾馬、牛等物，人口、軍器出境下海，或知其出境下海而故行縱放者，並與犯人同罪。至死者減一等，杖一百，流三千里。若失於覺察，以致有人出境下海，拘該官司及守把之官，減犯人罪三等，罪止杖一百；軍人弓兵又減官軍一等，通減四等罪，止杖九十。

條例

一、各邊將官并管軍頭目私役及軍民人等，私出境外釣豹、捕鹿、砍木、掘鼠等項，并把守之人知情故縱，該管里老官旗軍吏扶同隱蔽者，除真犯死罪外，其餘俱調發煙瘴地面；民人里老爲民軍丁充軍官旗軍吏，帶俸食糧差操。

一、凡守把海防武職官員有犯受通番土俗哪嗟報水，分利金銀物貨等項，值銀百兩以上，名爲買港，許令船貨私入，串通交易，貽患地方，及引惹番賊、海寇出沒，戕殺居民，除真犯死罪外，其餘俱問受財枉法罪名，發邊衛永遠充軍。

一、凡夷人貢船到岸，未曾報官盤驗，先行接買番貨，及爲夷人收買違禁貨物者，俱發邊衛充軍。

一、凡沿海去處下海船隻，除有號票文引許令出洋外，若姦豪勢要及軍民人等，擅造二桅以上違式大船，將帶違禁貨物下海前往番國買賣，潛通海賊，同謀結聚，及爲嚮導刼掠良民者，正犯比照謀叛已行律處斬，仍梟首示眾，全家發邊衛充軍。其打造前項海船，賣與夷人圖利者，比照私將應禁軍器下海因而走泄事情律，爲首者處斬，爲縱者發邊衛充軍。若止將大船雇與下海之人分取番貨，及雖不曾造有大船，但糾通下海之人接買番貨，與探聽下海之人；番貨到來，私買、販賣蘇木、胡椒至一千斤以上者，俱發邊衛充軍，番貨並入官。其小民撑使單桅小船，給有執照，於海邊近處捕魚、打柴，官軍不許擾害。

一、私自販賣硫黃五十斤焰硝一百斤以上者問罪，硝黃入官；賣與外夷及邊海賊寇者，不拘多寡，比照私將軍器出境因而走泄事情律，爲首者處斬，爲從者俱發邊衛充軍。若合成火藥賣與鹽徒者，亦問發邊衛充軍。兩鄰知而不舉，各治以罪。

一、各邊夜不收出境探聽賊情，若與夷人私擅交易貨物者，除真犯死罪外，其餘問調廣西煙瘴地面衛所食糧差操。

一、凡官軍民人等，私將應禁軍器賣與進貢夷人圖利者，比依將軍器出境因而走泄事情者律，斬，爲從者問發邊充軍。

大明律疏義

明洪武二十八年勅修，明成化二年南京承恩寺對住史氏重刊本

卷一五

兵律關津

私出外境及違禁下海

凡將馬、牛、軍需鐵貨、銅錢、段（緞）疋、紬絹、絲綿私出外境貨賣及下海者，杖一百；挑擔駄載之人減一等，物貨、船、車並入官；於內以十分爲率，三分付告人充賞。若將人口、軍器出境及下海者，絞；因而走泄事情者，斬。

疏議曰：牛、馬，耕戰之具，軍需鐵貨，兵杖所資，銅錢、段（緞）疋、紬絹、絲綿，皆爲國之通貨，若將此等物私出外國境內貨賣及下海者，杖一百；或貨少而用人力挑擔，或貨多而雇馬、牛駄載，其挑擔及趕馬、牛之人減一等，杖九十，所將帶物貨，所裝載船、車並入官；其物貨以十分爲率，內將三分付告人充賞。若將人口、軍器私出境及下海者，絞；因而將本國事情泄漏與外境之人及下海島國土者，斬。

其拘該官司及守把之人，通同夾帶或知而故縱者，與犯人同罪。失覺察者減三等，罪止杖一百；軍兵又減一等。

疏議曰：有人出外境及下海，而其拘該管束官司及關隘守把之人，或與通同夾帶貨物出外，或知其出故縱不禁者，與犯人同罪。失於覺察者，守把官減犯人三等，罪止杖一百；軍人弓兵又減一等，通減四等，罪止杖九十。

謹詳律意，商賈之業雖通有無，若出外境則資敵矣。下海雖非敵國，亦非中國地方，若以委之，亦資彼也。故罪則坐以杖百，貨則追收入官。資其力者減科，露其事者給賞。帶出人口，是有從僞之心；走泄事情，是無爲主之意，坐以絞、斬，杜叛源也。

大明律講解

卷一五

朝鮮不著撰人，朝鮮箕營刋本

兵律關津

私出外境及違禁下海

凡將馬、牛、軍需鐵貨、銅錢、鍛（緞）疋、紬絹、絲綿私出境貨賣及下海者，杖一百；挑擔馱載之人減一等，物貨、船、車並入官；於內以十分爲率，三分付告人充賞。若將人口、軍器出境及下海者，絞；因而走泄事情者，斬。其拘該官司及守把之人通同夾帶，或知而故縱者與犯人同罪；失覺察者減三等，罪止杖一百，軍兵又減一等。

講白：挑擔馱載，謂受雇倩而爲其挑擔馱載者減一等，杖九十。與同罪，謂拘該守把官吏軍兵人等，知情故縱，與犯人同罪。至死者杖一百，流三千里。軍兵又減一等，謂於官吏總小旗減三等，上又減一等，通減四等，罪止杖九十。

大明集禮

明涂夔等撰，文淵閣四庫全書本

卷三二

蕃國接詔儀注

使者入蕃國境，先遣關人馳報於王。王遣官遠接詔書。前期令有司於國門外公館設幄結綵，設龍亭於正中。設香案於龍亭之南，備金鼓儀杖，鼓樂伺候迎引。又於國城內街巷結綵，於王宮內設闕庭。於殿上正中設香案，於闕庭之前設司香二人。於香案之左右設詔使立位，於香案之東設開讀案位。於殿陛之東北設蕃王拜位，於殿庭中北向設蕃國衆官拜位，於蕃王拜位之南異位重行北向，設捧詔官位於開讀案之北，宣詔官位於捧詔官之南。展詔官二人於宣詔官之南，俱西向。司禮二人位于蕃王拜位之北，東西相向。引禮二人位于司禮之南，東西相向。引班四人位于衆官拜位之北，東西相向。陳儀杖於殿庭之東西，設樂位於衆官拜位之南北向。遠接官接見詔書，迎至館中安奉於龍亭中，遣使馳報王。是日，王率國中衆官及耆老、僧道出迎於國門外。迎接官迎詔書出館至國門，金鼓在前，次耆老、僧道行，次衆官，具朝服行，次王具冕服行，次儀杖、鼓樂，次詔書。龍亭使者常服行於龍亭之後。迎至宮中，金鼓分列於門外之左右，耆老、僧道分立於庭中之東西。置龍亭於殿上正中。使者立於龍亭之東。引禮引王入就拜位。引班引眾官及僧道、耆老各入就拜位。使者詣前南向立，稱有制司贊唱鞠躬，拜，興，拜，興，拜，興，拜，興，平身。蕃王及眾官以下皆鞠躬。樂作，拜，興，拜，興，拜，興，拜，興，平身。樂止。引禮引蕃王由西階陞諸香案前，北向立，引禮唱跪。蕃王跪。司禮唱眾官皆跪，眾官以下皆跪。引禮唱上香，上香，三上香，司香捧香跪進于王之左，王三上香訖，引禮唱俯伏，興，平身。蕃王及眾官以下皆俯伏，興，平身。引禮引蕃王復位。司贊唱開讀，宣詔官、展讀官陞案，使者詣龍亭捧詔書授捧詔官。捧詔官前受詔捧至開讀案授宣詔官，宣詔官受詔。展詔官對展。司贊唱跪，蕃王及眾官以下皆跪。宣詔官宣詔訖，捧詔官於宣詔官前捧詔書，仍置于龍亭。司贊唱俯伏，興，平身，蕃王及眾官以下皆俯伏，興，平身。司贊唱鞠躬，拜，興，拜，興，拜，興，拜，興，平身，蕃王及眾官以下皆鞠躬。樂作，拜，興，拜，興，拜，興，拜，興，平身。樂作。司贊唱搢笏，鞠躬，三舞蹈，三拱手，加額山呼萬歲，山呼萬歲，再山呼萬萬歲。出笏俯伏，興，樂作，拜，興，拜，興，拜，興，拜，興，平身。樂止。禮畢，引禮引蕃王退。引班引眾官以次退。蕃王及眾官釋服，使者以詔書付所司頒行，蕃王與使者分賓主行禮。

大明會典

明申時行重修，明天啓間刊本

卷一〇五

禮部

朝貢一

東南夷上

祖訓列不征諸夷：朝鮮、日本、大小琉球、安南、真臘、暹羅、占城、蘇門答剌、西洋、爪哇、彭亨、百花、三佛齊、浡泥，凡十五國。職掌所載，又有瑣里、西洋瑣里、覽邦、淡巴、須文達那諸國，與祖訓稍有不同。洪武初，分遣使臣奉詔往諭諸番以平定四海之意，多隨使來朝貢者。

日本國

祖訓：日本國雖朝實詐，暗通奸臣胡惟庸，謀爲不軌，故絶之。按：日本古倭奴國①，世以王爲姓②。其國有五畿、七道，及屬國百餘，時寇海上。洪武五年，始令浙江、福建造海舟防倭。七年，其國王良懷③遣僧朝貢，以無表文却之。其臣亦遣僧貢馬及茶、布、刀、扇等物，以其私貢，却之。又以頻年爲寇，令中書省移文詰責。自後屢却其貢，并安置所遣僧于川、陝番寺，十四年，從其請遣還。十六年，築登萊至浙並海五十九城；二十年，築福建並海十六城，各置衛所。④永樂初復來朝貢，賜龜紐金印、誥命，封爲日本國王。名其國鎮山曰「壽安鎮國之山」，御製碑文賜之。給勘合百道，令十年一貢，⑤貢道由寧波府，每貢正副使等毋過二百人。若貢非期，人、船踰數，夾帶刀鎗，並以寇論。宣德初，遣貢不如約。諭使臣自今貢毋過三船，人毋過三百，刀劍毋過三千。嘉靖六年奏准，凡貢非期，及人過百，船過三，多挾帶兵器，皆阻回。二十九年，定日本貢船每船水夫七十名，三船共計水夫二百一十名。正副使二員，居座六員，土官五員，從僧七員，從商不過六十人。三十年後時入寇掠，自是朝貢未有至者。

貢物：

馬　盔　鎧　劍　腰刀　鎗　塗金裝彩屏風　灑金廚子
灑金文臺　灑金手箱　描金粉匣　抹金銅提銚　灑金木銚角盥
貼金扇　瑪瑙　水晶數珠　硫黃　蘇木　牛皮

會同館

舊設南北兩會同館，接待番夷使客。遇有各處貢夷到京，主客司員外郎、主事輪赴會同館，點視方物，譏防出入。貢夷去，復回部視事。弘治五年，各夷來貢者眾，始添設提督會同館主事一員，專一在館提督事務。

凡貢使至館，洪武二十六年定：凡四夷歸化人員及朝貢使客初至會同館，主客部官隨即到彼點視正、從，定其高下房舍鋪陳，一切處分安妥，仍加撫綏，使知朝廷恩澤。

○一下程，分豁正、從人數，劄付膳部，五日一次，照例支送酒、肉、茶、麪、飲食之物。

○一管待，量其來人重輕，合與茶飯者，定擬食品卓數，劄付膳部造辦。主客部官一員或主席，或分左右，隨其高下序坐，以禮管待，仍令教坊司供應。

○凡番王至京，洪武二年令禮部官於會同館禮待，永樂以後，四夷來貢者，欽命中官與文武大臣或學士等官待宴，不拘員數。成化初，北虜、東夷、西番，以武職大臣待，朝鮮、安南、日本等國并土官，以禮部官待。

○凡會同館醫生，遇四夷及伴送人等有疾，即與醫藥。年終，具用藥若干，活人若干，開送提督主事處，核實呈部，以稽勤惰，考滿陞授，乃留本館辦事。其藥材太醫院關給。

○凡兩館事務夫役，嘉靖十年令俱屬提督官管理，兵部該司不許侵撓干預。其大使等官及別衙門，敢有占用夫役，及脫逃負欠情弊，都聽提督官查究。

各國通事

洪武、永樂以來，設立御前答應大通事，有都督、都指揮等官，統屬一十八處；小通事總理來貢四夷并來降夷人，及走回人口。凡有一應夷情，譯審奏聞。嘉靖初，革去大通事，其小通事悉屬提督官。凡在館鈐束夷人，入朝引領，回還伴送，皆通事專職。

凡通事員額，成化五年奏定：小通事額數，總不過六十名。遇有病故及爲事等項革去職役者，照缺選補。若事繁去處丁憂有過三名者，量補一名。計四夷一十八處額設通事六十員名：

朝鮮國五員名　日本國四員名　琉球國二員名　安南國二員名　真臘國一員名成化二十年添一名，後以空閒俱不補　暹羅國三員名　占城國三員名　爪哇國二員名後俱不補　蘇門答臘國一員名後不補　滿剌加國一員名　達達七員名成化十九年添一名　回回七員名成化十九年添一名　女直七員名成化十九年添二名　畏兀兒二員名　西番五員名成化十九年添一名　河西一員名成化二十年添一名，後俱不補　緬甸一員名，後不補　雲南百夷等處六員名

禮部

給賜二

朝廷給賜番夷及官員人等，或出特恩，或夷人求討，或禮部酌請，其例不一。今具列其可考

者于後：

洪武二十六年定：凡諸番四夷，朝貢人員及公侯官員等一切給賜，如往年有例者，止照其例，無例者斟酌高下等第，題請定奪，然後禮部官具本奏聞關領給賜。

凡賞賜金銀、鈔錠、疋帛之類，金銀請長隨內官關領；疋帛係內承運庫收貯，冠帶衣靴係工科工部官收掌；鈔錠係戶部官分投關領。其物或於奉天殿丹陛，或華蓋殿用卓頓放，引受賜人朝北立，置物於前，受賜人叩頭畢，以物授之。如多至十人百人，則先以所賜之物唱名分授，各人行列叩頭畢，於該科出帖赴午門倒換勘合，照出所賜之物，復令次日謝恩。近年貴□、公侯、官員人等，會極門頒給。

日本國

永樂年間賜國王冠服、紵絲、紗、羅、金、銀、古器、書畫等物。宣德十年回賜國王紵絲二十表裏，紗、羅各八疋，錦二段，銀二百兩。妃銀一百兩。成化二十年，回賜國王紵絲二十表裏，紗、羅各二十疋，錦四段，銀二百兩。王妃紵絲十表裏，紗、羅各八疋，錦二段，銀一百兩。差來正、副使，每員金襴袈裟一領，鍍金銀鉤環全羅直裰一件，羅褊衫一件，紵絲二疋，紗、羅各一疋，絹六疋，銅錢一萬文，靴、襪各一雙。居座以下土官、從僧、通事、從人，有差。正貢外，使臣自進，并官收買。附來貨物俱給價，不堪者令自貿易。

管待番夷土官筵宴

凡諸番國及四夷使臣、土官人等進貢，例有欽賜筵宴一次二次。禮部預開筵宴日期，奏請大臣一員待宴，及行光祿寺備辦，於會同館管待。教坊司用樂。鴻臚寺令通事及鳴贊供事。儀制司領宴花，人一枝。若使臣數多，分二日宴。如遇禁屠齊戒，移後三四日舉行。回還之日，差官伴送，沿途備辦飯食，經過去處茶飯管待，各有次數。許鎮守總兵，或三司，或府、衛正官二三員陪席。

日本國筵宴二次，使臣回還，至寧波府管待一次。

宣德間，使臣至通州湯飯，令行在光祿寺辦送。至濟寧州，浙江布政司并寧波府茶飯管待。

筵宴番夷土官卓面

洪武二十六年：每正一卓，果子五色，按酒五色，湯三品，小割正飯用羊。

永樂元年：上卓：按酒五般，果子五般，燒煠五般，茶食，湯三品。雙下大饅頭，牛、馬、羊肉飯，酒七鍾。中卓：按酒、果子各四般，湯二品，雙下饅頭，牛、馬、羊肉飯，酒五鍾。

天順元年：上卓：高頂茶食，雲子麻葉，大銀錠油酥八箇，棒子骨二塊，鳳鵝一隻，小銀錠笑靨二楪，茶食，果子、按酒各五般，米糕二楪，小饅頭三楪，菜四色，花頭二箇，湯三品，大饅頭一分，羊背皮一箇，添換小饅頭一楪，按酒一般，茶食一楪，酒七鍾。中卓：寶粧茶食，雲子麻葉二楪，甘露餅四箇，鮓魚二塊，大銀錠油酥八箇，小銀錠笑靨二楪，果子、按酒各五般，菜四色，花頭二箇，湯三品，馬肉飯一塊，大饅頭一分，添換小饅頭一楪，羊肉一楪，茶食一楪，酒七鍾。下卓：寶粧茶食，大銀錠油酥八箇，煠魚二尾，果子、按酒各四般，菜四色，湯三品，馬肉飯二塊，大饅頭二分，酒七鍾。

弘治十年，令會同館宴待夷人，禮部屬官一員，光祿寺正官一員巡看，務要卓面豐腆，酒味真正。宴畢，待宴大臣宣布朝廷優待至意，回還之後，各守恭順，管束部落，毋得生事擾邊，自取滅亡。

番夷人等朔望朝及見辭酒飯

上卓：按酒用牛、羊等肉共五楪，每楪生肉一斤八兩。茶食五楪，每楪一斤。果五楪，櫻桃、紅棗、榛子，每楪一斤。膠棗、柿餅，每楪一斤八兩。

中卓：按酒用牛、羊肉四楪，每楪生肉一斤。茶食四楪，每楪十兩。果四楪，核桃、榛子、紅棗，每楪十兩。膠棗十二兩。酒三鍾，湯、飯各一分。

成化十一年，迤北使臣朝見，令中卓按酒每楪加四兩，茶食每楪加二兩，果品內核桃、榛子、紅棗各加二兩，膠棗楪加四兩。餘同常例。

番夷土官使臣下程

凡諸番國及四夷土官使臣人等進貢等項，到會同館俱有常例，并欽賜下程。禮部奏准通行光祿寺支送。其欽賜下程一次者，仍支常例下程。或五日、十日一次者，常例下程住支。若已經給賞，兩月之外不行回還者，住支下程。

凡送夷人下程，光祿寺差屬官一員管押至會同館主事處驗給。

隆慶元年題准：凡四夷貢使領賞五日後遲留不行者，光祿寺住支下程，本部將伴送人員參治。

常例下程

洪武二十六年：五日，每正一名，豬肉二斤八兩，乾魚一斤四兩，酒一瓶，麪二斤，鹽、醬各二兩，茶、油各一兩，花椒二錢五分，燭每房五枝。以上下程若奉旨優待，不拘此例。

又，每人日支肉半斤，酒半瓶，米一升，蔬菜、廚料。

欽賜下程

欽賜及常例，日支外，每三人五日加給鵝一隻，雞二隻，酒四瓶，米一斗，果子五斤。隨從人等不加給。野人女直都督下程一次，每一人鵝一隻，雞二隻，酒二瓶，米二斗，麪二斤，果子四色，蔬菜、廚料。日本國、滿剌加國、錫蘭山國、朶顏三衛、哈密、瓦剌、亦力把力、撒馬兒罕、土魯番、黑婁、蘇門答剌、以必洗兒、戎地面、米爾哈蘭、米昔兒、孛剌安衛、哈剌孩衛、買買、回回、鎖魯丹、罕東衛、阿端地面、迤北、那姑兒、魯迷、天方，各五日下程一次。每十人羊、鵝、雞各一隻，酒二十五瓶數，米五斗，麪十二斤八兩，果子一斗，燒餅二十箇，糖餅二十箇，蔬菜、廚料。

註：

①「日本古倭奴國」，按：日本古稱「倭國」非倭奴國，奴國乃古代日本的許多部落國家之一，它位於現今九州北部，即福岡一帶。漢光武帝授金印的對象，即此奴國。參看鄭樑生，明史日本傳正補（臺北，文史哲出版社，民國七十年十二月），頁一～三三。

②「世以王為姓」，按：日本天皇家有名無姓，故此說與事實不符。

③「國王良懷」，「良懷」，日本史乘俱書作「懷良」。懷良係日本南朝設於九州北部之征西府之將軍，非日本王。日本南北朝時代之天皇，分別居於吉野（南朝）、京都（北朝）兩地，故此言亦與事實不符。

④「十六年築登萊……各置衛所」，明史，卷二，太祖本紀及卷三二二，日本傳所書築城時間為洪武二十年。日本傳云：「十九年遣使來貢，卻之。明年命江夏侯周德興往福建濱海四郡，相視形勢，衛所城不當要害者移置之，民戶三丁取一，以充戍卒，乃築城一十六，增巡檢司四十五，得卒萬五千餘人。又命信國公湯和行視浙東、西諸郡，整飭海防，乃築城五十九。民戶四丁以上者以一為戍卒，得五萬八千餘人，分戍諸衛，海防大飭。」至於同書卷九一，兵志，海防條所書之時間則為十七年及二十年。

⑤「令十年一貢」，按：日本貢使在永樂元年至六年前往中國的次數為七次，船數共三十八，故此說

與事實不符。如根據日本朝貢的實際情形，明廷之限制日本貢期，應是在景泰四年以東洋允澎為正使朝貢之後。參看鄭樑生，明代中日關係研究（臺北，文史哲出版社，民國七十四年三月），頁七五～七九。

善鄰國寶記

卷中

日本，釋瑞溪周鳳輯，續群書類從本

應安六年癸丑（文中二年，明洪武六年，一三七三）

瓦官寄天台座主書曰：「大明皇帝，神聖文武。驅群胡而出境，復前宋之故土。中原殷平，邊境亦靖。時則游神內典，思欲振之。故於今春正月望日，詔天下三宗碩德一千餘員，建普度會于京之蔣山寺。帝自齋戒一月，禁天下屠殺，率文武百官，詣壇設拜。又勅制樂章，命樂師奏以獻佛。衆見廟光燭天，夜雨五色之物，狀若珠璣，時帝大悅。天界白庵禪師，以吾宗耆宿而數召對，經論稱旨，迺奏復瓦官爲天台教寺，衆即推某主之。蓋前兩年，皇帝凡三命使于日本，關西親王皆自納之。于時以祖來入朝稱賀，帝召天寧禪寺住持（仲猷）祖闡，瓦官教寺住持某，命曰：「朕三遣使于日本者，意在見其持明天皇，今關西之來，非朕本意。以其關禁非僧不通，故命汝二人，密以朕意往告之。曰：『中國更主，建號大明，改元洪武。鄉以詔來，故悉阻於關西。今密以我二人告王知之。大國之民，數寇我疆，王宜禁之；商賈不通，王宜通之。與之循唐宋故事，脩好如初。』又命曰：『朕聞其君臣上下，咸知奉佛敬僧，非汝僧不足以取信。彼有禪教僧欲道中國，悉使之來無禁。惟汝二人往哉！無忽。』即賜之三衣與十八淨物之切於用者。又恐至彼言語不通，選關東禪僧之在中國者，得東山長老椿庭（海）壽公，中竺藏主權中（中）巽公，以其參方有行，命貳以行。某謂通國使命，佛所戒也，使無補于佛之教，而欲犯佛之戒，某雖死弗爲也。今皇帝既以我爲可信而遣之，則是我持不妄戒也。勸人禁寇，不盜戒也。脩兩國之好，使商賈交通，民安其生，兵不加境，不殺戒也。持佛之戒，而爲帝者使，則是爲佛之使也。故承命之日，以此而不辭，云云。」五月廿日，命舟四明，五日至五島，五日而抵博多。

右大明天寧寺住持仲猷諱祖闡，瓦官教寺長老無逸諱克勤奉使來，久寓筑紫，因瓦官寄日本天台座主書中所述如此。先是，三度遣使，齎詔書來，然關西不通之，故命瓦官、天寧兩長老，直告來意耳，太祖眷眷於日本，可觀也。

應永八年（建文三年，一四〇一）

日本表文

日本准三后某，上書大明皇帝陛下：日本國開闢以來，無不通聘問於上邦。某幸秉國鈞，海內無虞。特遵往古之規法，而使肥富相副祖阿通好，獻方物，金千兩，馬十匹，薄様千帖，扇百本，屏風三雙，鎧一領，筒丸一領，劍十腰，刀一柄，硯筥一合，同文臺一箇，搜尋海島漂寄者幾許人還之焉。某誠惶誠恐，頓首！頓首！謹言。

大明書

奉天承運，皇帝詔曰：覆載之間，土地之廣，不可以數計，古聖人彊而理之。於出貢賦力役，知禮義，達於君臣父子大倫者，號曰中國。而中國之外，有能慕義而來王者，未嘗不予而進之，非有他也，所以牽天下同歸于善道也。朕自嗣大位，四夷君長朝獻者，以十百計。苟非戾於大義，皆思以禮撫柔之。茲爾日本國王源道義，心存王室，懷愛君之誠，踰越波濤，遣使來朝，歸逋流人，貢寶刀、駿馬、甲冑、紙、硯，副以良金，朕甚嘉焉。日本素稱詩書國，常在朕心。第軍國事殷，未暇存問。今王能慕禮義，且欲爲國敵愾，非篤於君臣之道，疇克臻茲？今遣使者（天倫）道彝、（一菴）一如，班（頒）示大統曆，俾奉正朔。賜錦綺二十匹，至可領也。嗚呼！天無常心，惟敬是懷；君無常好，惟忠是綏。朕都江東，於海外國，惟王爲最近，王其悉朕心，盡乃心思，恭思順，以篤大倫。毋容逋逃，毋縱姦宄，俾天下以日本爲忠義之邦，則可名于永世矣。王其敬之，以貽子孫之福。故茲詔諭，宜體眷懷。

建文四年二月初六日

應永九年（建文四年，一四〇二）

日本表文

日本國王臣源表：臣聞太陽升天，無幽不燭，時雨霑地，無物不滋。矧大聖人，明並曜英，恩均天澤，萬方嚮化，四海歸仁。欽惟大明皇帝陛下，詔堯聖神，邁湯智勇，戡定弊亂，甚於建瓴。整頓乾坤，易於返掌。啓中興之洪業，當太平之昌期。雖垂旒深居北闕之尊，而皇威遠暢東濱之外。是以謹使僧〔堅中〕圭密、梵雲、明空，通事徐本元，仰觀清光，伏獻方物，生馬貳拾匹，硫磺壹萬斤，馬腦大小參拾貳塊計貳佰斤，金屏風參副，槍壹千柄，太刀壹佰把，鎧壹領，匣硯一面，并匣扇壹佰把。爲此謹具表聞。臣源。

年號　日　日本國王臣源

右應永八年以來兩國通信，建文、永樂兩朝來書數通，見于左方。然日本書表，今纔得二通，此表其一也。表末不記年號，蓋天倫、一菴歸國日，日本又令密堅中隨之行，恐此時表乎。又不知此表何人製之。〔瑞〕訢笑雲曰：「天龍寺永育書記堅中弟子，嘗謂人曰：『我師三通使命於大明，其表皆我師所作也。』」予謂此說必然。堅中壯年遊大明，能通方言。歸朝後屢通使命，如其應永年中隨天倫、一菴行，則謝建文帝來使之意也。然及至彼國，永樂帝新即位，天倫、一菴為前帝使，纔入國耳，不得反命。於是堅中號賀新主之使，仍通此表也。彼國以吾國將相為王，蓋推尊之義，不必厭之。今表中自稱王，則此用彼國之封也，無乃不可乎。又用臣字，非也。不得已，則日本國之下，如常當書官位，其下氏與諱之間，書朝臣二字可乎？蓋此方公卿恒例，則臣字屬於吾皇而已，可以避臣於外國之嫌也。又近時遣大明表，末書彼國年號，或非乎。吾國年號多載于唐書、玉海等書，彼方博物君子，當知此國自中古別有年號，然則義當用此國年號，不然，摠不書年號，惟書甲子乎？此兩國上古無年號時之例也。凡兩國通好之義，非林下可得而議者。若國王通信，則書當出於朝廷，代言之乎？近者大將軍為利國，故竊通書信，大抵以僧為使，其書亦出於僧中爾。大外記清三位業忠，近代博學之士也，與予從遊者三十餘年矣，以向所謂年號，及朝臣二事告之，三位以為是，且記於此，諭異日預此事者云。

應永十年（永樂元年，一四〇三）

大明書

奉天承運，皇帝詔曰：天地之中，華夷一體。帝王之道，遠邇同仁。昔者虞德誕敷，外薄四海，威建五長。周室方興，無有遠邇，畢獻方物，不能外於範圍，咸得蒙其福澤也。咨爾日本國王源道義，知天之道，達理之義。朕登大寶，即來朝貢。歸嚮之速，有足褒嘉。用錫印章，世守爾服。眷茲海甸，密邇東郊，素稱文物，慕尚詩書。朕今命爾，惟謙勤可以進學，惟戒懼可以治心，惟誠敬可以立身，惟仁可以撫眾，惟信可以睦鄰，惟忠順可以事上，惟德可以動天地感鬼神。於戲！朕守帝王之道，仰承天地之仁。堅事大之心，亦有無窮之福。永惟念哉！毋替朕命！

永樂元年十一月十七日

應永十一年（永樂二年，一四〇四）

大明書

皇帝勅諭日本國王源道義：使臣回，言：王脩德樂善，忠良恭謹，朕甚爾嘉。又能遵奉朝命，禁止壹岐、對馬諸島之人，不爲海濱之害。用心勤至，尤爲可嘉。自今王更宜戒戢其民，使皆就農樂業，王亦有無窮之令名。故勅。

永樂二年十二月初二日

應永十三年（永樂四年，一四〇六）

大明書

皇帝勅諭日本國王源道義：朕惟天生萬物，覆育無不周；君統萬方，仁恩無不被。古之帝王，體天之德，順物之情以爲治，而天下之民咸得其所者，率由是道。朕荷上天眷命，皇考聖靈，福延朕躬，君主天下。凡海內海外，皆朕赤子。咸欲其安寧，以遂其生。即位之初，遣詔諭王，明示朕意。王克欽承效順，識達朕心，報使之來，懇款誠至。朕念王稟資淳愨，賦性聰明，德行超乎國人之上，信義著乎遠邇之間。非惟朕心所悅，實乃天心所鑑。庸賜印章，申之以誥命，重之以褒錫。比歲及今，屢遣朝貢，誠意益至，敬謹愈加。寔能恭順上天，下福爾士，真可謂賢達矣。近者使臣由王國回，言王嘗夢見朕皇考，蓋以皇考神靈在天，鑑觀四方，無遠弗屆。王心寢寐不忘恭敬，精神感格，故形爲禎夢。朕皇考爾夢於王，即所以監臨於王也。皇考監臨，即天之監臨也。豈惟王一身之慶？將見王之子孫國人，皆有無窮之慶。且以王之感格于朕皇考之心，與上天之心者言之，若對馬、壹岐等遠島，海寇出沒，劫掠海濱，朕命王除之，王即出師，殲其黨類，破其舟檝，擒其渠魁，悉送京師。王之尊敬朕命，雖身在海外，而心實在朝廷。海東之國，從古賢達，未如王者。朕心喜慰，深用褒嘉。自今海上居民，無劫掠之虞者，王之功也。如此，豈不可以上合天心，與朕皇考之心乎。王之令名，自茲永著，光昭青史，傳於不磨。豈惟王一身有無窮之譽，雖王之子孫，世濟其美，亦永有無窮之譽矣。今遣使諭朕茲意，加以寵錫。王其益懋厥德，以副朕懷！故諭。

永樂四年正月十六日

應永十四年（永樂五年，一四〇七）

大明書

皇帝勅諭日本國王源道義：朕誕撫萬方，愛養黎庶，一視同仁，無間彼此，咸欲其無寇攘災沴之虞，無饑寒疾疢之苦。老者得養，幼者得息。暨鳥獸魚鱉，飛走蠕動，跂行喙息之類，咸欲其生遂，此上天之道，仁政之大也。故四方萬國之來庭者，諄諄誨諭，欲其上順天心，保卹生靈。惟王資性溫淳，敦厚周慎，惠和膚敏，恭儉慈仁，聰明特達，而賢聲素彰，律己愛民，而善道益著，奉藩守職，欽承罔違。昔者海寇攘竊，肆虐邊隅，彼此爲梗，民罹其殃。朕命王殄滅之，以除蝨蠹。王即發兵掩捕，破其舟艦，戮其黨與，擒其首賊，遣人繫送來京。而渠魁遠竄海島，偷息鯨波，魚蝦出沒，莫適其鄉。舟楫猝不能及，鋒鏑猝不能加。施之以德，不能以懷，動之以威，不能使畏。王乃晝夜謀思，至忘寢食，四出追襲，百計以擒之。茲焉遣使上表，獻俘于庭，詞意懇悃，哀情溢見。朕覽讀再三，甚深慰悅，嘉歎不已。王之忠誠，可以貫金石，可以通神明。允合天心，式慰朕望。自今海隅肅清，居民無警，得以安其所樂，雞豚狗彘，舉得其寧者，皆王之功也。眷茲偉績，寤寐不忘，臨風顧懷，良切于中。夫治天下國家者，能體天地生物之心，去災捍患，使天下國家大安，萬民熙皥，切莫大焉。則天心悅鑒，使享有無窮之福，子子孫孫不替，益盛，此爲善之報，理固然也。王之脩身體道，樂善不倦，昭令德於東岣（嵎），播芳譽於中國，垂光青史，與天地悠久，誠所謂賢人君子有志丈夫哉。日本自有國以來，如王之賢達者，蓋未之有也。自古賢者，無不好善，而好善者無不蒙福。若王之好善，則必享有福祿，永永無窮矣。茲遣人以勅諭王，申以寵賚，用致朕嘉獎之意。王懋膺隆替，眷體朕至懷。故諭。

永樂五年五月二十六日。

應永十五年（永樂六年，一四〇八）

大明書

奉天承運，皇帝制曰：朕祇膺大命，統御萬方，體天地之仁，衍生民之福。若有賢哲材智，敦敬天事大之德，重保土恤民之心，則恩寵之隆，昭于無極，斯帝王旌勸之大公也。故日本源道義，慈惠恭和，聰明特達，持身有禮，處事有義，好善惡惡，始終一志。敬天事上，表裏一誠。負弘偉之度，懷卓犖之才，仁厚洽於國人，賢德昭于遠邇。自朕御極以來，忠敬之心愈隆，職貢之禮，有加無替。遵奉朝命，斯須不稽。竭力殫心，惟恐不及。殄寇盜於海島，安黎庶於邊隅，並海之地，雞犬得寧，烽警不作，皆王之功也。蓋王忠順之誠，皎若日星，堅若金石。上逼於天地，幽徹於鬼神，跡其有國以來，未有如王之盛，何告終之奄及？諒悼德之難忘，稽行易名，宜隆恤典，今特賜謚曰恭獻。於戲！人以真貴，德因謚顯。國家之寵命，人生之至榮。王之生也，賢周於身，昭於上下；歿也，美名揚於世，流於無窮。豈非光明俊偉，傑然丈夫哉。靈若有知，服茲嘉命！

永樂六年十二月二十一日

維永樂六年歲次戊子十二月甲戌朔，越二十一日甲午，皇帝遣內官周全渝祭于故日本國王源道義之靈曰：惟王慈惠溫淑，聰明特達，持身有禮，處事有義。好善惡惡，始終一心。敬天事上，表裏一誠。負弘偉之度，懷卓犖之才。仁厚治于國人，賢德昭于遠邇。自朕御極，傾心歸向，益處職貢之禮，有隆無替。恭承朝命，斯須不稽，竭力殫心，唯恐弗及。用是殄寇盜於海島，安黎庶於邊隅。並海之地，雞犬得寧，烽警不作，皆王之功也。蓋王忠順之誠，皎若日星，堅若金石。上逼於天地，幽徹鬼神。自日本有國以來，其士賢明，未有如王盛者矣。正當永享於安榮，何意奄然而遽沒？訃音之至，實切悼傷。耿賢德之難忘，悵中心其曷已。雖然有生者有死，陰陽晝夜，皆理之常也。王今歿於天年，而賢德之著，騰於東蕃，揚於朝廷，勒之青史，垂之後世，殆與天地相爲無窮，王又有何憾焉？茲特遣人賜祭，九原有靈，庶克享之！

勅日本國世子源義持：近國王源道義薨逝，訃音來聞，朕深慟悼。茲特遣使賜賻，想世子父子至親，益難爲懷，并賜勅慰問。世子其節哀順變，勉力喪事，以副國人之望。故勅。

麻布五百匹

絹五百匹

永樂六年十二月廿一日

應永二十六年（宣德元年，一四一九）

大明書

使臣呂淵去歲奉國命，齎勅書，就帶倭人來日本國公幹，令人通報。國王命古幢長老到海濱，未曾審詳來意。長老旋車後，一向信息不聞。以此齎捧勅書回京師。續有本國日向州人，駕船一隻，裝硫黃、馬疋進貢，因無國王文書，不領。今復蒙遣，齎捧勅書，就帶進貢番人一十六名，同先來八名重來。今忠信之言，將爲賢大夫告。恐重譯弗詳，故筆諸書，付賢大夫左右，幸詳說之萬一。

永樂拾漆年漆月拾參日

余千戶、郭千戶　通事周肇

諭大明使者

征夷大將軍某告元容西堂：今有大明國使臣來，說兩國往來之利，然而有大不可者。本國開闢以來，百皆聽諸神，神所不許，雖云細事，而不敢自施行也。頃年我先君惑於左右，不詳肥官口辯之愆，猥通外國船信之問。自後神人不和，雨暘失序，先君尋亦殂落。其易簀之際，以冊書誓諸神，永絕外國之通問。孰辜先君告命，而犯諸神憲章哉？去歲既命古幢長老往諭此意，今有使而至，蓋前諭之未達也。又責以海島小民數侵邊圉，是實我所不知也。今倘云止之，則前亦知而令之也，豈有人主而教民爲不善者乎？何不思之甚矣。雖然逋逃亡命，或竄身於夐絕之海島，時時出害邊民者恐有之，當命沿海之吏制焉。西堂宜以此件款款說之。

應永廿六年七月廿日

同前

同君曰：夫與鄰國通好，商賈往來，安邊利民，非所欲乎。然而余之所以不肯接明朝使臣者，其亦有說，先君之得病也。卜云：「諸神爲祟，故以奔走精禱。」當是時也。靈神託人謂曰：「我國自古不向外邦稱臣，比者變前聖王之爲，受曆，受印，而不却之，是乃所以招病也。」於是先君大懼，誓乎明神，今後無受外國使命。因垂誡子孫，固守毋墜。其後僧使堅中（圭密）與明朝行人偕來，余欲不接之，以其未以如上事諭使臣，亦爲吊（弔）先君來，故違誓而趣之。及乎使臣之歸，令堅中（圭密）爲諭此意，不知未詳通乎？去歲使船重來，亦使等持長老重傳此趣。使臣歸到本國，胡不以此意達爾主耶？余之所以不接使臣，兼不遣一介者，非敢恃險阻不服也，順明神之意，奉先君之命，以行事耳。昔元兵再來，舟師百萬，皆無功而溺于海，所以者何？非唯人力，實神兵陰助以防禦也。遠聞是事，必爲怪誕。古來吾國之神靈驗赫，可不恐乎？事詳國史。今聞將以使者不通爲辭，用兵來伐，使我高深城池。我不要高我城，亦不要深我池，除路而迎之而已。至乎寇掠邊圉，則逋逃之徒，竄於海島之間者之所爲也。欲討電滅飆逝，師還則烏合蟻聚，而不受吾命者也。捕而戮之可也，奚必帶而來哉！來書亦云：「使臣至中國，或拘留，或殺戮，聽爾所爲。」是何謂哉？吾不欲拘殺使臣，只要彼不來，此不往，各保封疆。莊子曰：「民至老死而不相往。」若此之時，則至已不亦休。西堂以此意諭明朝行人，速回舟楫，幸甚！

永享四年（宣德七年，一四三二）

遣唐表

天啓大明，萬邦悉被光賁，海無驚浪，中國茲占泰平。凡在率濱，孰不惟賴。欽惟大明皇帝陛下，四聖傳業，三邊乂安。勛華繼體，從昔所希。宣光中興，不圖復覩，貢茆不入。固緣幣（敝）邑多虞，行李往來，願復治朝舊典。是以謹使某人仰觀國光，伏獻方物，爲是謹具表。

永享五年（宣德八年，一四三三）

大明諭日本使

皇帝勅諭日本國使（龍室）道淵，爾究通佛氏之旨，曉達君臣之義，在彼境內，超於群倫。比者以其國王之命，遠涉海波，來脩職貢，達其王敬天之懇，敷其王事大之心。言調有章，進止有禮。從容恭謹，朕甚嘉之。今特授僧錄司右覺義之職，俾歸本國住持天龍寺。爾其益精善道，闡宗風，益堅至誠，用副嘉獎。欽哉！故諭。

宣德八年六月初六日

同年大明書

皇帝勅諭日本國王源義教：朕祇奉天命，嗣祖宗大位，以主兆姓。臨御以來，夙夜孜孜，惟天惟祖宗之心，體而行之，綏撫天下，一視同仁。是以海內海外，凡日月所照臨之處，慕義歸化，悉順悉臣。今者王遣使道囦奉表來朝，并獻方物。敬天事大，具悉至誠，甚嘉之。惟王日本表秉禮義，我國家肇造區宇，恭脩職貢，未嘗或怠。逮爾父王道義，事我皇祖太宗文皇帝，恭謹之誠，貫于金石。是以皇祖天恩游加，亦超越夷等，載在國史，永永光華。爾父既沒，使命不通，蓋亦有年。王今嗣主國事，獨能持忠孝之志，脩繼述之功，所謂卓然聰明特達者也，雖古賢王，何以過哉！夫有厚德者，天必錫之以厚福。王繼今務德，益勤弗懈，將福祿之臻，豈可量哉。茲遣正使內官雷春，副使內使裴寬、王甫原，鴻臚寺少卿潘錫，行人高遷，齎勅往諭。①并賜王彩幣等物，以示嘉悅之意。王其勉之，敬之，用副朕懷。故諭。

宣德八年六月十一日

註：

①「茲遣正使內官雷春副使內使裴寬……行人高遷齎勅往諭」，明宣宗實錄，卷一〇三，宣德八年六月壬午朔壬辰條只言：「遣鴻臚寺少卿潘賜行人高遷中官雷春等使日本國」，而未提雷春、裴寬、王甫原等充正副使事。

永享六年（宣德九年，一四三四）

遣唐表

大明宣德九年甲寅，惟肖得巖

寶鄰脩好，所愧乘韋惟先。溟量包荒，何唯雜佩以報。爭覩使者光采，則知官儀中興。阡陌竦瞻，山川增重中謝。恭維皇帝陛下，奉天紹運，濟世安民。眷惟僻居於遐方，孰不興起於盛際。事大誠仍就貫，權宜要在更張。秋水長天，極目雖迷上下，春風和氣，同仁豈阻東西？勿替斯言，克昌厥後。

永享八年（正統元年，一四三六）

大明書

皇帝勅諭日本國王源義教：我國家統有天下，薄海內外，罔不臣服。列聖相繼，無間遠近，一視同仁。爾日本為國東藩，世脩職貢，益永益虔。我皇考宣宗臨御之日，恩眷尤厚。今遣使（恕中）中誓等奉表來朝，并獻方物，禮意勤至。朕嗣承祖宗大寶，期與四海群生同樂雍凞。矧王篤於事大，良可嘉尚。使者還，特賜王及妃白金、彩幣，以答王意。王其欽崇天道，仁恤有民，永保蕃邦，以副朕望。故諭。

正統元年二月初四日

寶德三年（景泰二年，一四五一）

遣大明表

日本國王臣源義成①，律應東風，懸知好道之君，出於中國，木入南斗，具瞻殊常之識，驗於當朝。是以傾葵藿之至誠，通鴻雁之遠信。伏以大明皇帝陛下，化孚有截，澤洽無垠。南桂海北冰天，西月東日域。同文同軌，相應相求。天戈所麾，無不賓順矣。臣源義成欽承先志，紹知陋邦，守在遐方，專存外衛。屬國多虞，有稽職貢，見恕爲幸焉耳。方今以（東洋）允澎長老爲專使，以僧芳貞爲綱司，奉問皇家之安否。兼具方物之不腆，頫蒙嘉澍，仰荷鴻庥，謹奉表以聞。臣源義成誠惶誠恐，頓首！頓首！謹言。

景泰二年歲次辛未秋八月日　日本國王臣源義成

註：

①「源義成」，即日本室町幕府第八任將軍，後來更名「義政」。

享德三年（景泰五年，一四五四）

大明書

皇帝勅諭日本國王源義成：惟王聰明賢達，敬天事大，以福一國之人，良用爾嘉。朕恭承天命，嗣登大寶，主宰華夷。王又差正副使（東洋）允澎等，齎捧表文，并以方物來貢，見王之勤誠。茲因使回，特令齎勅諭王，并賜王及王妃銀兩、彩幣。王共（其）體朕至懷，故諭。

景泰五年正月初九日

右寶德三年辛未，遣使於大明時報書也。此時無別幅，所成方物，皆記于斯書末，今分置于下卷諸別幅中。

寛正六年（成化元年，一四六五）

遣大明書

瑞溪周鳳

黃河北流，一清以生上聖；白日西照，再中以發皇明。既安億兆之心，孰敢二三其德？共維大明皇帝陛下，統接千載，威加四方。重熈累洽，誕膺昌期。合慶同歡，覃及弊邑；渺茫海角，雖不隸版圖中；咫尺天顏，猶如在輦轂下。茲遣專使（天與）清啓長老，謹捧方物，親趨闕庭，伏望寬容，曲賜省察。謹表以聞。

右寛正五年甲申二月十六日，蔭涼軒（季瓊）真蘂西堂來，傳可製大明書之公命。且曰：「永享年中，兩回遣使大明，皆惟肖（得巖）和尚製表，今其例也。」予曰：「老來拋筆硯久矣，矧惟肖例，非擬倫乎？彼此非予所堪。雖然，公命既降，不得已爾。」同年六月，蔭涼使者集箴首座來曰：「大明正使近日赴筑紫，請賜表草以淨書。」便付之去。近商舶自高麗回者曰：「大明正統王復即位，蓋此王獵遊，深入胡國境，為之所留，久不得還，故其兄（弟）即位，景泰王是也。爾後購還正統王，同在北京。今景泰王崩，其太子早世，次子太幼，是以正統重即位，改元天順。

云云。」故表中有白日再中之語。日再中，見于漢郊祀志。又李白詩曰：「大駕還長安，兩日忽再中。」言玄宗、肅宗再入都爾。凡遜位之君再登寶祚，則除唐中宗、睿宗，大元文宗之外，不見于史焉。文選運命論曰：「黃河清而聖人生。」注云：「黃河千年一清。」予以言大明創業，際于聖人千年之運。按：元史順帝至正十五年乙未，大明高祖起兵，自和州渡江取太平路。同二十一年庚子十一月，黃河清三日。同二十七年，元亡則河清，豈非大明之應耶？所謂河一清，日再中，遠頌高祖德，近記今王實而已。然此少寓微意，凡河出於西而歸于北，似有朝宗之心。日出於東，而臨于彼，豈非光被之義耶？李白詩曰：「黃河走東溟。」又曰：「黃河落天走東海。」彼方指此方為東海，予取於此也。又，此國既號日本，又曰日域，曰日東，則以日屬于我國，未為誣乎。永享六年，惟肖所製表曰：「秋水長天，極目雖迷上下，春風和氣同仁，豈阻東西？」此述海上緲游之境。然兩國上下，不可定之意，在于言外乎？凡古人言外寓意者多矣，東坡遙知叔孫子遠致魯諸生之句，含不致二人之意。山谷我詩似曹鄶，淺陋不成邦。公如大國楚吞五湖三江之句，含楚雖大不列于十五國風中之意。以上二詩之意，共見于后人評。又，陸雲入洛，王武子食前有羊酪，問陸雲曰：「吳中何以敵此？」答曰：「千里蓴羹，未下鹽豉。」後來陸放翁曰：「蓴菜最宜豉，所謂未下鹽豉者，言下鹽豉則非羊酪可敵，蓋盛言蓴羹之美爾。」予謂：「魏、吳、蜀鼎峙之世，各有相爭之心，今武子陸士龍問答，亦尚有昔時之意也。未下鹽豉之語，則非羊酪可敵之意也。」由是觀之，則惟肖上下之語，有以哉。予黃河白日之語，亦効顰耳。既而又聞景泰王崩後，正統王子即位，改元天順，非正統王重祚也。然則日再中之語，無乃相違乎。但言正統王歸國，亦可乎。今王其子也，述父王事耳。矧李白兩日再中，兼言玄宗再入都之謂也。予先是撰善鄰國寶記，略載兩國往來書，然此表未在記中，蓋表辭若有如隋帝不悅者，則使者亦不能達命，此表同無用也，何似焚草哉。然正使天與既歸朝，惟阻兵未得入京，故追係之於製表之年也。

文明七年（成化十一年，一四七五）

遣明表

横川景三

日本國王源義政，上表大明皇帝陛下，日照天臨，大明式朝萬國，海涵春育，元化爰及四方。華夏蠻貊歸仁，草木虫魚遂性。共維大明皇帝陛下，神文聖武，容智慈仁，皇家一統，車書攸同。弊邑多虞，皷角未息。禹貢山川之外，身在東陬。洛邑天地之中，心馳北闕。茲遣正使（竺芳）妙茂長老，副使慶瑜首坐，謹捧方物，親承寵光。冀推單衷，曲賜素察。謹表以聞。臣源義政誠惶誠恐，頓首謹言。

成化拾壹年乙未秋捌月廿八日　日本國王臣源義政（日本國王印）

上表
日本國王臣源義政　日本國王印也　謹表
大明皇帝陛下

別幅　自別幅兩字到咨一字，同幅書之。

馬肆疋　散金鞘柄太刀貳把　硫黃壹萬斤　馬腦大小貳拾塊　貼金屛風參副　黑漆鞘柄太刀壹佰把　槍壹佰把　長刀壹佰柄　鎧壹領　硯壹面并匣　扇壹佰把　計

奏討

成化五年伏奉制書，特頒今塡勘合并底簿等物。聖恩至重，手足失措，感戴感戴。然而弊邑搶攘，所謂給賜等件件，皆爲盜賊所剽奪，只得使者生還而已。爰有景泰年間所頒未塡舊勘合，請以此爲照驗也。今後濫行今塡勘合者，必賊徒也，罪當誅死。抑銅錢經亂喪失，公庫索然。土瘠民貧，何以賑施。永樂年間多有此賜，記之。又，書籍焚于兵火，蓋一秦也。弊邑所須，二物爲急，謹錄奏上，伏望俞容。書目列于左方：

佛祖統紀全部　三寶感應錄全部　教乘法數全部　法苑珠林全部　賓退錄全部　菟園策全部

遯齊閑覽全部　類說全部　百川學海全部　北堂書鈔全部　石湖集全部　老學菴筆記全部

右咨

禮　部

日本國

日本國王印也

成化拾壹年捌月廿八日

咨大字書之

予按國史，聖德太子攝推古政，始通信於隋朝。太子見隋書曰：「此天子賜諸侯王書式也。然稱倭皇，皇字有禮。」遂製報書，有東皇帝敬白西皇帝之語；又有謹白不具之語。蓋太子不欲臣服，又不欲絕好，其意可觀也。厥後桓武天皇朝，屢有遣唐使，如弘法、傳教，皆隨國使入大唐，此時恐無天子書，而惟使者以通事諭來意乎。至于鳥羽院代，大宋國附商客孫俊明、鄭清等通書，因命諸儒議之，終無報書矣。然則平氏重盛，施黃金於育王；源氏實朝求佛牙於能仁；平氏時宗請建長住持於明州牧，亦皆非兩國王相通也。由是觀之，推古以來，東皇西皇抗行之義，于今惟同焉。元朝令蒙古軍來侵我西鄙，戰不利而退矣。大明太祖老皇帝，屢遣使者齎詔書來告開國、建大明號，而太（大）宰府不聞于朝，使者不得入京師而歸矣。老皇帝知吾國王臣皆信佛法，密命天寧禪寺住持（祖）闡仲猷，瓦官教寺住持（克）勤無逸來通好。當知唐、宋時，吾國未聽命也。應永初，筑紫商客肥富自大明歸，陳兩國通信之利。於是大將軍源朝臣義滿，便以肥富為使者，始通信書，獻方物，故大明建文帝遣禪教長老天倫、一菴來。將軍又遣〔圭〕密堅中隨天倫、一菴行。船未達大明，而建文帝內難，叔父燕王即位，改元永樂，堅中能通使命而歸。從此連年兩國使者往來憧憧，今所謂勘合者，蓋符信也，此永樂以後之式耳。九州海濱以賊為業者，五船十船，號日本使而入大明，剽掠瀕海郡縣，是以不持日本書及勘合者，則堅防不入，此惟彼方防賊，此方禁賊之計也。自古兩國商船，來者往者，相望於海上，故為佛氏者，大則行化唱道之師，小則游方求法之士，各遂其志。元朝絕信之際尚爾，況其餘乎。有勘合以來，使船之外，決無往來，可恨哉！

文明二年龍集庚寅臘月二十三日　臥雲八十翁瑞谿周鳳書于善鄰國寶記後

卷下

別幅

皇帝頒賜

日本國王

白金貳百兩　粧花絨綿四匹　四季寶相花藍一匹　細花綠一匹　細花紅貳匹

紵絲二十匹

織金胸背麒麟紅乙匹　織金胸背獅子紅一匹　織金胸背白　綠乙匹　晴花骨朵　雲青一匹
晴細花綠四匹　晴細花綠一匹　晴細花青一匹　素青三匹　素紅二匹　素綠三匹

羅二十匹

織金胸背麒麟紅一匹　織金胸背獅子青一匹　織金胸背虎豹綠一匹　織金胸背　海馬藍一匹
織金胸背海馬綠一匹　素紅五匹　素藍三匹　素青三匹　素柳綠二匹　素柳青一匹　素砂綠
一匹　素茶褐一匹

紗二十匹

織金胸背麒麟紅一匹　織金胸背獅子紅一匹　織金胸背白　素青一匹　織金胸背　海馬綠一匹
織金胸背虎狗綠一匹　晴花骨朵雲紅一匹　晴花骨朵雲青二匹　晴花骨朵雲藍二匹　晴花骨
朵雲柳青一匹　晴花骨朵雲綠二匹　晴花八寶骨朵　雲綠一匹　素綠一匹　素紅一匹　素青
一匹①

彩絹二十匹

綠七匹　紅七匹　藍六匹

王妃

白金壹百兩　粧花絨綿二匹　細花紅一匹　四季寶相花藍一匹

紵絲十匹
織金胸背犀牛紅一匹　織金胸背海馬青一匹　晴花八寶骨朵雲青一匹　晴細花紅一匹　晴細花青一匹　晴細花綠一匹　素青一匹　素紅二匹　素綠一匹
羅八匹
織金胸背獅子青一匹　織金胸背虎豹紅一匹　素藍二匹　素紅二匹　素青一匹　素柳一匹
紗八匹
織金胸背獅子綠一匹　織金胸背犀牛紅一匹　晴花骨朵雲藍一匹　晴花骨朵雲青一匹　素紅二匹②
彩絹十匹
紅三匹　綠四匹　藍三匹
宣德八年六月十一日

註：
①此「沙二十匹」，實際上其總數僅有十七匹，應是原文有誤。
②此「紗八匹」，實際上其總數僅有六匹，應是原文有誤。

皇帝特賜日本國王并王妃
硃紅漆彩粧戧金轎一乘　大紅心青邊織金花紵絲坐褥一个　脚踏褥一个　硃紅漆戧金交椅一

對　大紅織金紵絲褥二个　腳踏褥二个　硃紅漆戧交床二把　大紅心青邊織金紵絲坐褥二个

大紅羅鎖金梧桐葉傘二把　渾織金紵絲十匹　大紅骨朵連雲一匹　大紅㶉鶒連雲一匹　大紅靈芝骨朵雲一匹　翠藍㶉鶒連雲一匹　翠藍靈芝骨朵雲一匹　土色骨朵連雲一匹　深青香草寶相一匹　深靈芝骨朵雲一匹　柏枝綠香草寶相一匹　黑綠靈芝骨朵雲一匹

渾織金羅拾匹

大紅骨朵連雲一匹　大紅八寶骨朵雲一匹　深青㶉鶒連雲一匹　深青靈芝骨朵雲一匹　深青纏枝金連一匹　藍青靈芝骨朵雲一匹　藍青八寶飄腳雲一匹　翠藍靈芝骨朵雲一匹　柏枝綠香草寶相一匹

渾織金紗拾匹

大紅㶉鶒連雲一匹　大紅八寶雲一匹　黑綠八寶雲一匹　黑綠㶉　連雲一匹黑綠香草寶相一匹

深青㶉鶒連雲一匹　明綠㶉鶒連雲一匹①

彩絹參百匹

大紅參拾匹　深桃紅參拾伍匹　淺桃紅參拾伍匹　青壹百匹　木紫壹百匹

銀盂等器貳拾件

銀盂貳面　銀酒壺貳箇　銀茶瓶貳箇　銀漱口盂貳箇　銀酒盂貳箇　銀茶匙拾貳把　銀匙貳把②

各色絲彩綉圈金各樣花鏡袋拾箇
大紅花壹箇　黑綠茶花壹箇　黑綠肆季花貳箇　硃紅漆戧金寶相花摺疊面盆架貳座　鍍金事件全古銅點金斑花瓶貳對　古銅點金斑香爐貳個　象牙彫荔枝鳥（烏？）木捍癢合子貳箇　香兒壹佰箇　硃紅漆戧金碗貳拾箇　橐全黑漆戧金椀貳拾箇　橐全魫灯籠肆對　雲頭桃竿全龍香墨貳拾笏　青黃信紙伍百張　兔毫筆參百枚　各樣牋紙壹百枚　深銀紅色拾張　柳黃色拾張　粉紅色拾張　山各色拾張　蜜褐色拾張　鷹背褐色拾張　藕絲褐色拾張　葱白色拾張　白粉色拾張　牋拾張　蛇皮伍拾張　猿皮壹百張　虎皮伍拾張　熊皮參拾張　豹皮參拾張　苓香拾箱，每箱伍拾片，共伍百片　鸚哥貳拾箇
宣德捌年陸月拾壹日

註：

①此處雖云「渾織金紗拾匹」，但其所錄者僅有「七匹」，故應有筆誤。

②此處雖云「銀盃等器貳拾件」，但其所錄者卻有「貳拾肆件」，故應有筆誤。

日本國今塡本字壹號壹道爲恩事：宣德捌年陸月初拾日，准禮部日字壹號勘合咨文，該欽差內官雷春等，齎捧誥命并給賜等物勘合底簿，欽遵逐壹照數收領外，今差正使恩表，并進貢方物，開

坐須到咨者。今開：

壹、謝恩表文壹通，齎繳永樂年號本字勘合伍拾漆通，同日字勘合壹百通，底簿壹扇。

壹、貢獻方物：馬貳拾匹　撒金鞘太刀貳把　硫黃壹萬斤　馬腦大小貳拾塊　金屛風參副　鎗壹百柄　黑漆鞘柄太刀壹百把　長刀壹百柄　鎧壹領　硯壹面并匣　扇壹百把

壹、差去正使壹員

右咨

禮部

宣德玖年捌月貳拾參日

咨

皇帝頒賜

日本國王

銀貳百兩　粧花絨綿　細花紅壹匹　毬紋花青貳匹　毬紋花紅壹匹

紵絲

織金胸背麒麟青壹匹　織金胸背麒麟紅壹匹　織金胸背白𦏁青壹箇　織金胸輩白𦏁綠壹匹

織金胸背白𦏁紅壹箇　晴花青壹个　晴花綠壹個　晴花紅一个　素青參个　青綠陸箇　素紅

參个

紗

織金胸背麒麟紅壹个　織金胸背麒麟青壹箇　織金胸背麒麟綠壹箇　織金胸背獅子紅壹个

織金胸背獅子綠壹箇　晴花紅參箇　晴花青三匹　晴花綠三匹　晴花藍三匹　素紅一匹　素

青一匹　素綠一匹

羅

織金胸背麒麟青一匹　織金胸背麒麟紅貳匹　織金胸背麒麟綠一匹　織金胸背獅子紅一匹

素綠三匹　素藍三匹　素紅肆匹　素青肆匹　彩絹紅漆匹　綠陸匹　藍漆匹

王妃

銀壹百兩　粧花絨綿　如意葵花綠一匹　毬紋寶相花青一匹

紵絲

織金胸背麒麟青一匹　織金胸背白𧴕紅一匹　素青貳匹　素綠肆匹　素紅貳匹

紗

織金胸背麒麟紅一匹　織金胸背獅子綠一匹　晴花藍一匹　晴花青二匹　素青一匹　素紅一

匹　素紅一匹

羅

織金胸背麒麟青一匹　織金胸背獅子綠一匹　素青貳匹　素紅一匹　素綠貳匹　素藍壹匹

正統元年貳月初肆日

日本國今塡本字淸號勘合壹道爲朝貢事：今將本船裝載方物并人姓名開坐于后，須到咨者，今開

壹、衣（表）文壹道

貢獻方物：

壹、馬貳拾匹　撒金鞘柄太刀貳把　硫黃壹萬斤　馬腦貳拾塊　貼金屛風參副　黑漆鞘柄太刀壹百把　槍壹百柄　長刀壹百柄　鎧壹領　硯壹面并匣　扇壹百把

壹、專使壹員

綱司　居座　從僧　土官　通事　從人　船頭壹名　水夫

右咨

禮部

景泰貳年捌月日

咨

善鄰國寶記

皇帝給賜日本國王

銀貳百兩　絨錦龜勝團花大紅壹匹　寶相花大紅壹匹　毬紋花深壹匹　細花柳黃壹匹

紵絲

晴花骨朵雲青貳匹　晴花骨朵雲黑綠貳匹　晴花骨朵雲柳青貳个　晴花骨八寶柳青貳匹　晴花骨朵雲八寶青貳个　晴細花柳青貳匹　晴細花淺桃紅壹个　晴細花柏枝綠貳匹　晴細花深桃紅壹个　素丹礬紅貳个　素深青貳个　青黑綠壹箇

彩絹

藍漆箇　紅漆箇　綠拾箇

紗

晴花骨朵雲藍肆箇　晴花骨朵雲深青貳个　晴花骨朵雲深桃紅壹箇　晴花骨朵雲明綠貳个　晴花骨朵雲八寶黑綠壹箇　晴花骨朵雲黑綠壹箇　晴細花深青壹箇　晴細花柏枝綠壹箇　素深青參箇　素黑綠參箇

羅

太紅貳箇　黑綠肆箇　深青肆箇　柳青參箇　鸚哥綠壹箇　紗綠肆箇　深桃紅貳箇

王妃

銀壹百兩　絨綿歸龜勝團花深青壹匹　牡丹花丹礬紅壹箇

紵絲

晴花骨朵雲柳青壹箇　晴花骨朵雲清一箇　晴細花丹礬紅參箇　晴細花藍貳箇　素官綠貳箇

素丹礬紅貳箇　彩絹綠參箇　藍壹箇　紅參箇

紗

晴花骨朵雲藍青貳箇　晴花骨朵雲深青壹箇　晴花骨朵雲黑綠壹箇　晴花細柳青壹箇　晴細花

明綠壹箇　素深青壹箇　素黑綠壹箇

羅

大紅貳箇　柳青貳箇　黑綠貳箇　柏枝壹箇　深貴（青）壹箇

奏討

古銅大香爐貳箇，共重壹千貳百肆拾斤　古銅小香爐壹箇，重漆拾伍斤　黃銅方香爐壹箇，重

貳拾壹斤　黃銅花瓶壹對，共重肆拾漆斤　黃銅磬壹口，重壹拾五斤　鐃鈸貳雙，共重參拾參

斤　黃銅花龜鶴壹對，重參拾壹斤

景泰伍年正月初玖日

壹百號勘合底簿壹扇，付本國差來專使（東洋）允澎等齎回外，擬合移咨，照依勘合底簿內欽定

事理欽遵收掌，書塡比對。今後如是進貢方物，毋得濫將硫黃壹槪報作附搭之數。其正貢硫黃，亦不得過參萬斤。及差來人員，務要擇其端謹識大體，執守禮法者前來。仍將宣德年間頒去未塡勘合并底簿，順便差人齎繳施行，須至咨者。

右咨

日本國

景泰伍年貳月十八日對同都吏李恭

咨

宣德日字號勘合底簿一扇，本字號勘合八十四道，齎繳還納。書籍、銅錢，仰之上國，其來久矣。今求二物，伏希奏達，以滿所欲。書目見于左方。永樂年間多給銅錢，近無此舉，故公庫索然，何以利民？欽待周急。

教乘法數全部　三寶感應錄全部　賓退錄全部　北堂書鈔全部　兔園策全部　史韻全部　歌詩押韻全部　遐齋集全部　張浮休畫墁集全部　遯齋閑覽全部　石湖集全部　類說全部　揮塵錄全部附後錄十一局，第三錄三局，餘錄一局　百川學海全部　老學菴筆記全部

右咨

禮部

天順捌年捌月十三日

遣大明表文明十五年癸卯

日本國王臣義政言：皇天后土，齊歸中花（華）之風；甘露慶雲，爭獻瑞麥之頌。丕承祖宗功業，以致社稷治安。欽惟陛下，乃聖乃神，惟文惟武。光輝堯、舜二典，度越漢、唐中興。顧其弊邑，雖荷國恩，憂在蕭墻。有稽朝貢，布大明於天下。遐邇同仁，望長安於日邊，始終一節。茲遣專使〔子璞〕周瑋長老，伏捧方物，親趨闕庭。仰望聖慈，曲察衷素。謹表以聞。臣源義政誠惶誠恐，頓首！頓首！謹言。

成化拾玖年癸卯春三月日　　日本國王臣義政

別幅

馬肆匹　撒金鞘柄太刀貳把　硫黃壹萬斤　碼碯大小貳拾塊　貼金屏風參副　黑漆鞘柄太刀壹佰把　槍壹佰柄　長刀壹佰柄　鎧壹領　硯壹面并匣　扇壹佰把

計奏討

成化十四年制書并給賜等物，一一拜納，無堪感荷之至。抑弊邑久承焚蕩之餘，銅錢掃地而盡，官庫空虛，何以利民？今差使者入朝，所求在此耳。聖恩廣大，願得壹拾萬貫，以滿其所求，則賜莫大焉。謹錄奏上，俞容惟望。

右咨

禮部

成化拾玖年癸卯春三月日　日本國王臣源義政

續善鄰國寶記

編者不詳，續群書類從本

皇帝勅諭日本國王源義政，得奏本國經亂，公庫索然，要照永樂年間事例，給賜銅錢賑施等因，事下禮部，查無給賜之例。而使臣〔竺芳〕妙茂等，復懇辭具奏。茲不違王意，特賜銅錢五萬文，付妙茂等領回，至可收用。故諭。

成化十四年二月初九日

右竪二尺六寸五分，橫四尺六寸五分，黃色蠟紙也。端上下雲行，奥同。前中央有龍，龍前有珠，珠有光焰。裏有數金銀，不折而卷之。上以黃薄紙恐（疑有誤，以下同此。）裹其上，又以薄絹恐裹，一箱納之。

皇帝勅諭日本國王源義政，朕恭承天命，嗣守鴻圖，以主宰華夷。惟王賢達，敬天事大，特遣正使〔竺芳〕妙茂等，賫捧表文并馬匹、方物來貢，具見王之勤誠，良可嘉尚。茲因使回，特令賫勅諭王，并賜王及妃銀兩、彩幣，王其體朕至懷！故諭。

給賜

國王
銀二百
錦
大紅四寶四季寶相花一段　丹礬紅四季寶相花一段　柳青毬紋寶相花二段
紵絲
織金麒麟五匹　大紅一匹　青一匹　黑綠二匹
素十五匹
深青八匹　黑綠七匹
彩絹
木紅十匹　藍十匹
紗
織金麒麟五匹　大紅一匹　深青一匹　黑綠三匹
素十五匹
深青晴花八匹　明綠晴花七匹
羅
織金麒麟五匹　大紅一匹　青二匹　黑綠二匹

素十五匹

深青五匹　黑綠五匹　鶯歌綠五匹

王妃

銀一百兩

錦

深青纏枝寶相花二段

紵絲

織金麒麟三（二？）匹　大紅三匹　深旨一匹

素八匹

深青四匹　黑綠四匹

彩絹

木紅五匹　藍五匹

紗

織金獅子深青二匹

素六匹

深青晴花四匹　明綠晴花二匹

羅

織金獅子二匹　大紅一匹　黑綠一匹　素六匹　黑綠一匹

素六匹

深青二匹

黑綠二匹　鶯歌綠二匹

成化十四年二月初九日

右黃色蠟紙，竪二尺一寸，横七尺七寸。面中有金泥龍紋年號，上下有雲行。裡有金銀散折而卷之，疏、別幅同。有唐切之疏、別幅廿二。一箱長二尺二寸五分，廣三寸五分餘，高二寸五分餘。有蓋、鎖具，并緒無之。

皇帝勅諭日本國王源義政，曩歲暹羅等國差使臣進貢回還，其通事夷人，多不守禮法，沿途夾帶船隻，裝載私鹽，收買人口，姦淫汙辱；又爭搶浩鬧，刃傷平人。事發，守臣具奏，欲擒拏問罪。朕念係遠人，姑從寬貸，但勅彼國王懲治。今次王差人來貢，但以禮宴賞而回。前項事情，不可不達王知。今後王差使臣、通事人等，須擇知大體，守禮法者，量帶夷伴，嚴加戒飾（飭？），俾其沿途往還，小心安分，毋作非爲，以盡奉使之禮，以申納款之忱。其進貢并附搭物件，禮部奏請：「以後不許過多，只照宣德年間事例，各樣刀劍總不過三十（千？）把，庶彼此兩充勞費。」

朕已允所請，亦達王知。蓋古稱：「厚往薄來」。又云：「物薄情厚。」以小事大之誠，良不在物也。王其體朕至懷！故諭。

成化二十一年二月十五日

勑諭日本國王源義政

箱者二尺三寸五分餘，內黑漆一反塗之。外赤漆一反塗之。長二尺二寸五分，黃紙書之，上卷押之。

皇帝勑諭日本國王源義政：惟王素稱賢達，敬順天道，尊事朝廷，特遣正使（子璞）周瑋（瑋）等，賫捧表文，并以馬匹、方物來貢，具見誠意，朕心嘉悅。使回，特令賫勑諭王，并賜王及妃銀兩、彩幣，王其體朕至懷！故諭。

給賜

國王

銀二百兩　餘略之

王妃

銀一百兩　同

成化二十一年三月十九日

右紙竪二尺一寸，横七尺四寸，紙黃色蠟紙也。端上、下、奧有泥雲，中央有臥龍，龍前有珠。裡散金銀，與成化十四年紙同也。何以黄紙卷之？其上以薄絹卷之，何不折而卷也？

日本國王臣源義澄言：一人之上，皇天之下，日月照臨，三韓之外，萬國之西，夏夷來服。刀（乃）知安遠安進（近）。復覩重光重暉，故號大明，所貴同軌。欽惟陛下，丕承鴻業，益同慶基。在古巢、燧執鞭，於今唐、虞按轡，殊功累德，歸乎神聖。行慶推恩，及乎陋邦。迢遞燕京，問行李往來，信渺茫洋海，通朝宗夙夜心。茲差正使（了庵）桂悟長老，副使光堯西堂，親趨闕庭，伏捧方物，爲是謹具表以聞。臣源義澄誠惶誠恐，頓首！頓首！謹言。

弘治拾玖年丙寅正月拾壹日　日本國王臣源義澄

遣大明表

日本國王源義晴，大明一統，歌文王德於周詩，萬歲三呼；徵武帝壽於漢史。論其封疆，則隔中華者，幾千萬里；仰其光賁，則耀扶桑之六十餘州。寖（寖）明寖（寖）昌，有典有則。共惟大明皇帝陛下，綽綽餘裕，巍巍成功。文物之盛，莫過于今；昭道之興，何愧千古。自西自東，自南自北，孰不貢苞茅矣。繫日繫月繫時，□書耳。庶修鄰好，式沐□。茲自琉球國遠傳勅書，寬宥之敦，不忘側陋，感戴！感戴！謹表以聞。臣源義晴誠惶誠恐，頓首謹言。

嘉靖六年丁亥八月　日　日本國王源義晴

別幅

近年吾國遣僧（鸞岡）瑞佐西堂、宋素卿等齊（齎）弘治勘合而進貢，又聞西人宗設（謙道）等，竊持正德勘合，號進貢船，蓋了龍梧西堂東歸之時，弊邑多虞，干戈梗路，以故正德勘合不達東都。吾即用弘治勘合，謹修職貢，未丁怠也。如勅諭旨，宗設等爲僞，不言可知矣。大內多多良氏義興幕下臣神代源太郎爲其元惡，故就誅戮彼所，虜而來大邦之人，前年既發船以還之。中流遇風，船不克進，尙滯西鄙，近日當還焉。大邦所留妙賀、素卿，其生而存者，不論多少，以仁見恕。幸甚！幸甚！然則先令妙賀等到琉球，而可歸吾國。前代所賜金印，頃因兵亂，失其所在，故用花判而爲信，琉球僧所知也，伏希尊察。妙賀、素卿歸國之時，賜新勘合并金印，則永以爲寶。聖德及遠，不可諼焉。吾當方物件件，隨例進貢，妙賀輩而兩三人，命管領道永以遣書矣。

咨

禮部

嘉靖六年丁亥秋捌月　日　日本國王源義晴咨

右月舟所作

大明副使蔣，承奉欽差督察總制提督浙江等處軍務各衙門爲因，近年以來，日本各島小民，假以買賣爲名，屢犯中國邊境，刼掠居民。奉旨議行浙江等處承宣布政使司轉行本職親詣貴國面議等因，奉帶問義士蔣海、胡節志、李御、陳桂，自舊年十一月十一日來至五島，由松浦、博多，已往豐後大友氏會議，即蒙遍行禁制各島賊徒，備有回文。撥船遣德陽首座等，進表、貢物，所有發行。爾島禁賊御書，見在特行備禮，就差通事吳四郎，前請投遞國，即常體貴國之政條，憤部民之橫行，分投遣人，嚴加禁制，不許小民私出海洋，侵擾中國，俾邊境寧靜，釁隙不生，共享和平之福，史冊書美光，傳百世，豈不快哉！否則奸商島民，扇搆不已，黨類益繁，據海島窺隙竊發，恐非貴國之利。如昔年安南國陳氏之俗可鑒矣。今特移文，併知非特爲中國也，惟深體而速行之。希即回文，須至咨者。

右咨

日本國對馬島

嘉靖參拾五年拾壹月初三日

日本國關白秀吉奉書朝鮮國王閣下：雁書薰讀，卷舒再三。抑本朝雖爲六十餘州，比年諸國分離，亂國綱廢，世禮（亂）而不聽朝政，故予不勝感激。三四年之間，伐叛臣，討賊徒，及異域遠島，悉歸掌握。竊按事跡，鄙陋小臣也，雖然，予當于托胎之時，慈母夢日輪入懷中。相士曰：「日光之所及，無不照臨。壯年必八表聞仁風，四海蒙威名者，其何疑乎？」依有此奇異，作敵心者，自然摧滅。戰則無不勝，攻則无不取。既天下大治，撫育百姓，憐愍孤獨。故民富財足，土貢萬倍千古矣。本朝開闢以來，朝廷盛事，洛陽壯觀，莫如此日也。夫人生于世也，雖歷長生，古來不滿百年焉，鬱鬱久居此乎？不屑國家之隔山海之遠，一超直入大明國，易吾朝之風俗於四百餘州，施帝都政化於億萬期年者，在方寸中。貴國先驅而入朝，依有遠慮，無近憂者乎？遠邦小島在海中者，後進者不可作許容也。予入大明之日，將士卒，臨軍營，則彌可修鄰盟也。予願無他，只顯佳名於三國而已。方物如目錄領納，珍重保嗇。

天正十八年仲冬　日　日本國關白秀吉

大明日本和平條件

一、和平誓約無相違者，天地縱雖盡，不可有改變也，然則迎大明皇帝之女，可備日本之后妃事。

一、兩國年來依間隙，勘合近年斷絕矣，此時改之，官船、商船可有往來事。

一、大明、日本通好，不可有變更旨，兩國朝權之大官互可題誓詞事。

一、於朝鮮者，遣前驅追伐之矣，至今彌爲鎭國家，安百姓，雖可遣良將，此條目件件於領納者，不顧朝鮮之逆意，對大明割分八道，以四道并國城，可還朝鮮國王，且又前年從朝鮮差三使，投木瓜之好也，餘蘊付與四人口實。

一、朝鮮國王之權臣，累世不可有違却之者，誓詞可書之。如此旨趣，四人向大明勅使縷縷可陳說之者也。

文祿二年癸巳六月廿八日

御朱印

石田治部少輔三成
增田右衛門尉長盛
大谷刑部少輔吉繼
小西攝津守行長

對大明勅使可告報之條目：

大日本者，神國也。神即天帝，天帝即神也，全無差。依之國俗，帶神代風度，崇王法，體天則地育令，雖然風移俗易，輕朝命，英雄爭權，群國分崩矣。予懷胎之初，慈母夢日輪入胎中，覺後驚愕。而召相士筮之曰：「天無二日，德輝彌綸，四海之喜瑞也。」故及壯年，夙夜憂世憂國，再欲復聖明於神代，遺威名於萬代，思之不止。纔歷十有一年，族滅凶徒姦黨，而攻城無不拔。國邑無不有乖者，自消亡矣。已而國富家娛，民得其所，心之所欲無不遂，非予力，天之所授也。

一、日本之賊船，年來入大明國，橫行于所所，雖成寇，予曾依有日光照臨天下之先兆，欲匡正八極。既而遠島邊陬，海路平穩，通貫無障礙，制禁之，大明亦非所希乎，何故不伸謝詞？蓋吾朝小國也，輕之侮之乎？以故將兵欲征大明。然朝鮮見機差遣三使，結鄰盟乞憐，丁前軍渡海之時，不可塞糧道，不可遮兵路之旨，約之而歸矣。

一、大明、日本會同事，從朝鮮至大明啓達之，三年內可及報答。約年之間者，可偃干戈旨諾之。年期已雖相過，無是非之告報，朝鮮之妄言也，其罪可逃乎？咎自己出，咎之所攻也。此故，去歲三月到朝鮮遣前驅，欲匡違約旨，於是設備築城，高壘防之矣。前驅以寡擊衆，多多刎其首，疲散之群卒伏林樾，恃螳臂，擧蟹戈，雖窺隙，交鋒則潰散。追北，數千人討之，國城亦一炬成焦土矣。

一、大明救朝鮮急難而失利，是亦朝鮮反間之故也。於此時大明勅使兩人來于日本名護屋，而說大明之綸言，答之以七件，見于別幅，爲四人可演說之，可有返章之間者，相追諸軍渡海可遲延者也。

文祿二年癸巳六月廿八日　　四人

（此所恐有脫誤）本府無已備先鋒，忠誠謹恪，敦請天使楊老爺，權宜先進釋衆心疑懼，使（寺澤）正成謁見，以便先同（加藤）清正歸國，庶天使二位老爺據實請旨，渡海往封，表汝數歲辛勤，以完本府連年勞苦，此汝之幸，即本府之幸也。何乃囈囈嘘嘘，遷延過日？況楊老爺按臨七日矣，西邊三營未見收拾；東萊等處不見斂束；今日，明日，後日，歲時將暮，寒風凜冽，衆心洶洶，作何抵極？如蒙天使二位老爺一有動心，事體攸關，誠非淺鮮。倘有不便，雖汝之罪，即本府之罪也。爲今之計，先鋒當一面，與（寺澤）正成計議，押同（加藤）清正先行過海，一面收斂西三營，應去者即去，應留者即集釜山、東萊，（宗）義智亦令歸集，將各營盡燬，以便天使二位老爺具題請旨渡海，早完封事，使太閤早受一日王爵，汝等早膺一日官職，豈不榮耀？事出由衷，情不獲已，惟先鋒念之勗之，故此申諭！

萬曆貳拾參年拾月十六日

宣問行長帖

一問：朝鮮是天朝恭順屬國，爾關白上年何故侵犯？

一問：朝鮮告急，天兵救援，只令歸順，如何抗拒，有平壤、開城、碧蹄之戰？

一問：後來又因何退還王京，送回王子、陪臣？

一問：既退還王京，送回王子、陪臣以求封，如何又犯晉州？

一問：既許爾封，即當歸國待命，如何又運糧、蓋房，久屯釜山不去？

一問：原約三事盡從，訪許爾封，爾（小西）行長等，宜即率領倭眾倭戶，盡退還各島，將釜山、熊川等處房盡行燒燬，永不侵犯朝鮮，亦別求貢市。爾（小西）行長能保關白盡從否？

一問：爾等雖一時遵約，至於日久能保永無他變否？爾（小西）行長須當訂盟立誓，方遣使臣往封。

一問：爾國在永樂年間曾賜玉帶、金印，封源道義為日本王，今有子孫否？其金印今在何處？

一問：爾（小西）行長前云朝鮮既為請封，豈肯復犯他國？但平（豐臣）秀吉受知（織田）信長，尚且篡奪，朝鮮一時代奏，豈能保得関白不復再犯？

一問：平（豐臣）秀吉既平了六十島便可自王，如何又來天朝求封？

一問：爾國天皇是何人？國王是何人？

一問：關白有妻否？聞說是豐臣氏，果否？的確是何年所娶？

諭帖

欽差冊封日本副使左軍都督府都督楊（方亨）諭：前屢有諭帖與（小西）行長、（寺澤）正成，想爾俱見其中之事，不必復言。昨聞爾已回，又同遊擊（沈惟敬）前去山城。一會之後，當即星夜前來，早完大事。此爾始終之，以萬世不朽，務在留心，毋得輕忽！故諭。右諭僧（景轍）玄蘇。准此。

萬曆二十四年四月十九日

欽差冊封日本副使左軍都督府都督楊（方亨）諭：五月廿六日，見爾初吾報知，將抵山城，彼中事體一完，則同遊擊（沈惟敬）速回釜山，萬萬不可再遲。本府四月初八日差云：「天朝人已於五月廿二日回釜山。」石（星）老爺據本府報爾日本恭順，奏知朝廷。朝廷嘉爾日本恭順，照舊完爾日本國王封事。爾等當欽承上命，慎毋遲疑！故諭。

萬曆二十四年五月廿六日

天使謝用梓呈本光禪師

禪師博通今古，予一見而即知，雖求之中國，亦罕有者，予謂貴國多僧，雖習文字，恐如禪師者不易得也，敬服！敬服！其相見禮節，自有一定規矩。但今初議和之時，遽勞以升降揖遜之繁，恐殿下不堪。若殿下明睿高賢，禪師一點化之，欣然如中國禮儀，則重天朝者，乃所以自重也，倘不以爲然，亦不必強之，姑待冊封之日，先頒儀注，諒能樂從也。承教意，即達謝使也。

皇明通紀

明陳建撰，明陳龍可續補，明末刊本

卷三

○（洪武四年八月）日本國王良懷①遣使朝貢。

註：①「日本國王良懷」，如據日本史乘的記載，良懷為懷良之誤。懷良係日本南朝派往征西府的將軍，非國王。

卷四

○（洪武十六年）十月，給諸番國勘合。上以海外諸國進貢，信使往來，真僞難辨，遂命禮部置勘合文簿發諸國，俾往來俱有憑信稽考，以杜姦詐之弊。但遇入貢，咨文俱於所經布政司比對勘合相同，然後發遣。於是暹羅、占城、琉球等五十九國①，俱給勘合文冊。

註：

①「暹羅、占城、琉球等五十九國俱給勘合文冊」，如據大明會典及皇明外夷朝貢考的記載，明廷頒賜勘合文冊的國家為暹羅、日本、占城、爪哇、滿剌哈、真臘、蘇祿同岷王、蘇魯國東、蘇魯國西、柯又、浡泥、錫蘭山、古里、蘇門答剌、古麻剌等十五國而非五十九國。琉球非頒給對象，琉球之無須勘合文冊的理由在於該國對明最能盡禮節，態度誠懇而文移相通，朝鮮的情形亦復如此。

卷七

◎（永樂十七年）夏，鎭守遼東左都督劉江①，大破倭寇於望海堝，封江爲廣寧伯。江初至遼東，巡視諸島，相地形勢，請于金州衛金線島西北之望海堝築城堡，立煙墩瞭望，蓋其地特高，可望諸島寇所必由，實爲濱海襟喉之地。一日，瞭者言：「東南夜舉火有光。」江計寇將至，亟遣馬步官軍赴堝上小堡備之。翼日，倭賊二千餘，乘海艚直逼堝下，登岸，魚貫行。一賊貌甚醜惡，揮兵率眾，如入無人之境。江令犒師、秣馬，略不爲意。以都指揮徐剛，伏兵于山下；百戶江隆，帥壯士潛燒賊船，截其歸路。乃與之約曰：「旗舉，伏兵；砲鳴，奮擊。不用命者，以軍法從事。」既而賊至堝下。江披髮舉旗、鳴砲，伏兵盡起，繼以兩翼而進，賊眾大敗，死者橫仆草莽，餘眾奔櫻桃園空堡內。我師追而圍之，將士皆奮勇，請入堡剿殺。不許，特開西壁以縱之。仍分兩翼夾擊，生擒數百，斬首千餘。聞有潛脫而走艚者，又爲隆等所俘，岸無一人得脫。凱旋，將士請曰：「明公見敵，意思安閑，惟飽士馬；及臨陣，作真武披髮狀；追賊入堡，不殺而縱之，何也？」江曰：「窮寇遠來，必饑且勞，我以逸待勞，以飽待饑，固治敵之道。賊始魚貫而來，蛇陣，故作此以鎮服之，雖愚士卒之耳目，亦可以壯士卒之威。賊既入堡，有死而已，我師臨之，彼必致死，未必無傷我，故縱其生路，即圍師必闕之意，此固兵法，顧諸君未察耳。」事聞，上賜勅褒美，封江廣寧伯，食祿千二百石，子孫世襲。將士有功者陞賚，有差。先是，倭寇出沒海上，焚民居，掠貨財，殺擄人口，北自遼東、山東，南抵閩、浙，濱海無歲不被其害。及是，大爲劉江所挫，寇害屏息者數十年。

註：

①「江」，劉江為劉榮之誤。如據明史本傳的記載，劉榮，宿遷人。初冒父名江。從魏國公徐達戰灰山、黑松林。為總旗，給事燕邸。雄偉多智略，成祖深器之。永樂十二年充總兵官，鎮遼東。十七年，因望海堝大捷，詔封廣寧伯，祿千二百石，予世券，始更名榮。參看下文「皇明通紀述餘」卷四（頁二三三六）所錄王世貞之語。

○（嘉靖二年）十月，科臣夏言言：「頃者倭夷入貢，肆行叛逆，且寧波爲倭夷入貢之路，法制具存，尚且敗事，況沿海備倭等衙門，廢事可知，宜爲區處。」乃遣給事中劉穆往按其事。

○（嘉靖四年三月）日本宗設（謙道）肆掠後入海島，無可踪跡，獨宋素卿、（鸞岡）瑞佐就執下獄。朝鮮主李懌奏致兵檄所得仲①林、望古多羅三十三人，及華人被擄者八人獻闕下。命科道利②穆、王道覆之。獄既具，乃論素卿叛正，仲林、望古多羅故殺斬，瑞佐釋還國。

○（嘉靖八年）六月，時溫州有海賊之警，有逃軍之變；江陰有侯中金殺主簿之亂。科臣夏言請設都御史巡視浙江及江淮總兵官，以備江滸，控制九江、安慶、淮楊（揚）、蘇松諸郡。從之。

註：

①「仲」，明太宗實錄、明史及朝鮮王朝實錄俱作「中」。

②「利」，明世宗實錄、明史朱紈傳、日本傳俱作「劉」。

○（嘉靖二十六年）四月，倭寇浙東。自罷市舶，凡番貨至，輒賖與奸商。奸商欺負，多者萬金，少不下千金，轉展不肯償；乃投貴官家，又欺負不肯償，貪戾甚於奸商。番人舶近島，遣人坐索，竟不肯償。番人乏食，出沒海上爲盜。貴官家欲其亟去，輒以詭言撼官府云：「番人據近島殺掠人，奈何不出一兵，備委（倭）當如是耶？」及官府出兵，輒賫糧漏師，好語陷番人，利他日貨至，且復賖我。番人大恨諸貴官家，言我貨本倭王物，爾價不我償，何以復倭王？不掠爾金寶，殺爾，倭王必殺我，盤據海洋不肯去。近年官邪政亂，小民迫於貪酷，苦於徭賦，困於饑寒，相率入海從倭。凶徒、逸囚、罷吏、黠僧及衣官失職書生、不得志群、不逞者，皆爲奸細，爲之鄉導。於是汪忤瘋（五峰）、徐必欺（碧溪）、毛醞瘋（海峰，即王激）之徒，皆我華人，金官龍袍，稱王海島，攻城掠邑，刼庫縱囚。遇文武官，發奮斫殺，而其妻子宗族，田廬金穀，公然富厚，未敢誰何，浙東大壞。至是以朱紈爲浙江巡撫都御史，兼領福、興、泉、漳，治兵捕賊。紈任勞任怨，嚴禁閩浙諸通番者。時福建海道副使林喬，都司盧鏜捕捕（衍）獲番九十餘人，紈欲禁止令行，遣旗牌督決于武場，一時通番稍息。而諸達官家以失利大譁，詆誣惑亂視聽，遂改紈爲巡視。未幾，言官論劾，即訊其心煅煉，紈憤悶卒。喬、鏜皆論死下獄，自是群盜益無忌憚矣。

○（嘉靖二十八年）七月，浙福巡海都御史朱紈言：「長嶼諸澳大俠林恭等勾引倭夷作亂，而巨奸關通，主匿年利，因爲向道，宜正典刑。」刑部覆：「紈何論未審真僞，俟覆覈。」科臣因劾紈擷殺啓釁。

○（嘉靖二十九年二月）浙江巡按董威請寬海禁，以便漁樵，裕國課。從之。

○（嘉靖三十二年二月）海賊汪（王）直，糾漳、廣群盜大舉入寇，連艦伯（百）餘艘，蔽海而南，自台、寧、嘉、湖，至蘇、松，迄淮北，濱海數千里，同時告警。

○四月，海寇犯太倉州，攻城不克，分掠。有失舟倭四十人，突至平湖、海寧等境，焚戮慘虐。官兵禦之，皆敗。殺把總、指揮、千百戶、縣丞諸官，奪舟而去。

○五月，出盧鏜于獄，爲福建備倭都指揮。

○倭攻上海縣，燒刼縣市。知縣喻顯科逃匿，指揮武尙文，縣丞〔陳〕宗夔戰死。撫、操官奏令太平同知陳璋，同蘇州同知任環，統兵籌畫。璋因上禦倭十二事。撫、操俱從之。

○（嘉靖三十三年）四月，倭犯嘉興，都指揮周應禎①、指揮季②元律等死之。

○倭陷嘉善。

○倭薄通州。楊（揚）州衛千戶洪岱，以兵援之，戰死。

○倭夜襲崇明，知縣唐一岑死之。

○五月，科臣王國禎③言：「招降賊首非計。」本兵覆言：「直本徽州人，以通番入海後，嘗斬寇自贖，有司不收之，致有今日。故懸賞招降，非示弱也。」上以國禎言是，令一意勦撫，降順者待以不死，賊首不赦。

○六月，漕運都御史鄭曉奏：「倭寇類多中國人，其問（間）有勇力智謀者可用，每苦資身無策遂其心，從賊爲之鄉導，若不蚤圖區處，必爲腹心憂。乞命各巡撫官，于軍民白衣中，每歲查舉勇力智謀者數十人，與以義勇名色，月給食米一石；令其無事則率人捕盜，有事則領兵殺賊，立有功勞，量議官職，奉請陞授。如此，不惟國人不爲賊用，異日且有將材出于其間。今從賊者，宜出榜諭，許令歸降，遣還故土；有擒斬賊徒者，如例給賞；才力可用者，立功贖罪，俟有勞績，亦與敘遷。不然，數年後，或有如盧循、孫恩、黃巢、王仙芝者，益至滋蔓難撲滅矣。」

報可。

○七月，以王忬爲右都御史，巡撫大同。忬在浙中薦勇謀，勵將士，築城堡，捕豪滑，浙人恃之，忬去而禍慘矣。

○（嘉靖三十四年正月）海賊犯乍浦，陷崇德，復攻德清，殺把總指揮梁鶚（等）六人。時諸將號令不一，偏裨將各自爲進止。採淘港、窯墩之戰，許國、劉恩皆以犇約銳進敗。〔張〕經所奏調狼兵及保定兵俱未至，持重不發。江南人苦倭患久，恨不旦夕殲滅，遂籍籍以玩寇爲經罪矣。

○（二月）工部〔右〕侍郎趙文華，奉命祭告海神，并察視江南賊情。文華爲〔嚴〕嵩私人，夤緣（緣）爲上所嚮用。既出，憑寵自恣，所睚眥即立摧朴，百司震懼，財賂兢（競）進，比倭寇焚掠更烈云。

○（四月）文華至松江祭海神。會狼兵方應調至，副總兵俞大猷遣游擊白泫等嘗賊，稍有斬獲，文華因厚犒之，激使進剿。至漕涇，遇倭數百人，戰敗，頭目鏜等死之。文華固急督戰，冀掩爲功。〔張〕經謂：「宜待保靖兵至，合力夾攻，庶保萬全。」文華固強，經不聽，文華遂啣經。

○五月，倭寇四千餘，自柘林犯嘉興。總督張經，分遣參將盧鏜等水、陸攻之。保靖宣慰使彭藎臣，與賊遇于石塘灣夫（衍），張經與盧鏜同進，大敗之。賊走平望，俞大猷及永順宣慰使彭翼南邀擊之，賊奔王江經（涇），永順兵出泖湖攻其前，鏜及保靖兵躡其後，共擒斬一千八百餘人，溺死者復不可勝計，餘賊奔歸柘林。

謹按：自有倭來用兵東南，未有如此之捷者，然文華論經玩寇殘民之疏已上矣，冤哉！

○遣官校逮張經、李天寵，及參將湯克寬，俱械繫來京，論死。經上疏自辯，不報。

○倭寇常熟，知縣王鈇④禦之；鄉官錢泮，率民兵追賊于上滄港，爲賊所掩擊，俱死之。事聞，贈鈇太僕少卿，泮光祿少卿，各蔭子錦衣百戶，立祀死所。

○六月，倭據江陰蔡涇閘，知縣錢錞，率狼兵禦之，遇賊于九里山。賊伏發，狼兵悉奔，錞及民兵死于賊。事聞，贈錞光祿少卿，蔭子國子生，立祠死所。

○（七月）倭突入歙縣，流刼績⑤溪等縣，蕪湖縣丞爲賊所殺。犯江寧鎭，指揮朱襄戰死，亡卒三百餘人。

○倭犯南京。

○八月，都御史曹邦輔，圍賊于滸墅關，賊殊死格鬭，殺指揮張大綱，士卒多傷亡。時僉事董邦政，把總婁宇，督沙兵守陶宅，邦輔檄之助剿。一戰斬首十九級，賊奔吳舍，追，盡殲之。文華欲攘其功，至則邦輔巳（已）奏捷矣，啣甚。巳（已）而欲倖剪殘孼（孽），自將四千人，約邦輔會剿，同力進兵。賊盡銳衝，文華所統兵死者千餘人，師大潰。文華益慚忿，乃疏邦輔、邦政避難趨易，僥倖成功，乞加重究。詔：「下邦政于總督逮問。」

○福建巡海副使卜大同卒。同，秀水人，孝友風著。海寇弗靖，閩爲禍首。同受命巡海，趣駕之任，簡卒伍，謹烽堠，控險要，積糗糧。賊知有備，雖屢寇甌會吳越間，而閩終得無恙。

○胡宗憲誘汪（王）直等投降，許爲奏請優以官爵。汪（王）直與羅龍文、宗憲皆徽人，相信直，因以十萬兩托龍文餽嚴嵩父子，冀得授以指揮職銜。時浙中三司與巡按御史周斯監⑥議得汪（王）直、葉宗滿呰華勾夷謀叛之罪，已不容誅；王汝賢越關出境作逆之狀，亦自難掩，通應解獻闕庭，顯戮市曹，以彰國典；但其作孽貽禍，原在海上，汪（王）直、葉宗滿就彼梟示；王汝賢處絞；各犯妻妾及子，解京給付功臣家爲奴。嵩父子受賄，欲擬投降宥死。且言：「聖意欲如此。」三法司等執稱：「直等率眾攻破城池，殺傷文武將吏軍民百萬，明是謀反，今作謀反，巳（已）非正律，豈可又減？」嵩曰：「旨下再議。」三司曰：「再議，則用反律，豈可又減叛律乎？」嵩曰：「原着兵部會法司，法司只從兵部議可也。」皆曰：「兵部即議未減，法司亦不敢僉命。」嵩父子咈然不應，竟票旨云：「汪（王）直皆華引夷，罪逆深重，着就彼處決梟示；葉宗滿、王汝賢既稱歸順報效，饒死，發邊衛充軍。」

○十月，倭始犯福建，犯平陽。

○十一月，讞京城大辟囚，詔決九人。張經、李天寵以失機律不宥。而論嵩之楊繼盛與焉。繼盛詣朝審，口吟云：「風吹枷鎖滿城香，簇簇爭看員外郎。豈願同時稱義士，可憐長板見君王。聖明德厚如天地，廷尉稱平過漢唐。性癖生來歸視死，此生原自不隨楊。」又臨行詩曰：「浩氣還太虛，丹心照千古。平生未報恩，留作忠鬼神。」天下相與傳頌。妻張氏疏乞斬臣首以代夫命，爲嵩所抑，不得達，遂遇害。

謹按：忠愍在獄中有吏應生者頗為周旋，尚書屢禁之不為動，又欲其草甲申救，此一異人也。遇害時，王世貞、徐中行、吳國倫、王士懋等手泣訣，經理其喪事，而王遴以女許配其次子應箕，而全其後嗣，尤人所難。

○（嘉靖三十五年四月）倭寇溫州，同知黃釗死之。奏聞，詔加爵二級，優卹如例。

○倭寇萬餘趨浙江皂林，遊擊宗禮，帥兵九百人禦之于三里橋，三戰三捷，斬首三百餘，賊首徐海等駭懼，稱爲神兵。會橋陷，兵潰，禮等俱死。論者謂：「兵興以來，稱血戰第一功。」已而贈禮都督同知，世襲指揮僉事。

○復遣趙文華視師江南。先是，文華既歸，上遂留良材而遣文華；文華至而東南之民愈困矣。

○五月，倭圍巡按阮鶚于桐鄉，（胡）宗憲以計間之，使人賂賊首徐海。其黨陳東、麻葉漸與海爲貳，引去。海遂計擒東、葉等百餘入以獻。其部眾遁者，我兵追破其舟，斬、溺殆盡。

○六月，倭寇破慈谿城，縉紳被禍甚慘。省祭官杜槐及父文明，率兵追敗于王家團。已，復遇于白沙，一日戰十三合，殺賊三十餘人，斬其一酋。槐亦被創，墜馬死。文明別擊賊于鳴鶴場，斬白眉倭帥一級，從七級，生擒二人。賊驚遁。追之，以兵少陣沒。事聞，贈官廕子，有司祠祀。

○九月，胡宗憲以計誘徐海居沈庄，且久議和而文華力主剿，督兵甚嚴。以書遺宗憲，責其逗兵自老，遂集諸路兵圍之數重，縱焚其廬，死者甚眾。後從溺屍中識徐海屍，浙郡遂寧。

○十一月，獻俘，加文華少保，宗憲右都御史，各廕一子錦衣千戶。

○（嘉靖三十六年正月）賊酋汪直寇福建福清縣，有民兵謝介夫奮力功（攻）賊，死之。賊侵掠而去，屠戮人民甚慘。

○二月，賊入台州，知府譚論⑦檄參將戚繼光討之。

○八月，罷工部尚書趙文華，尋褫職編氓。

○（嘉靖三十七年二月），寇入蘇松，參將戚繼光率兵捕之，又遣把總方以中破賊巢營，焚燬無餘。賊酋汪（王）直無依，又勾引倭寇福建，侵掠以償損失。

○三月，賊酋汪（王）直寇福建，都御史阮鶚從謀士林念謀，謬用漢五弭之術，以金花買陣。賊酋密與鶚約，令引軍出戰，彼即遁去，使得成功。由是冒殺商賈、漁樵之民共二百五十餘級，稱功論賞，百姓苦不能當。科臣劉祐劾阮鶚十大罪：一曰買和倭賊。二曰縱軍侵掠人民。三曰加派丁糧。四曰契文華爲子父。五曰賂嵩陞職。六曰交通近侍。七曰寵信監生林念。八曰眾兵妄殺貧民邀功。九曰倭寇作亂不報。十曰冒功受賞。奏上，擬斬市。鶚密遣林念賚金賂嵩乞命，嵩納之。鶚將斬，乃乘間言於上，遂削鶚籍。科臣吳時來劾嵩令子世蕃預政納賄，致邊臣剋軍餉以充餽，因受餽而與之欺君，如張經行五千金，及聖斷不貸，而詭爲賻卹，王汝孝以三千而倖得遣戍，蔡克廉以三千而即轉寺卿，楊順欺君而三廕其子，吳嘉會侵冒而三廕三遷，邊事不振，軍民困窮。主事張翀劾其受賄報功，而備邊之政壞，侵冒戶部錢糧十分之六而理財之政壞。以厚賄而調美官，以餽金而得與選，而忠節之氣壞。家奴永年，富將百萬，賓客親識，位俱膴顯。主事董傳策言：「吏、兵二部選官，持簿任嵩塡發，故俗呼文選即萬寀爲文管家，宜罷斥以快人心。」上怒，各逮繫獄，具（俱）擬辟。鄭曉執不可。降旨：「廷杖，謫戍嶺南。」

○四月，漳倭大至，犯浙、福沿海郡邑，陷福清，執知縣葉宗文，刼庫獄，大肆殺擄；攻惠安，殺知縣林咸。

○十月，命唐順之視師浙、直，與宗憲協剿倭寇。

○（嘉靖三十八年）四月，倭寇攻破福安縣，往來沿海諸郡邑，而廣東流倭在韶⑧安、漳浦者尤夥。南畿廟灣倭合眾來攻，淮安巡撫李遂督參將曹克新禦之，賊敗，溺死者甚眾。捷聞，廕子、陞賞，有差。

○先是，江北兵備劉景韶以遊擊丘陞等擊原駐白蒲倭，一戰于丁堰，再戰于如阜（皋？）東，三戰于海安，皆捷，共斬首八十餘級，焚死一百七十人。賊奔入潘家庄，盡銳攻之，復斬首一百二十八級。倭賊喪氣。

○（十一月）蘇州自海寇興，亡賴子輒奮臂賈勇，白晝橫行，十百成群，市纏不敢正視。巡撫翁大立檄捕之。諸惡少插血，夜持刀斧攻長州吳縣刼獄；鼓譟攻入都院。大立挾妻子踰墻遁，乃縱火焚其廨。勑諭、符驗俱燬。天曙，斬篈門關，入太湖。事聞，命大立剋期殄滅。

○先是，倭寇蘇州，城門閉，避倭者聚哭不得入。同知任環按劍開門，全活萬數。前後擊敗、斬俘甚眾。尋擢參政，矢志滅倭，以母喪歸卒。至是，科臣徐師曾請贈光祿卿，蔭子千戶。有司建祠祀之。

○（嘉靖三十九年三月）進胡宗憲尚書，督師剿寇，巡撫亦聽節制，總兵由掖門通謁，庭拜下風。

○（嘉靖四十二年）四月，副總兵戚繼光督浙江至福建，與副總兵俞大猷大破倭賊于平海衛，海寇悉平。

註：

①「禎」，明世宗實錄，卷四〇九，嘉靖三十三年四月辛未朔乙亥條作「楨」。

②「季」，明世宗實錄，卷四〇九，嘉靖三十三年四月辛未朔乙亥條作「李」。

③「禎」，談遷國榷，及本書嘉靖三十四年十一月條之按語俱作「貞」。明世宗實錄，卷四〇〇，嘉靖三十二年七月乙巳朔甲午條作「禎」。

④「鉄」，內閣大庫舊藏朱絲欄鈔本作「秩」，談遷，國榷，卷六一，世宗嘉靖三十四年五月甲午朔丁巳條作「鉄」。

⑤「磧」，明世宗實錄，卷四二四，嘉靖三十四年七月癸巳朔乙巳條明史世宗本紀，二，日本傳俱作「績」。

⑥「監」，皇明通紀述遺，卷一，同年同月條作「盛」。

⑦「論」，鄭若曾，籌海圖編，卷五，浙江倭變紀；沈朝陽，皇明嘉隆兩朝聞見紀，卷四；明世宗實錄，卷四七〇，嘉靖三十八年八月癸酉朔癸巳條；明史，世宗本紀，二，俱作「綸」。

⑧「韶」，鄭若曾，籌海圖編，卷四，福建倭變紀；沈朝陽，皇明嘉隆兩朝聞見紀，卷四；乾隆福建通志，卷九〇；明世宗實錄，卷四七一，嘉靖三十八年四月壬午朔丙午條俱作「詔」。

卷二〇

○（萬曆二十年）五月，命將出師援朝鮮，而西夏方用兵，倭大入朝鮮，數告急。朝鮮即古高麗，與遼接壤。備貢謹，與地延袤六千里。三都八道，饒庶有華風。然承平久，儒不習戰。其王李昖湎于酒。而倭酋關白平（豐臣）秀吉以人奴篡立，①以梟傑雄六十六州，善用兵。朝鮮釜山去日本對馬島不遠，向有倭戶流寓，往來互市，通婚媾。因聞朝鮮弛備，于四月間分遣巨酋（小西）行長、（加藤）清正、（宗）義智，妖僧（景轍）玄蘇、宗逸等，擁舟師數百艘，徑陷慶尚道，逼釜山鎮。五月，潛渡臨津，掠開城，分陷豐德諸郡。朝鮮望風潰，至倉卒弃望（王）京。令次子琿攝國事。奔平壤。已，復走義州，願內屬。倭遂渡大同江，繞出平壤西界。是時朝鮮八道幾盡沒，王子就俘，旦暮渡鴨綠。則螯且中于遼，請援之使，趾相錯也。廷議以朝鮮屬國，為我藩籬，必爭之地。遣行人薛藩諭其王匡復。揚言天兵十萬，已環甲，方徼海外；琉球、暹羅諸國擣倭穴。遼鎮先發游擊史儒等，以偏師訪義州。已，遣遼陽副總兵祖承訓統兵三千餘，渡鴨綠援之。

○（七月）十六日，援師至安定，攻平壤。時霖雨，我師不諳地利，馬奔逸不能止，爲倭擊盡殪，史儒死之，祖承訓僅以身免。報至，朝議震動。海上登萊、天津、旅順、淮陽，所在添募設防。

○命兵部尙書石星度越江事，倭且疲奔命，募能入關說者。于是游客沈惟敬請往宣諭，以數騎奔倭營，刺情形歸報。星大惑之，以侍郎朱②應昌爲經略，員外郎劉黃裳主事，袁黃爲贊畫。石星以沈惟敬可佐緩急，題假游擊赴軍前，請金行間。

○八月朔，我師決大壩水灌城，城外水深八九尺。是夜，拜承恩東暘遺小艇挖堤洩水。（李）如松、承嗣斬首十六級，生得一人，爲言城中乏穀，士盡食馬。馬餘五百騎，民食樹皮，敗與死相屬。翌日，賊數出舟師遏補堤，我師多斬獲。城中饑民擁賊求招安。十二日，御史梅國楨，檄賊以饑民報，爲治錢穀，檄到三日，開關迎大兵入賑，竟不應，亦數闌入李剛堡。

○十二月，先是，宋應昌抵山海關，以徵調未集而大將軍李如松亦未至，因謬借惟敬麋倭西向。至是，李將軍始至軍，而惟敬歸自倭，稱（小西）行長願退平壤迤西，以大同江爲界。李將軍策倭多詐，天方寒，我師利速戰，遂置惟敬標營，于二十五日誓師渡（鴨綠）江。

○逮楊應龍詣重慶對簿繫論，法當斬，請以二萬金贖。御史張鶴鳴方駁問，會倭大入朝鮮，羽檄徵天下兵，應龍因愬辨，願自將五千兵報効，詔可，釋回播。啓行，尋報罷。巡撫王繼光，至嚴提勘結，遂抗不復出。而張時照等，復詣奏闕下，巡撫王繼光乃一意主剿，尋得旨，戒以貪功妄殺。

○萬曆二十一年正月，平壤大捷。我師于初四日抵肅寧館，倭酋〔小西〕行長遣將吉兵霸三郎，餘倭二十一人，同通事張大膳來安定，聲迎沈惟敬，窺虛實。李將軍檄游擊李寧生縛之。倭猝起格鬪，止獲吉酋三輩。李將軍按寧中令，一軍股栗（慄）。六日，抵平壤。度地形，東、南並臨江，西枕山陡立，而迤北牡丹臺高聳。最要三倭列拒馬地砲以待。遣南兵試其鋒，佯退。是夜，倭襲李如栢營，擊郤（卻）之。李將軍因部勒諸將，諭無割級，攻圍止缺東面；屬游擊吳惟忠攻牡丹峰，陰取西南。以倭易麗兵，令祖承訓等僞效裝潛伏。八日黎明，鼓行抵城下。倭砲、矢如雨，軍稍却。李將軍手戮一人，我師氣齊，奮聲震天。倭方輕南面爲麗兵，承訓等乃卸裝露明盔甲。倭急分兵拒堵。李將軍巳（已）督楊元等從小西門先登，李如栢等隨從大西門入，火藥並發，毒烟蔽空。方戰酣時，吳惟忠中鉛洞胸，血殷踵，猶奮呼督戰；而李將軍坐騎斃于砲，易馬馳，墜塹，鼻端出火，麾兵愈進。我師無不一當百，前隊貿首，後勁已踵，突舞于堞，倭遂氣奪宵遁。凡得級千二百八十五，殲酋宗逸、平秀忠、平鎭信，餘死于火，及從東城跳溺無筭；腥聞十里，真奇捷也。參將李寧、查大受率精兵三千，前伏江東僻路，得獲級三百六十二，生擒三，乘勝追襲。十九日，李如栢遂奪開城，得倭級百六十五，朝鮮郡縣如平安、黃海、京畿、江源（原）四道並復，王歸平壤。惟咸鏡道爲倭酋〔加藤〕清正拒守，聞開城已破，則並奔王京。王京爲朝鮮都會，左江源（原），右黃海，南全羅，東慶尙、咸鏡、忠清，爲之犄角，頗具有天險，而師既連勝，有輕敵心。二十七日，去王京九十里，李將軍引梟騎二千前往踏勘。至碧蹄館，猝遇倭，圍數重。李將軍督將士殊死戰，從巳至午。一金甲倭前搏，李將軍急，賴指揮李有昇以死護，刃數倭，竟中鉤墜馬，爲倭支解。李如栢、李寧等乃益遮擁夾擊；李如梅箭中金甲倭，墜馬。會楊元援兵砍重圍入，倭遂潰，而我精銳亦多喪。天且雨，近王京平地俱稻畦，冰解泥深，騎不得騁。倭背岳山，面漢水，連珠布營。城中廣樹飛樓，鳥銃自穴中出，應時斃；我師乃退駐開城。

○二月，閣臣會議冊典，不允；復請面陳策儲事體，不報。

○閣臣王錫爵請定策典以信。初，詔時諜者言王京倭二十萬，且聲（言）關白楊（揚）帆入犯。經略劉綎、陳璘水、陸濟師。上益發冏金二十萬兩佐軍興。李將軍分留李寧、祖承訓等，以萬眾駐開城；命楊元等軍平壤，扼大同江，接餉道。李如栢等軍寶山諸處爲聲援；查大受等軍臨津，而身自東西調度。聞倭將平秀嘉據龍山倉，積粟可數十萬，密令查大受選死士從間道縱火，焚蕩殆盡，倭乏食。

○東師議款。初，我師捷平壤，鋒銳甚，轉戰開城，勢如破竹，全羅麗兵亦報獲級，不復問款。及碧蹄敗衄，氣大索。久頓師絕域，海氣蒸濕，瘟疾盛作，急圖休息結局。于是惟敬款議始用，而倭芻糧並燼，眾生惡瘡。聞我師發虎蹲等砲，及戰車列江上，聲日張。其酋（小西）行長亦懲平壤之敗，有歸志。惟敬舌端靡靡可聽，因得乘機張翕而封貢之議自此起。經略既得請于朝，赦不窮追，且得倭報，惟敬書乃益令游擊周弘謨全（仝）惟敬往諭倭獻王京，返王子如約縱歸。

倭果于四月十八日棄王京遁。李將軍與經略以翌日入，所餘米尚四萬餘包，蒭荳稱是。因以大兵臨漢江尾倭後，計乘間擊惰歸，而倭步步爲營，用分番休迭法以退。別將劉綎帥兵五千趁尚州鳥嶺，廣亙七十餘里。懸崖鑱削，中通一道如線，灌木叢雜，騎不得成列，倭尚拒險。而別將查大受、祖承訓等繇一道踰槐山出鳥嶺後，倭大驚，前移釜山浦，築居，屯種，爲久戍謀。我師乃張疑兵，分遣劉綎、祖承訓等屯大丘（邱）。忠州檄調全羅水兵龜船，分布釜山海口。時倭已去王京，漢江以南千有餘里朝鮮故土，奄然還定。兵科右給事中侯慶遠謂：「我與倭何讎？爲屬國勤數道之師，以力爭平壤，以權收王京，契兩都授之，存亡興滅，義聲赫海外矣，全師而歸，所獲實多。」上乃諭朝鮮王還都王京，整師自守。我各鎭兵久疲海外，以次撤歸。經略疏稱：「釜山雖瀕南海，猶朝鮮境，有如倭覘我，罷兵，突入再犯，朝鮮不支，前功且棄。考輿圖，朝鮮幅員，東西二千里，南北四千里，從正此（北）長自（白）山發脈，南跨全羅界，向西南止。日本對馬諸島偏在東南，與釜山對，倭船止抵釜山鎭，不能越全羅至西海，蓋全羅地界，直吐正南迤西，與中朝對峙，而東保薊遼，與日本隔絕不通海道者，以有朝鮮也。關白之圖朝鮮，意實在中國，我救朝鮮，非湘鄰鬪比。朝鮮固則東保，薊遼並無虞，京師鞏于泰山矣。今日撥兵協守爲第一策，即議撤，宜少需時日，俟倭盡歸，量留防戍。」部覆：「南兵暫留分布朝鮮，量簡精兵三千善後，餘盡撤如前議。」

○閣臣王錫爵疏略曰：上下相信而後政事可修，相重而後論說可入。今言不已而漸輕，輕不已而漸厭。使君父視外廷之論奏如賈豎之爭，言臣之憂也。朝中議論已分兩岐（歧），即使一彼一此，一勝一負，朝廷亦止得一半人才之用。若始于兩持，終于兩敗，不但人才盡壞，亦且國體大傷，此臣之憂也。今習尚已成極（積？）重難返，即不當激之過顙，又不當峻若防川，則莫若導之使言而總之使一。竊謂題覆宜慎，聽納宜公，甄別宜先，勘劾宜慎者是也。

○六月，沈惟敬歸釜山，同倭酋小西飛彈（驒）守（內藤忠俊）來請款，而倭隨犯咸安、晉州，逼全羅，聲復漢江以南，以王京漢江爲界。李將軍計全羅饒沃，南原府尤其咽喉，乃命李平胡、查大受阨南原，祖承訓、李寧移南陽，劉綎移陝川。已，倭果分犯，我師並有斬獲。兵科都給事中張輔之謂：「倭聚釜山，原徉退，誘中朝撤兵，圖漸逞，無故請款非人情。今猝犯晉州，情形悉露，宜節制征勦。」遼鎮都御史趙燿亦報款貢不可輕許。會七月十九日，倭從釜山移西生浦，送回王子、陪臣，而我師久暴露，一聞撤，勢難久羈。經略乃請留戍全羅、慶尚云。是時石司馬一意主款，議撤兵省餉，而經略以師老無成功，亦願借倭退弛担，因謬依違其間。然策倭多詐，每陳兵難盡徹狀，陰事款而諱言款局，奏揭前後異同，終無堅決。

○（萬曆二十二年）五月，閣臣王錫爵入疏乞休。上御筆特旨，厚賜允歸。閣臣王錫爵獻忠疏十二款：「……一備倭處曰：今天下爭談兵矣，以臣愚見，遼東之患不必在倭，而在倭之患，不必在北，而在南。馭之之策，不在添兵而在練兵。……」

○議日本封貢而總督請封、貢並許，上命九卿科道會議。先是，惟敬歸自倭營，即有和親之說。

詭云和好親密。儀制郎中何喬遠等，忿請罷封。至是，給事中林材參督臣朋欺。御史唐一鵬參李如松開封釁，而遼鎮都御史韓取善疏倭情未定，請封、貢並絕。石司馬亦張皇，恐関白不能就羈縻。會九月，朝鮮疏請許貢保國，上始切責群臣阻撓封貢，本兵不能主持，追褫御史郭實等。詔小西飛（驒守）入朝央計。石司馬優遇如王公，小西飛（驒守）等殊揚揚，過闕不下。既集多官面譯，要以三事：一、勒倭盡歸巢。一、既封不與貢。一、誓毋犯朝鮮，並無異意。以聞。上復諭于左闕詳定，語加周複。大略主請封如石司馬旨，時甲午（萬曆二十二年）十二月二十日也。上乃定封議，命臨淮勳裔李宗城充正使，副以都指揮楊方亨，同沈惟敬往。

○正月，議日本封事。時禮部議：日本原有王，未諗存亡，關白，或另擬二字，或即以所居島封之。（小西）行長以下，量授指揮銜，賞賚有差。

○上竟准日本王號，給金印；行長准授都督僉事。已，總督傳諭行長語棱梧，且日本王見住山城，有文祿三年曆可證；與小西飛（驒守）稱國王爲信長所弑互異，乃與遼鎮都御史李化龍疏六可疑五可慮，謂倭不識漢字，恐中間兩相欺紿，請禮部量封（豐臣）秀吉順化王，罷遣沈惟敬，增募水兵。而（加藤）清正素不服關白③，與行長不相能，可用魯仲連諭燕將計。時封使已發，竟不從。偵倭坐營陳雲鴻報：「熊川倭船三十六號，業起行歸巢，石司馬遂信封事必成矣。

註：

①「平秀吉以人奴篡立」，如據日本史乘的記載，秀吉係在其主織田信長被弑後繼承其志業，並非篡立。

②「朱」，明神宗實錄及明史朝鮮傳，俱作「宋」。
③「清正素不服關白」據日本文獻史料的記載，加藤清正係豐臣秀吉之心腹大將，故此語有違事實。

○（萬曆二十五年）二月，復議東征。時封事已壞，而楊方亨詭報去年六月十五從釜山渡海，九月二日于大版（阪）受封，即以四日回和泉州。然倭責朝鮮三子不往謝，留釜山如故，謝表後時不發，方亨徒手歸。至是，沈惟敬始投表文，案驗潦草，前折用豊（豐）臣圖書不奉正朔，無人臣禮；而寬奠副總兵馬棟報（加藤）清正業擁二百艘屯機張營，方亨始直吐顛末，委罪惟敬□□兵前後手書進御覽。而惟敬辱國，及本兵彌縫罪狀，奉旨勘如律。于是以總督邢玠，經略麻貴從延綏改備倭爲大將軍而經理朝鮮，特勅僉都御史楊鎬天津亦開府申警備。

謹按：初，惟敬本一無賴，石司馬誤中其游說，借款息兵，意雖為國，而堅于持議，遂餙通國之言，藉口省餉，盡撤戍兵，欲倚小人成功，難矣。封使久羈，亦稍稍疑，數遣心腹偵探，復餙詞迷愎，自甘欺罔。至欲媚上，以珍珠、鶴羢防東廠官校漏言，此真老而天奪其魄。惟敬小人，何所不至，令早如遼督撫言罷遣，而劉綎、吳惟忠等防戍不盡撤，亦何至譸張潰裂也。大臣謀國，惟公與虛，難矣哉！蓋前後凡七年，而邢司馬奏殲倭海上。

○五月九日，麻將軍貴坻遼陽。十八日，望鴨綠東發，所統兵止萬七千人，請濟師。經略疏請募兵川、浙，並調薊、遼、宣、大、山、陝兵。朝鮮惟閑山水兵一枝稍勁，請益調福建、吳淞水兵。而劉綎督川漢兵六千七百聽防剿，與麻貴各建牙。麻將軍密報候宣、大兵至，乘倭未備，先取釜山。經略謂：「一取釜山，則行長擒，清正走，此奇著快人。」

○六月，倭數十艘先後渡海，分泊釜山、加德、安骨等窟，於九如雨瀸朝鮮郡守安弘國。已，復往來竹島，漸逼梁山、熊川。初，沈惟敬率營兵二百出入釜山、宜寧與倭合，揆事不諧，便舉足入倭。經略向切齒謬爲慰藉，惟敬漸移南原，去釜山七百里，經略即以屬楊元，先假更換撤其營兵。後惟敬聞上罪石司馬，而倭酋平（宗）調信益兵進犯，乃爲起宜寧。會行長之說，暗欲走倭，調信果以倭五百來迎。楊元聞，即襲執之。惟敬執而倭嚮道始絕。倭已奪梁山，占三浪，則遂入慶州，侵閑山。

○七月十五，夜襲茶川島。統制使元均風靡，遂棄閑山要害。倭駐巨濟。閑山島在朝鮮西海水口，右障南原，爲全羅外藩，一失手則沿海無備。天津、登萊皆可揚帆，而我水兵止浙三千，甫抵旅順。經略檄且哨且行，赴閑山協守。閑山破則守王京以西之漢江、大同江，扼倭西下，兼防運道。

○八月十二日，倭圍南原，守將楊元，本債帥，無固志。十六夜，倭猝乘城，元驚起帳中，跣足遁。時全州有陳愚衷，忠州有吳惟忠各扼險，而全州去南原百餘里，勢相犄角。愚衷初至州，無斗糧，及勘十里外山寨中多貯米、荳、弓、矢，蓋朝鮮苦我兵甚于倭，不欲在州，遠貯山谷者，恐倭至，反為寇助也。南原告急，愚衷懦，不發兵，聞已破而州民爭竄棄城去。麻將軍急，遣游擊牛伯英赴援，與愚衷合兵屯公州，倭遂犯全羅，逼王京。王京為朝鮮八道之中，東隘為鳥嶺，西隘為南原。全州道相通，自二城失，東西皆倭。我兵單弱，因退守。王京依險漢江，麻將軍日夜造筏通我師，防倭暗襲。而發兵守稷山，朝鮮亦調都體察使李元翼，由鳥嶺出忠清道遮賊鋒。經理身赴王京，躍馬諭以死守，人心始定。

○九月，副將解生，游擊牛伯英、頗貴，于稷山水源設伏，各有斬獲；參將彭友德等亦報追倭至青山，獲級百十六，軍聲益振。經略不移，郎中董漢儒屯義州，海防使蕭應宮屯平壤，又聲言調南北水陸兵七十萬，旦暮至。福、廣、浙、直水兵直搗日本。倭聞風，遂不敢進。行長奔井邑，離王京六百里，清正踰竹嶺，奔慶尚，離王京亦四百里。

○十一月，經略渡鴨綠。二十九日，抵上京，共議進剿。而所調宣、大、延、浙諸勝兵並集，乃分三協，左李如梅，右李芳春、解生，中高策，並以副總兵分將，時監察為御史陳效。

○上復賜經略尚方劍，重事權。經略乃令麻將軍同經理諭左右協，自忠州鳥嶺向東安趨慶山，專攻（加藤）清正；恐（小西）行長自西來援，令中協兵馬近宜城，東援三協，西扼全羅援倭。又于三協中摘馬兵千五百，同朝鮮合營，由天安、全州、南原而下，大張旗鼓，詐攻順天等處，以牽行長。我師陸路粗備，獨水兵屢檄不至。既大據聚兵，經略與麻將軍于十二月二十日會慶州，探倭屯蔚山。蔚山之南島山並不甚高，而城皆依山險中，一江通釜寨，其陸路間由彥陽通釜山。麻將軍欲專攻蔚山，恐釜倭由彥陽來援，令中協高重、吳惟忠等扼梁山，左協董正誼等赴南原張疑，又遣右協盧繼忠兵二千屯西江口，防水路援，于二十三日從蔚山進攻。游擊擺賽以輕騎誘倭入伏，獲級四百餘，倭盡奔島山，于前連築三寨。翼日，游擊茅國器，統浙兵先登，連破之，獲級六百六十一。倭堅壁不復出，島山眎蔚高石城新築，堅甚。我師仰攻，多損傷。諸將曰：「倭艱水道，餉難繼，第圍守之，清正可不戰縛也。」經理以爲然，分兵圍十日夜，倭至嚙紙充饑，飯先用礮者。倭從隙用礮發命中，彈皆碎鐵馬之中，多疊雙斃。我師稍怠，約降緩攻，而行長來援。行長亦慮我襲釜營，立選銳倭三千，虛張幟，薇江上。頃之，經理聞報，即倉皇撤兵。倭襲兩協，棄輜重無算。經略乃移各兵回王京，圖再舉。而贊畫主事丁應泰，疏劾經理楊鎬喪師黨欺。上罷鎬，命兵科左給事中徐觀瀾往勘，併勒大學士張位閑住，以位密揭薦鎬奪情破倭，今乃朋欺僨事故也。

○萬曆二十六年正月，東征經略以前役缺水兵無功，乃益募江南水兵，講海運爲持久計。

○二月，別將陳璘以廣兵，劉綎以川兵，鄧子龍以浙直兵先後至，而天津巡撫都御史萬世德代楊鎬。或語經略朝鮮，地里隔越，山水險阻，兵聚一處，難以成功，不若因地分任，人自爲戰守。經略然其謀，分三協爲水陸四路，路置大將，中路李如梅，東路麻貴，西路劉綎，水路陳璘，各守信地，相機行剿。時倭盤據朝鮮七年，沒海千餘里，亦分三窟，東路則清正據蔚山，自去冬攻圍益增，築西生、機張，在在屯兵，而恃釜山爲根本。西路則行長據粟林，曳橋建堅砦數重，憑順天城與南海營相望，負山襟水，最具扼塞。中路則石曼子據泗川，北恃晉江，南通大海，爲東西聲援。薩摩州兵剽悍，稱勁敵，而行長水師番休濟餉，往來如駛，尤倭繫重。經略懲島山之失，特于三路外置水兵一路，約日並進，而中路李如梅尋調遼師，以董一元代。

○九月二十日，分道進兵，劉綎逼行長營挑戰，奪倭橋，斬級九十二，驅入大城。陳璘舟師協堵，擊燬倭般（船）百餘。麻貴抵蔚山，與清正對壘，據險割其糧稻，焚溺甚多。董一元進取晉州望晉，乘勝渡江南，連燬永春、昆陽二寨。倭退保泗川老營，鏖戰下之。游擊盧得，攻歿于陣，得級九十二，前逼新寨，三面臨江，一面通陸，引海爲濠。海艘泊寨下，以千計築金海、固城爲左右翼，中通東陽倉。

○十月十一日，董將軍一元，分派馬步協攻，步兵游擊茅國器、彭信古、葉邦榮前攻城；騎兵游擊郝三聘、馬呈文、師道立、柴登科四營後應。邦榮步兵、游擊藍芳威攻東北水門，副將祖承訓殿攻圍，自辰至未；彭信古用大槓擊寨門，碎城垛數處。步兵齊至壕，砍護城柵湧入。忽營中槓破，火藥發，烟漲天。倭乘勢衝殺，固城援倭亦至。我師騎兵先潰，遂奔還晉州。經略查參，詔斬馬呈文、郝三聘以徇；彭信古等京（？）爲事官，董一元革官銜，降府職三級，各戴罪立功。而朝議以師又無功，洶洶撤兵。大學士趙志皐，請令總督歸鎭制虜，以東方事專委新經理萬世德，量留兵將分布。上令府部九卿科道集議，兵科都給事中張輔之，御史于永清等疏爭，乃一意進剿。福建都御史金學曾報平（豐臣）秀吉七月九日死，各倭酋業有歸意。我師因水陸乘勢夾擊，捷音日至。

○十一月十七日，五鼓，清正發舟先遁，麻將軍貴遂入烏山西浦；劉將軍綎因倭詐降，夜半攻其不意，遂奪曳橋，獲級百六十。石曼子引舟師救行長，遇陳將軍璘，半洋激戰，行長乘小艇，倭泊露梁，尚數百艘，氛甚惡。陳將軍璘統蒼唬船追擊，並焚死石曼子，得級二百二十四，水爲赤。副將鄧子龍，朝鮮統制使李舜臣，衝鋒陣亡，南海蕩平，倭遁錦山，殲焉。

○董將軍一元報：據浙兵茅國器稱，參謀史世用，持經理諭文往，有石曼子用事，郭國安內應。石曼子遵諭先撤，各奔潰，東西始結局云。上發冏金十萬兩犒賞。丁應泰再疏賂賣國，上念將士沖冒矢石，特諭優敘，應泰回籍聽勘。東征勘功，改給事中楊應文。

○（萬曆二十七年）八月，撤回留守朝鮮兵。先是，朝鮮王請留水兵三千，止認本色口糧，至是歲遂得旨盡撤。經理疏善後八事：一、選將。以朝鮮右文，將宜博採。一、練兵。麗人鷙捍耐寒若，而長衫大袖非甲冑制。一、守衝要。朝鮮三面距海，釜山與對馬相望，揚帆半日可至。東入機張、蔚山，西入閑山、唐浦，塗所必經。我登釜山，瞭望如指掌，而巨濟次之，宜各守以重兵。一、修險隘。朝鮮王京北倚叢山，南環滄海，稱四塞而忠州左右鳥竹二嶺羊腸繞曲，真所謂一夫當關，萬夫莫踰。向倭守此防我南渡，而副將吳惟忠孤軍久戍，倭不敢窺，皆得地利也。今營壘遺址尚存，亟加修葺。一、建城池。朝鮮八道，十九無城，以避地爲便。而平壤西北鴨、浿二江，俱南通海，倘倭別遣一旅占據平義，則王京聲援既絕，腹背受攻。一、造器械。倭戰便海，以船制重大，不利攻擊。令准福唬造千百艘爲奇兵，而添造神機百子火箭。一、訪異材。朝鮮俗貴世官，賤世役，如錚錚自負，不宜一切錮之。一、修內治。此八事誠善後之策也。

〇十二月，獻俘闕下。大司寇請剉應龍，屍磔；朝棟、兆龍等〔棄〕市，梟示各夷；並戮田氏、馬千駟；其宋承恩以先絕姻，釋，勿誅。

皇明通紀述遺

明卜世昌、屠衡合撰，明萬曆三十三年刊本

卷二

○（洪武二年）十二月，遣使詔諭日本國王不得縱民侵擾。

○（洪武十四年）七月，日本國王良懷（懷良）遣僧如瑤等貢方物，上郄（却）其貢，仍命以書責之曰：「大明禮部尙書致意日本國王，王居滄溟之中，不奉上帝之命，不守巳（己）分，但知環海爲險，限山爲固，肆侮鄰邦，縱民爲盜，上帝將假手於人，禍有日矣。吾奉至尊之命，移文與王，王若不審其微，井觀蠡測，自以爲大，無乃搆隙之源乎。王之國始號曰倭，後惡其名，遂改日本，自漢、魏、晉、宋、梁、隋、唐、宋之朝，皆遣使奉表、貢方物。當時帝王，或授以職，或爵以王，由歸慕意誠，故復禮厚也。若叛服不常，搆隙中國，則必受禍，如吳大帝、晉慕容廆、元世祖皆遣兵征伐，俘獲男女以歸，千數百年間往事可鑒也，王其審之。」

卷四

○永樂十五年正月，倭寇浙東。

○（永樂十七年）六月，總兵劉江①以破倭功進封廣寧侯，明年卒。王世貞曰：「遼東破倭之捷，莫重于廣寧伯謚忠武劉榮。遼東志以爲劉江，水東日記載其事而疑其姓名。考之國史，蓋榮父名江，卒于戍，仍父名補伍，累功至右都督。當奏捷之日，尙名江，及封伯，而後具其事，始改名榮也。余于宛委餘編有載父子同名者以爲異，而榮亦其一云。成化間修史者，于其孫安傳謂劉榮封廣寧伯，子江襲，可謂鹵莽之甚。一統志則又承其誤而云劉江。桃源人燕山中護衛百戶靖難有功，累陞中府左都督；又云劉榮宿遷人，襲父職，靖難有功，進封廣寧伯，不知左都督之劉江即榮舊名也，其孟浪乃爾。」

註：

①「江」，劉江之為劉榮事，已見於本書頁二三〇九，註①，及上舉王世貞之言。

卷五

○（正統八年）九月，倭寇浙江，按察僉事陶成整飭海道，率兵平之。

○（正統十一年四月）倭寇浙西。

卷一一

○（嘉靖二十五年）四月，倭寇浙東。自罷市舶，凡番貨至，輒賒與奸商，久之，奸商欺負，多者萬金，少不下千金，轉展不肯償；乃投貴官家，久之，貴官家又欺負不肯償，貪戾甚於奸商。番人泊近島，遣人坐索，久之，竟不肯償。番人乏食，出沒海上爲盜。貴官家欲其亟去，輒以危言撼官府云：「番人據近島殺掠人，柰何不出一兵，備倭當如是耶？」及官府出兵，輒賫糧漏師，好語啗番人，利他日貨至，且復賒我。如是者久之，番人大恨諸貴官家，言：「我貨本倭王物，爾價不我償，我何以復倭王？不掠爾金寶，殺爾，倭必殺我！」盤據海洋不肯去。近年寵賂公行，上下相蒙，官邪政亂。小民迫於貪酷，苦於徭賦，困於饑寒，相率入海從倭。凶徒、逸囚、罷吏、黠（點）僧及衣冠失職、書生不得志群、不逞者，皆爲倭奸細，爲之鄉導。人情忿恨，不可堪忍。弱者圖飽煖旦夕，強者奮臂欲洩其怒。於是汪忤瘋（汪五峰，即王直）、徐必欺（徐碧溪）、毛醢瘋（毛海峰）之徒，皆我華人，金冠龍袍，稱王海島，攻城掠邑，刼庫，縱囚；遇文武官發憤斫殺，即伏地叩頭乞餘生。不聽，而其妻子、宗族、田廬、金穀，公然富厚，莫敢誰何，浙東大壞。至是，以朱紈爲浙江巡撫都御史，兼領福、興、泉、漳，治兵、捕賊。紈任怨任勞，嚴禁閩、浙諸通番者。時福建海道副使林①喬，都司盧鏜，捕獲通番九十餘人，紈欲禁止令行，遣旗牌督決于演武場，一時通番稍息。而諸達官家以失利，大譁，詆誣，惑亂視聽，遂改紈爲巡視。未幾，言官論劾即訊，甘心煆煉。紈憤悶卒；喬、鏜皆論死下獄。自是華夷群盜唾手四起，益無忌憚矣。

○嘉靖三十三年二月，倭賊圍仙遊城，福建巡撫譚綸，總兵戚繼光②，合擊走之。戚繼光復追至泉州安平鎮，又破之。賊出閩境，至廣東潮州，俞大猷又截殺之。

○五月，倭寇自崇明進薄蘇州府城，大掠。

○六月，漕運都御史鄭曉奏：「倭寇類多中國人，其間有勇力智謀者可用，每苦貧身無策，遂甘心從賊，爲之嚮導。若不蚤圖區處，必爲腹心憂。乞命各巡撫官於軍民白衣中，每歲查舉勇力智謀者十數人，以義勇名色，月給食米一石，令其無事則率人捕盜，有事則領兵殺賊，立有功勞，量議官職，奏請陞授。如此，不惟中國之人不爲賊用，異日且有將材出于其間。今從賊者，宜出榜諭，許令歸降，遣還故土，有擒斬賊徒者，如例給賞；才力可用者，立功贖罪，俟有勞績，亦與敘遷。不然，數年後，或有如盧循、孫恩、黃巢、王仙芝者，益至滋蔓難撲滅矣。」報可。

○（嘉靖三十四年）三月，張經督撫浙中，一籌莫展，所用將佐及徵田州瓦氏兵、山東鎗手，皆無節制。倭至，輒驅嵩陽兵，衝鋒畏縮不前，而驅者自後迫之，數萬人共爲一叢，如亂麻。倭奴舞利刀，跳躍而來，銀光燿日，如雙龍飛掣。前衝者倒戈刼（却）走，而後踵蹲沓不得行，傾倚塡壓如敗垣。倭提刀亂斫之，無一免者。街衢川澤，縱橫殭殕，不啻長平坑而經深，拱募府亢貴自尊，擊鹿開宴，侈僭無忌。文華劾其老師費財，殃民玩寇；以家居閩海，畏賊報復，故縱之以爲德耳，而兩京臺諫亦有言。帝怒曰：「督撫玩寇戕民，是鄰哉之義哉！遣官逮捕經及巡撫李天寵，詣京即訊。」逮者且至，賊寇王江涇，執鄉人爲向（嚮）導。鄉人故狡黠，故引之從橋行。既渡，毀其橋。四面皆大水，無渡舟，賊數日不得食，死者大半。間有得脫者，輒走民舍竊食，即爲所擒。是時真倭以餒死者殆百人，而所執丁壯二千有奇，皆髡髮以從者。諸兵爭就殭殪斬首以捷聞。經至京，以縱寇論死。超遷巡按胡宗憲爲巡撫，南京戶部侍郎楊宜爲總督。

○九月，趙文華以蘇寇之捷巳（己）不得與爲恨，見調兵四集，謂陶宅寇乃柘林餘孽，可取。巡撫胡宗憲因大言寇不足平，以悅其意。遂悉簡浙兵，得四千人，約應天巡撫曹邦輔以直兵會勦。浙兵分三道，直兵分四道，東西並進。賊悉銳衝浙兵，諸營皆潰，損失軍士凡一千餘人；直兵亦陷賊伏中，死者二百餘人，賊勢益熾。

○福建巡海副使卜大同卒。同，秀水人。居家孝友，孚于遠邇。執父喪，絕跡房闈，更終身無二御。歷官刑曹，讞決明允，稍遷湖廣僉事。督下江防，令行期年，群盜屏息。會海寇弗靖，閩爲禍首。同受命巡海趣駕之任，簡卒伍，謹烽堠，控險要，積糗糧。賊知有備，雖屢寇甌、會、吳、越間，而閩終得無恙，閩人至今思之。所著有征苗、備倭二集，遺稿游覽圖說行於世。

○胡宗憲誘汪（王）直等投降，許爲奏請，優以官爵。汪（王）直與羅龍文、宗憲皆徽人，相信直，因以銀十萬兩托龍文餽嚴嵩父子，冀得授以指揮職銜。時浙中三司與巡按御史周斯盛議得：汪（王）直、葉宗滿背華勾夷，謀叛之罪巳（已）不容誅；王汝賢越關出境作逆之狀，亦自難掩；通並解獻闕廷，顯戮市曹，以彰國典。但其作孽貽禍，原在海上，汪（王）直、葉宗滿就彼梟示，王汝賢處絞；各犯妻妾及子，解京給付功臣家爲奴。嵩父子受賄，欲擬投降宥死，且言：「聖意欲如此。」三法司等執稱：「直等率眾攻破城池，殺傷文武官吏軍民百萬，明是謀反，今作謀叛巳（已）非正律，豈可又輕？」嵩曰：「旨下再議。」三法司曰：「再議，則用反律，豈可又減叛律乎？」嵩曰：「原着兵部會法司，法司只從兵部議可也。」皆曰：「兵部即議末減，法司亦不敢僉名。」嵩父子咈然不應，竟票旨云：「汪（王）直背華勾夷，罪逆深重，着就彼處決梟示；葉宗滿、王汝賢，既稱歸順報効，饒死，發邊衛充軍！」

○應天巡撫曹邦輔，以剿滅滸墅關倭寇聞，歸功僉事董邦政。趙文華聞此寇且滅，急趨赴之，欲攘其功。比奏，則邦輔巳（已）先奏捷矣。文華遂大怒，乃以陶宅寇患委罪邦輔、邦政，參之。詔：「下邦政于總督逮問！」

○（嘉靖三十五年）二月，罷直隸浙福總督楊宜。時趙文華與胡宗憲私厚，文華入京請罷宜以宗憲代，特詔罷之。

○初，趙文華言殘寇無幾，旋蕩清。巳（已）而海寇屢至。因上屢詰，懼誅，乃攻李默爲脫罪計。上果大悅，陞文華尚書。嵩因薦文華有文學，宜供玄撰。上不允。及倭患愈甚，羽書數至，嵩知上覺文華欺罔，乃令文華請復視師。上令往。

○（嘉靖三十六年）三月，江南自乍浦沈莊捷後，倭賊悉靖，惟舟山倭據險結巢，我兵環守之，不能克。是時土、狼兵悉巳（已）遣歸，而川、貴兵六千人始至。胡宗憲乃留防春汛，隸總兵俞大猷，經營舟山之賊。會十二月二十夜大雪，大猷乃督兵四面攻之。賊悉銳出，敵殺土官莫翁送，諸軍益怒，競進。賊大敗，歸巢。我兵積薪草，以棕簑捲火擲之，賊四散潰出，共斬首一百四十餘級，餘悉焚死，賊遂平。

○八月，上稍聞文華視師江南黷貨殃民，要功僨事狀。至是，欲先建正朝門樓，責成甚急，文華無應卒理劇才，不能以時奉旨，乃罷之，而以刑部尚書歐陽必進代焉。

○十月，戶科給事中徐浦言：「浙、直、福建近因軍興，經費不敷，額外提編以濟一時之急；今事勢稍息，正宜培植休養，別求生財之道。而督撫胡宗憲、阮鶚乃於加徵存留之外，仍前提編，節年所費，漫無稽考。乞勅止軍門提編。」戶部覆議：「切責胡宗憲、阮鶚，宜如其議。」報可。

○（嘉靖三十七年）三月，福建都督阮鶚有罪，遣錦衣官校械繫來京問。鶚初以講學要取虛譽，既而督學浙江，諂奉趙文華，胡宗憲，遂奏設福建提督，以鶚爲之。倭犯福州等處，鶚不能制，則取布政司庫銀數萬兩，及改機紬數百疋，金花千枝，牙轎數乘賂之，并遺以新造巨舟六艘，俾載而去。極意以自豐殖，加派動以千萬計，甚爲閩人所苦。至是，御史宋儀望發其奸；給事中劉祐劾之，且指言十罪。上大怒，命械治問。

○七月，初，胡宗憲遣還毛海峰誘降汪（王）直，及直下獄，海峰遂絕，與倭目善妙等列柵舟山，阻岑港而守。官軍四面圍之，雖頗有斬獲，然賊憑高死守，我軍莫利，先登多陷沒者。是時新倭大至，上又屢下嚴旨，趣宗憲及時平賊。宗憲懼得罪，乃上疏侈言水陸戰功。于是科部極言其欺誕，并劾失事諸臣。詔奪總兵俞大猷，參將戚繼光，把總劉英職級，期一月蕩平。

○十月，岑港倭徒（徙）巢柯梅，總督胡宗憲屢督兵討之，不能克。于是南京御史李瑚，追劾宗憲私誘汪（王）直，啓釁浙江；巡按王本固，南京給事中劉堯誨，亦劾其老師縱寇，濫叨功賞，請行追奪。宗憲自辦（辨）。上報曰：「卿計獲妖賊，人所皆曉，特以獻瑞，故人直引軍事以害卿耳。卿宜竭誠展布，以平餘氛，不允辭。」

○嘉靖三十八年正月，直隸巡按尙維持言：「吳淞、拓（柘）林、川沙、陽舍、孟河五處，俱爲蘇、松、常、鎭要害。吳淞舊有守禦所，而四城未設專官。乞各鑄給千戶所印，及註選倉大使一員，以司糧餉。蘇松參將宜駐金山，督守拓（柘）林、青村、南匯、川沙諸處。常鎭參將宜駐陽舍，督守圌山、孟河二地，而浙直總兵專駐吳淞調遣。」兵部覆言：「各將改駐，常（當）如所奏，其四城設守禦所，必順改調官軍，抽補軍士，坐派月糧允當，方可議行。」報可。

○四月，先是，江北兵備劉景韶，以遊擊丘陞等擊原駐白浦倭，一戰于丁堰，再戰于如皋東，三戰于海安，皆捷，共斬首百餘級。及至賊大聚，謀犯揚州，景韶復督陞等擊敗之，斬首八十級，焚死一百七十人。賊奔入潘家庄，盡銳攻之，復斬首一百二十八級，倭乃剿絕。

○八月，江北倭自鄧莊敗後，沿海覓舟不得，我兵自後急擊，及于劉家橋等處。賊勞餒困頓，會天雨，乃奔入劉家庄。我兵四面圍之。胡宗憲遣劉顯以銳卒千餘來援，江北將士謂：「功在垂成。」慮為顯所攘，嘖嘖有言。都御史李遂，恐士眾不和，乃檄江北悉屬之顯，軍政既一，遂刻期進兵。顯率所部先登，各營選鋒繼進，縱火衝擊。自辰至酉，賊巢始破，奔走。追擊之，共斬首四百餘級，賊眾盡殄。

○嘉靖四十二年正月，倭奴圍福建興化府城至于十一月，陷之。兵部請調南京都督劉顯，率兵福建應援。時新倭又自福清海口入寇，遂圍興化府城。劉顯去府城三十里，隔一江，按兵不進。至十一月，欲掩逗留之罪，始遣五卒賫文詣府，約欲率兵越城禦敵。賊獲五卒，殺之。用其職銜，偽為顯文，約某日夜某時分，率兵潛入應援，城中勿舉火作聲，恐賊驚覺。擇奸細五人，詐為劉卒賫入。時參將畢高，參政翁時器在城，信之。至期，賊冒劉兵入城，人莫之疑。賊既大入，忽而殺人，城中驚亂。畢高、翁時器及衛掌印指揮徐將等皆倉皇縋城走，城遂陷。賊據城中三閱月，殺擄、劫掠、焚毀，慘毒備極。劉顯乘亂擄執城中逃出婦女。時有閑住參政王鳳靈繼妻年少，竟為劉顯擄去。賊既飽其所欲，始如平海衛，欲擄船泛海。

○（十月）福建泉州府守備指揮歐陽深，率兵討興化倭賊，戰于東蕭，力屈死之。

○（嘉靖四十三年）九月，原任福建巡撫譚綸。以回籍守制，上言經久善後六事：一、議將言：軍中必令大將運籌，而佐以偏裨。今獨恃一戚繼光，令其左右支吾，四面當寇。繼光雖才勇力，亦不能及也。乞行撫按官隨宜舉用，如守備胡守仁，把總傅應嘉以充之，則官不必備而分任有人矣。二、議兵。言：許撫臣各取州縣民社團練之半與各巡司；弓兵給以客兵之費，集之會省，分為二營；設練都司二員，分統訓練，可以漸減客兵而增主兵。三、議食。言：瘡痍未起，蕪穢未闢，而一旦督促數年之逋，是敺之盜也。請已徵者量留地方，未徵者姑免追併。四、寬海禁。五、請立縣治。六、處有司內……。

註：

①「林」，明史，卷二〇五，朱紈傳作「柯」。

②「總兵戚繼光」，如據戚少保年譜者編的記載，嘉靖三十三年當時的職稱為「署都指揮僉事」，四十一年升任副總兵，四十二年始升為總兵官。

新刊校正皇明資治通紀

明陳建撰，明嘉靖乙卯（三十四年）東莞陳氏刊本

卷四

太祖紀

○（洪武元年十一月）遣使頒詔報諭安南、占城、高麗、日本各四夷君長，詔曰：「昔帝王之治天下，凡日月所照，無有遠邇，一視同仁，故中國尊（奠）安，四夷得所，非有意於臣服之也。自元政失綱，天下兵爭者十有七年，四方遐裔，信好不通。朕肇基江左，掃群雄，定華夏，臣民推戴，已（已）主中國，號曰大明，建元洪武。頃者克平元都，疆宇大同，巳（已）承正統。方與遠邇相安於無事，以共享太平之福。惟爾四夷君長酋帥等，遐遠未聞，故茲詔示，想宜知悉。」

卷五

○（洪武二年四月）時倭寇出沒海島中，數侵剽蘇州、崇明，殺傷居民，刼奪貨財，沿海之地皆

患之。太倉衛守禦指揮僉事翁德，帥官軍出海捕之，遇於海門之上幫。及其未陣，麾眾衝擊之，所殺不可勝計，生獲百人，得其兵器、海舟。奏至，詔以德有功，陞本衛指揮副使，其官校賞綺、帛、白金，有差。戰溺死者，加賜錢、布、米，仍命德往捕未盡倭寇。遣使祭東海神曰：「予受命上穹，爲中國主，惟圖乂民，罔敢怠逸。蠢彼倭夷，屢肆寇刼，濱海州郡，實被其殃。命將統率舟師，揚帆海島，乘機征勦，以靖邊民。特備牲醴，用告神知。」德被命，復往捕之，倭寇皆畏懼不復出，沿海遂寧。

卷六

○（洪武七年七月）海上倭寇有警，命靖海侯吳禎率沿海各衛兵出捕，至琉球大洋，獲倭寇人、船，俘送京師。

卷六

○洪武十三年正月，丞相胡惟庸謀逆，誑言所居井湧醴泉，邀上往觀。惟庸居第近西華門。守門內使雲奇知其謀。乘輿將西出，奇走衝蹕道，勒馬銜言狀。氣方勃，舌駃不能達意。上怒其不敬，左右撾捶亂下。奇垂斃，右臂將折，猶奮指賊臣第，弗爲痛縮。上方悟，登城顒察，則見彼第內裏，甲伏屏帷間數匝。上亟返遣兵，圍其第，罪人一一就縛，并其黨御使大夫陳寧，及都督李玉等，皆伏誅。上召雲奇，死矣。深悼之，追封右少監，賜葬鍾山，命有司春秋致祭，仍給灑掃戶六人。

卷七

○（洪武十六年）十月，給諸番國勘合。上以海外諸國進貢，信使往來，真僞難辨，遂命禮部置勘合文簿發諸國，俾往來俱有憑信稽考，以杜奸詐之弊。但遇入貢，咨文俱於所經各布政司比對勘合相同，然後發遣。於是暹羅、占城、琉球等五十九國俱給勘合文冊。①

○（洪武十八年四月）湯和還京師，以年高思故鄉，從容乞骸骨，上喜之，賜鈔五萬，俾造第鳳陽。而謂和曰：「日本小夷，屢擾東海，卿雖老，強爲朕行，視要地築城、增戍、以固守備。」和行築海上數十城，民四丁取一爲兵守之。

註：

①「暹羅、占城、琉球等五十九國俱給勘合文冊」，關於此一問題，請參看本書頁二三〇八，註①。

成祖紀

○永樂四年正月，遣使齎璽書褒諭日本國王源道義①。先是，對馬、岐臺（壹岐）等島海寇刼掠居民，勅道義捕之。道義出師，獲渠魁以獻，而盡殲其黨類。上嘉其勤誠，故有是命。仍賜白金千兩，織金彩段（緞）二百疋，綺繡衣六十件，綺繡帳、縟、枕、席（蓆）、銀盤、器皿諸物。又封其國之山曰「壽安鎭國之山」，立碑其地，上親製文賜之。

○（十月）平江伯陳瑄督海遼東，舟還，值倭寇沙門島。瑄率眾追至朝鮮境上，焚寇舟殆盡，殺溺死者甚眾。

按：洪武、永樂二朝皆行海運，不獨便於轉漕，實令將士習於海道，以防倭寇不虞。自會通河成而海運廢，馴至近日，倭寇、海賊遂縱橫於邊海，而浙江之寧、紹諸郡，直隸之蘇、松一帶，咸被其荼毒，至於燔城郭，刼倉庫，緣海衛、所官軍脆怯，莫之敢攖。使海運猶行，海道有備，當不至此。故丘文莊於大學衍義補惓惓欲復海運，為此也。

註：

①「日本國王源道義」，源道義非日本國王，是室町幕府第三任將軍。源道義即足利義滿，道義係他皈依佛教以後之法號。

卷八

○（永樂十七年）夏，鎮守遼東左都督劉江①，大破倭寇于望海堝，封江爲廣寧伯。江初至遼東，巡視諸島，相地形勢，請于金州衛金線島西北之望海堝築城堡，立煙墩瞭望，蓋其地特高，可望諸島寇所必由，實爲濱海襟喉之地。一日，瞭者言：「東南夜舉火有光。」江計寇將至，亟遣馬步官軍赴堝上小堡備之。翌日，倭賊二千餘，乘海艏直逼堝下，登岸，魚貫行。一賊貌甚醜惡，揮兵率眾，如入無人之境。江令犒師秣馬，略不爲意。以都指揮徐剛伏兵于山下，百戶姜隆帥壯士潛燒賊船，截其歸路。乃與之約曰：「旗舉，伏兵；砲鳴，奮擊；不用命者以軍法從事。」既而賊至堝下，江披髮，舉旗，鳴砲，伏兵盡起，繼以兩翼而進。賊眾大敗，死者橫仆草莽，餘眾奔櫻桃園空堡內。我師追而圍之，將士皆奮勇請入堡剿殺。不許。特開西壁以縱之，仍分兩翼夾擊，生擒數百，斬首千餘。間有潛脫而走艏者，又爲隆等所縛，岸無一人得脫。凱還，將士請曰：「明公見敵，意思安閑，惟飽士馬。及臨陣，作真武披髮狀，追賊入堡，不殺而縱之，何也？」江曰：「窮寇遠來，必饑且勞，我以逸待勞，以飽待饑，固治敵之道。賊始魚貫而來，蛇陣，故作此以鎮服之，雖愚士卒之耳目，亦可以壯士卒之氣。賊既入堡，有死而巳（已），我師臨之，彼必致死，未必無傷我，故縱其生路，即圍師必闕之意，此固兵法，顧諸君未察耳。」事聞，上賜勅褒美，封廣寧伯，食祿千二百石，子孫世襲。將士有功者，陞賚有差。先是，倭寇出沒海上，焚民居，掠貨財，殺擄人口，北自遼東，南抵閩、浙，濱海無歲不被其害。及是大爲劉江所挫，寇害屏息者數十年。

註：

①「劉江」，有關劉江的名字問題，請參看本書頁二三〇九，註①，及頁二三三六王世貞之語。

卷一三

英宗紀

○（正統七年二月）令南京造遮洋船三百五十隻給官軍，由海道運糧赴薊州等倉。

按：大明會典載此則正統中猶行海運，後來不知何時始廢。又按：山東登州衛每年裝載遼東布花鈔錠，原設海船一百隻，正統間猶存三十餘隻。後來登州路不復行船，亦盡廢無存。近時丘文莊盛欲復行海運，以備漕河不虞，且習水戰，以遏倭夷海寇，實為國遠慮之意。愚謂但能循正統七年之令不廢，則即與丘文莊之意不殊矣。嗚呼！天下之事，行於前而廢於後，豈獨此一事哉。今日謀國者，能按其跡而行之，亦無難者。但患上下樂因循，憚興作，於是天下之事始一任其廢弛，日入于弊而無復可為者矣。

皇明通紀統宗

明陳建撰，袁黃補著（嘉靖部分），卜大有纂補（隆慶部分），明末坊刻本

卷二

○（洪武元年十一月）遣使頒詔報諭安南、占城、高麗、日本各四夷君長，詔曰：「昔帝王之治天下，凡日月所照，無有遠邇，一視同仁，故中國奠安，四夷得所，非有意於臣服之也。自元政失綱，天下兵爭者十有七年，四方遐裔，信好不通。朕肇基江左，掃群雄，定華夏，臣民推戴，已主中國。建國號曰大明，建元洪武。頃者克平元都，疆宇大同，已承正統。方與遠邇相安於無事，以共享太平之福。惟爾四夷君長酋帥等，遐邇未聞，故茲昭示，想宜知悉。」

○（洪武二年四月）時倭寇出沒海島中，數侵掠蘇州、崇明，殺傷居民，刼奪貨財，沿海之地皆患之。太倉衛守禦指揮僉事翁德，帥官軍出海捕之，遇於海門之上幫，及其未陣，麾眾衝擊之，所殺不可勝計，生獲數百人，得其兵器、海舟。奏至，詔以德有功，陞本衛指揮副使；其官校賞綺帛、白金，有差；戰溺死者加賜錢、布、米，仍命德往捕未盡倭寇。遣使祭東海神曰：「予

受命上穹爲中國主，惟圖奠民，罔敢怠逸。蠢彼倭夷，屢肆寇刼，濱海州郡，實被其殃。命德統率舟師，揚帆海島，乘機征勦，以靖邊民。特備牲醴，用告神知。」德被命復往捕之，倭寇皆畏懼不復出，沿海遂寧。

○（洪武七年七月）海上倭寇有警，命靖海侯吳禎率沿海各衛兵出捕，至琉球大洋，獲倭寇人、船，俘送京師。

○洪武十三年正月，丞相胡惟庸謀逆，誑言所居井湧醴泉，邀上往觀。惟庸据第近西華門，手門內使雲奇知其謀。乘輿將西出，奇走衝蹕道勒馬銜言狀，氣方勃，舌駃不能達意。上怒其不敬，左右撾捶亂下，奇垂斃，右臂將折，猶奮指賊臣第弗爲痛縮。上方悟，登城顒察，則見彼第內裏甲伏屏幃間數匝。上亟反，遣兵圍其第，罪人一一就縛，并其黨御史大夫陳寧及都督李玉等皆伏誅。上召雲奇，死矣，深悼之，追封右少監，賜葬鍾山，命有司春秋致祭，仍給灑掃戶六人。①

○（洪武十六年）十月，給諸番國勘合。上以海外諸國……②

○（洪武十八年四月）湯和還京師，以年高思故鄉，容乞骸骨。上喜之，賜鈔五萬，俾造第鳳陽而謂和曰：「日本小夷……民四丁取一爲兵以守之。」……③

註：

①明太祖誅胡惟庸事已見於本書頁二三四六，故不重錄。

②明廷頒賜勘合給四鄰各國的問題，請參看本書頁二三〇八，註①。

③湯和在沿海築城堡的記事已見於本書頁二三四七，故不重錄。

卷五

○（永樂四年十月）平江伯陳瑄督海運至遼東，舟還，值倭寇刦沙門島。……①

○（永樂十七年）夏，鎮守遼東左都督劉江大破倭寇於望海堝。……②

註：

①陳瑄滅倭事，已見於本書頁二三四八—二三四九，故不重錄。

②劉江之為劉榮，及他在望海堝剿倭的經緯，及其恢復原名的顛末，已見於本書頁二三〇九。及頁二三三六所錄王世貞之言。

卷一

○（嘉靖二十九年正月）浙江巡按董威請寬海禁，以便漁樵，裕國課，從之。

○十月，科臣夏言言：「頃者倭夷入貢，肆行叛逆，且寧波爲倭夷入貢之路，法制具存，尚且敗事。況沿海備倭等衙門廢事可知，宜爲區處。」乃遣給事中劉穆往按其事。

○（嘉靖三十二年）三月，倭寇海上，王忬督兵攻於普陀山。捷聞，賜金帛，有差。

○海賊汪（王）直糾漳、廣群盜，大舉入寇，連艦伯（百）餘艘，蔽海而南，自台、寧、嘉、湖至蘇、松，迄淮北，濱海數千里，同時告警。

○五月，倭寇破上海縣，燒刼縣市。知縣喻顯科逃匿；指揮武尚文，縣丞宗鰲戰死，撫操官奏令太平同知陳璋，同蘇州同知任環統兵籌畫。璋因上禦倭十二事，撫操俱從之。

○南科賀涇奏：「留都根本重地，海洋密邇鎮江京口，乃江、淮咽喉，瓜、埠、儀真又漕運門戶，請添總兵駐劄鎮江，待寇平而罷。」從之。

○七月，陳璋統兵敗倭寇，斬首千餘級。餘寇出境，浮海東遯。

○（嘉靖三十三年五月）科臣王國禎　言：「招降賊首汪（王）直非計。」本兵覆言：「直本徽州人，以通番入海後嘗斬寇自贖，有司不收之，致有今日。故必賞招降，非示弱也。」上以國禎言是，令一意勦撫，降順者待以不死，賊首不赦。

○（九月）倭寇分掠嘉、湖。

○（嘉靖三十四年正月），嚴嵩言：「倭寇猖獗，請遣大臣禱海兼探賊情。」命趙文華往，賜印，得密啓言事。

○（三月）任環督舟師與倭戰於南沙野茅洪，敗之，斬首百餘級。

○四月，田州土官瓦氏併（并）孫男岑大壽、大祿，引兵應調，總督張經分配總兵俞大猷等殺倭奏聞。詔賞銀、紵，餘令軍門獎賞。

○五月，倭寇四千餘，突犯嘉興，總督張經分遣參將盧鏜等水陸擊之。保靖宣慰使彭藎臣，與賊遇于石塘江，大敗之。賊走平望，俞大猷以永順宣慰使彭翼南邀擊之，賊奔回王江涇，兵復擊其後，大潰。共擒斬一千八百有奇，餘奔歸柘林。

○遣官校逮張經及參將湯克寬，械繫來京，以失機論死，文華劾其玩寇殃民也。經上疏自理，不報。

○六月，常熟知縣王鈇②，江陰知縣錢錞，率士民禦倭，死之。贈卹有加。

○八月，蘇松巡撫曹邦輔，檄僉事董邦政、把總婁宇，以沙兵擊倭寇于滸墅關，殲之。賊自宜興奔蘇州會柘林賊。邦輔慮二賊相合爲患，乃督兵備三（王）崇古集各部兵扼其東路，四面蹙之，隨地與競；乃召邦政及宇，以沙兵助剿，斬首十九級。賊懼，奔吳舍，欲潛走太湖。追至楊家橋，盡殪其眾。邦輔歸功邦政，奏聞。文華欲攘爲己功，怒邦輔先爲奏捷，乃以陶宅寇患委罪邦輔、邦政。詔：「下政于總督逮問！」

○十一月，科臣張栻言：「官兵會剿陶宅倭寇屢敗，奏報不實，文華欺罔，大負簡命。」上令文華：「矢心視師圖效！」

○科臣孫濬言：「防倭諸臣事權不一，久無成功。本兵奏言督察主竭忠討賊，覈實布聞；總督主徵集官兵，指授方略；巡撫主督理軍務，措置餉銀；總兵主設法教練，身親戰陣；有司保安地方，固守城池。」命下諸臣遵守。

○（嘉靖三十五年）四月，倭寇溫州，同知黃釧死之。

○倭寇萬餘趨浙江皂林，遊擊宗禮帥兵九百人禦之于三里橋，三戰三捷，斬首三百餘，賊首徐海等駭懼，稱爲神兵。會橋陷，軍潰，禮等俱死。論者謂：「兵興以來，稱血戰第一功。」巳（已）而贈禮都督同知，世襲指揮僉事。

○五月，倭寇圍巡撫阮鶚于桐鄉甚急，總督胡宗憲知賊首有麻葉、徐海二酋，乃餙美妓二人，黃金千兩，繒綺數十，月下舁送海而不及葉。葉疑有異志，遂拔砦歸，得不破。

○六月，倭寇破慈谿城，縉紳被禍甚慘。省祭官杜槐及父文明，率兵追敗于王家團；巳（已），復遇于白沙。一日戰十三合，殺賊三十餘人，斬其一酋，槐亦被創墜馬，死。文明別擊賊于鳴鶴場，斬白眉倭帥一級，從七級，生擒二人。賊驚遁，追之，以兵少陣沒。事聞，贈官，蔭子，有司祠祀。

○九月，胡宗憲以餌誘徐海居沈庄，且久議和，而文華力主剿，督兵甚嚴，以書遺宗憲，讓其逗兵自老。遂集諸路兵圍之數重，縱焚其廬，死者甚眾。後從溺屍中識徐海屍，浙郡遂寧。

○獻倭俘，加文華少保，宗憲右都御史，各蔭一子。

〇（嘉靖三十七年）三月，倭寇福建，命浙江巡撫阮鶚往剿之，擒斬萬人，餘賊盡滅。

〇福建巡撫阮鶚，大徵客兵肆虐，命逮訊。

〇十月，命唐順之視師浙、直，與宗憲協剿倭寇。

〇（嘉靖三十八年）四月，倭寇攻破福安縣，往來沿海諸郡邑，而廣東流倭在詔安、漳浦者尤夥；南幾（畿）廟灣倭合眾來攻淮安。巡撫李遂督參將曹克親②禦之，賊敗溺死者甚眾。捷聞，廕子、陞賞，有差。

〇（十一月）蘇州自海寇興，亡賴子輒奮臂賈勇，白晝橫行，十百成群，市纏不敢正視，巡撫翁大立檄捕之。諸惡少插血，夜持刀斧，攻長州吳縣，刼獄鼓譟，攻入都院。太（大）立挾妻子踰墻遁。乃縱火焚其廨，勑諭、符驗俱毀。天曙，斬葑門關，入太湖。事聞，命大立剋期殄滅。

〇先是，倭寇蘇州，城門閉，避倭者聚哭不得入。同知任環按劍開門，全活數萬。前後擊敗、斬、俘甚眾。尋擢參政，矢志滅倭。以母喪歸卒。至是以科臣徐師曾請贈光祿卿，廕子千戶，有司建祠祀之。

〇（嘉靖三十九年三月）科臣王文炳請下兵部議安民、蓄兵、絕寇策。部覆：「以安民宜去不急之務，損無名之征，嚴貪酷之罰。蓄兵宜訓練鄉兵，至隸行伍者責之，軍衛募民間者責之。有司絕寇，宜令沿海有司覈有部民與寇通者，即置重典。又，無賴子竄入軍中託言報效者，平居糜餉，有事冒功，亦將來禍本，悉宜禁革。」俱從之。

○進胡宗憲尙書，督帥剿寇，巡撫亦聽節制，總兵由掖門通，謁庭拜下風。

○嘉靖四十二年正月，倭奴圍福建興化府城。

○四月，副總兵戚繼光，督浙江兵至福建，與總兵劉顯、兪大猷破倭賊于平海衛，海寇悉平。③

註：

①「禎」，談遷國榷作「貞」。

②「鉄」，明世宗實錄，卷四二二，嘉靖三十四年五月甲午朔丁巳條、談遷，國榷，卷六一，同年四月乙丑朔戊子條俱作「鉄」。

③倭寇圍福建興化府城事，已見於本書頁二三四三，故不重錄。

皇明紀略

明不著撰人，朝鮮舊刊本

卷一

○（洪武四年四月）暹羅、渤泥、三佛齊、日本遣使入貢。

○（洪武）十三年庚申正月，丞相胡惟庸謀逆，……①

○（永樂十五年二月）倭寇浙東。

○遣禮部員外郎呂淵使日本，賜勅切責之。

○四月，呂淵還自日本，國王源義〔持〕奉表謝罪。

○（永樂十七年）夏，遼東左督都劉江②，大破倭寇于望海堝。封江爲廣寧伯。明年卒。

註：

①「丞相胡惟庸謀逆」，胡惟庸謀逆事已見於本書頁二三四六，故不重錄。

②「江」，劉江即劉榮事，已見於本書頁二三〇九，及頁二三三六所錄王世貞之言。

卷四

○（嘉靖二十六年）倭寇寧、台，詔以朱紈爲右副都御史，巡撫浙江兼攝福建。初，紈未至，倭百餘艘久泊寧波、台州等處，約數千人登岸，殺掠無筭。紈至廉，知沿海大姓皆利番舶，勾連主藏貴家尤甚。凡夷舶至，爭至其家，皆以虛値轉鬻，値不時給，夷衆怒，以是搆亂。乃下令申嚴海禁，任勞任怨。嘗言：「去外夷之盜易，去中國之盜難；去中國之盜〔猶〕易，去中國衣冠之盜〔尤〕難。」上請鐫暴貴官、大姓、通番二三渠魁姓名戒諭之，聲勢相倚者大譁，切齒。

卷五

○（嘉靖三十一年）四月，倭寇破黃巖縣，大掠溫、台、寧、紹，浙東大震。

○（六月）以都御史王忬巡視浙福海道。時倭寇猖獗日甚，廷議復設巡視重臣，乃以忬提督軍務。忬上疏請得便宜從事，從之。忬募溫、台桀黠少年布列瀕海，嚴督防禦，浙人恃以無恐。

○（嘉靖三十二年四月）海賊引倭大舉入寇，連艦百餘艘，蔽海而至，南京戒嚴賊破。浙江昌國衛、臨山衛、松江、上海縣等地。都御史王忬命參將俞大猷、湯克寬等擊走之。

○五月，倭寇復入上海，指揮武尙文、縣丞宋鰲死之。詔令太平府同知陳璋、蘇州府同知任環，統諸郡兵禦倭。

○秋七月，陳璋等擊倭，斬首千餘級；餘寇出境，浮海東遁。倭自閏三月登岸，至是始旋。攻陷郡縣，殺掠、焚蕩略盡。百年所稱蕃盛安樂之區，騷然多故矣。

○（嘉靖三十三年四月）倭寇嘉興，破崇明縣，知縣唐一岑死之。

○（嘉靖）三十四年乙卯，以南京兵（部尚）書張經總督浙福軍務。時朝議欲徵狼、土兵剿倭，以經嘗總督兩廣，爲狼、土兵所戴服，故用之。經亦慷慨自許，中外忻忻皆謂寇不足平。

○遣工部侍郎趙文華往祭海神。嚴嵩言：「倭寇猖獗，宜遣大臣禱祀東海，以奪其魄。」因薦文華可用。上從之。文華本嵩私人，憑寵恣肆，江南困弊。

○狼兵與倭戰，敗績。趙文華至松江祀海，乃犒狼兵激使進剿。遇倭戰不勝，頭目十四人皆死。於是賊知狼兵不足畏，肆掠如故。

○五月，倭寇嘉興，總督尚書張經擊走之，斬首三千餘級，賊走柘林。東南用兵，此爲第一功。

○詔逮繫總督尙書張經及參將湯克寬，下獄論死。時趙文華挾嵩凌經，經不爲屈，文華恚，連疏劾經，臺諫亦有言者。上怒，逮繫經及克寬。至京，下法司議罪。經上疏自理，不報，論死，繫獄待決。

○倭寇掠崑山、石浦等鎭。

○官兵追倭於馬頭鎭，殲滅之，斬首四十一級。此賊自日照登岸，以數千③人流害兩省，殺戮千餘人，至是始滅。

○柘林倭賊縱火焚巢，駕舟二百餘艘出海東遁。

○蘇松兵備任環、總兵俞大猷等進攻陸涇倭賊，敗之。

○倭寇常熟，知縣王鐵①、參政錢泮死之。

○倭寇江陰，知縣錢錞死之。

○任環、俞大猷敗倭于馬蹟山，擒倭酋灘舍賣及賊五十七人，斬首九十三級，餘賊五十人屯嘉興民家。環投火爇之，賊盡死。既而環有親喪，御史周如斗請留之。詔奪情，任事如故。

○逮繫浙江都御史李天寵，論死，以胡宗憲爲僉都御史。時宗憲與文華合力排天寵，欲奪其位。言：「在浙嗜酒廢事」，乃以宗憲代天寵。天寵詣京下獄，以失律喪師論死。

○倭犯南京，趍秣陵關。應天府推官羅節、指揮羅承宗望風奔潰，賊遂過關而去。

○（八月）中國叛人王直久住日本，主謀煽禍。南京御使金淛、陶承學乞立擒捕賞格。兵部議覆：「有能擒斬王直者，封以伯爵，賞銀萬兩。」

○倭賊出秣陵關，流刼溧〔陽〕，蕩至滸墅關。直隸都御史曹邦輔，檄召僉事董邦政，一戰斬首九十級，追及於楊家橋，盡殲之。邦輔以捷聞，歸功邦政。趙文華聞賊且滅，急趨赴之，欲攘其功。邦輔已先奏捷，大怒，思所以陷邦輔矣。

○九月，胡宗憲與曹邦輔進剿陶宅倭，師潰；文華委罪邦輔及邦政。給事中孫濬言：「蘇、松士民咸稱邦輔功能顯然，遽請罷斥，文華之意殆不可曉。」給事中張栻復言：「文華欺罔，大負簡命。」上乃申飭文華：「秉公視師圖效！」

○（冬十月）詔殺浙福總督尙書張經、都御史李天寵、兵部員外郎楊繼盛于西市。初，繼盛三木詣審士民，挾道擁視曰：「此天下義士。」指三木曰：「奈何不以此囊嵩父子？」繼盛吟曰：「風吹枷鎖滿城香，簇簇爭看員外郎。豈願同聲稱義士，可憐長板見君王。聖朝厚德如天地，廷尉稱平過漢唐，性癖生來皈視死，此身原自不隨楊。」上每讞繼盛，心宗器之，執筆躊躇，卒不忍殺，惟邊防失律者必殺不貸。嵩揣知上意，乃以張經、李天寵疏覆奏而附繼盛于尾。上覽之，怒，遂下旨行刑。

○（嘉靖三十五年正月）詔逮曹……。邦輔訊治，謫戍邊，趙文華陷之也。

○（四月）倭寇犯溫州，同知黃釧死之。詔贈浙江參議，立祠，蔭子。

○倭犯崇德，游擊宗禮、鎭撫侯槐、何衡、義官霍貫道等皆力戰死，並贈官，蔭子。

○倭寇入慈谿，知縣柳東伯亡去。初，王忬在浙，令兩浙諸縣皆築城自固，獨慈谿人持不可。至是，倭眾大至，殺人民無筭。搢（縉）紳被禍尤慘，追悔不城。東伯當坐死，以無城可守，削籍爲民。

○慈谿省祭官杜槐與父文明，率兵追賊，殺三千餘人，斬其一酋。槐被創，墜馬死。文明別將兵，斬白眉倭帥，賊驚遁，呼爲杜將軍。追至楓樹嶺，以兵少無繼，陷陣沒。詔贈槐光祿丞，文明□經歷，立祠祀之。

○巡撫御史阮鶚，大破倭寇於沈庄。初，胡宗憲議欲招誼（？）之，鶚不可。文華等益恨之。賊黨別陷仙居，鶚三戰殲之，言者皆謂宜切責宗憲而專任鶚。上從其議曰：「言撫者斬！」於是賊五郎等奔蔡其山，鶚大戰，獲之。鶚所部兵自四月戰於觀海，戰於海寧，戰於仙居，戰於白馬廟，戰於乍浦，戰於蔡其，至沈庄之戰，腹裡賊乃盡，是年六月也。至十二月，鶚與都司戚繼光攻舟山且拔，宗憲兵乃至。鶚堅主剿，以至成功。文華兩上捷（疏），盡襲爲己功。兵（部尚）書許論等言：「皇上至誠，昭格玄功允洽，是以百靈助順，謀若啓戰若翼，非人力所能爲。乞卜修祀，用答玄貺。趙文華等功次，待覆擢賞。」上從之。

○趙文華還京。文華再出督兵，所至糜費不貲。搜括公私金寶、圖書以百萬計。行者，居者，並受其禍。至是還京，而吳越之間始若脫距。

○十一月，朝鮮遣使歸俘。先是，倭船四艘敗還，飄泊至朝鮮境。國王（明宗）遣兵逆擊大海中，盡殲之，得中國被擄並助逆者三十餘人，遣陪臣沈通源等入賀。上嘉其忠順，賚銀幣，仍璽書褒獎。通源及獲功人李潤慶等，皆厚賜遣歸。

○獻倭俘，舉謝玄大典。

○胡宗憲、俞大猷攻舟山倭，平之。

○（嘉靖三十六年正月）江南自乍浦沈庄捷後，倭賊悉靖，唯舟山倭據險結巢，總兵俞大猷督兵攻之，積薪草以棕簑捲火擲之，賊四散潰出，斬首及焚死者無筭。

○十月，胡宗憲擒海寇王直。初，蔣洲之再往入倭也，遍歷諸島披誠勸諭，倭眾惟其言是從。洲以是年五月歸，稱與直舟同來。洲至而直未至，人疑其詐。文華在工部力言洲無他，而禮部會廷議，乃命洲。洲陳諭倭始末。及言直以誠來，其未至，必舟阻耳。九月，直至，宗憲乃使人招直。直願見洲。遣千戶夏正質其舟。直素與正善，遂詣軍門，具言其與洲戮力狀。宗憲慰藉之，使居館候命。有旨：直梟斬，直義子毛臣聞直死，殺夏正，率其徒叛入舟山。論誅直功，加宗憲太子太保，蔣洲僅釋罪出獄，竟窮死。

○（嘉靖三十七年）毛臣據舟山，與倭目善妙等列柵阻岑港自固。官兵圍之而賊憑高死守，我軍莫利先登。上屢促宗憲及時平賊，宗憲督兵討之，不能克。南京御使李瑚劾宗憲私誘王直啓釁；浙江巡按王本固、南京給是劉堯誨亦劾其老師縱寇，濫叨功賞，請行追奪。不聽。

○（嘉靖四十一年三月）廣東逆賊張璉伏誅。自倭寇滋蔓，福、廣、江西諸路不逞奸民所在蜂起，而廣東尤甚，璉爲最強，三省騷動。兩廣侍郎張臬，調集狼兵十萬，與福建、江西會兵進剿，擒賊首張璉、蕭雲鋒，斬之，梟首三省。

○（九月）福建新倭大至，突犯福清、福寧、政和等處。

○（十一月）倭寇攻興化府，陷之。倭初至，先犯邵武，殺指揮齊天祥，轉掠羅源、連江等縣，殺遊擊倪祿，乘勝直抵興化府城。浙江參將戚繼光，引兵還浙，遇倭，麾兵擊之，斬首一百八十有奇，遂行。而閩倭至者日眾，始攻興化城，不克，乃合兵圍之。兵部請調南京都督劉顯率兵福建應援，顯按兵不進。欲掩逗留之罪，始遣五卒齎文詣府，約越城禦敵。賊獲五卒，殺之，用其職銜，僞爲顯文，約某日夜率兵潛入應援，城中勿舉火作聲，恐賊驚覺。擇奸細五人，詐爲劉卒齎入。參將畢高、參政翁時器在城，信之。至期，賊冒劉兵入，城人莫之疑。賊既大入，忽爾殺人，城中驚亂。畢高、翁時器及指揮、參將等皆倉皇縋城走，城遂陷。賊據城中三閱月，劫掠焚毀，慘毒備極。福建都御史游震得以狀聞。部覆言：「賊以旬月內連破數城，如入無人之境，帥府而下職守謂何？顧事急之際，姑令戴罪立功。請調新募義烏兵一枝，以戚繼光統之，仍起丁憂參政譚綸，與都督劉顯、總兵俞大猷同心共濟，以收奇功。」上從之。

○（嘉靖四十二年正月）副總兵戚繼光，督兵大破倭賊于平海衛。是役也，斬首二千三百餘級，火焚、刃傷及墮崖溺死者無筭；縱所掠男婦三千餘人，復得衛所印十五顆。自是福州以南諸寇悉平。

○（嘉靖四十三年正月）福建總兵戚繼光，追擊仙遊縣殘倭，大敗之。時舊倭餘黨復糾新倭萬餘攻仙遊，圍之。三月，繼光引兵馳赴之，大戰城下。賊敗，趨同安。繼光麾兵追至王倉坪，斬首數百級。餘眾奔，繼光督各哨兵入賊巢，擒斬數百人，閩寇悉平。殘寇得脫者流入廣東界，掠漁舟入海。

○（四月）廣東官軍擊潮州倭寇，破之。初，歸善縣盜溫七、伍端作亂，都御史張臬檄參將謝勅討之，勅不爲備，爲盜所乘，殺指揮王佐等，勅逃歸原衛。未幾，溫七兵亦敗被擒；端自縛至軍門求殺賊自効（効）。端即所謂花腰封也。總兵吳繼爵、俞大猷受其降，提督吳桂芳至，因使擊賊，官軍繼之，圍倭於鄒塘，連克三巢，焚斬四百餘人。捷聞，上命各加賞賚。

○（嘉靖四十四年三月）倭寇犯通州等處，官軍禦之，賊敗遁，轉掠至江南。副總兵郭成等，帥舟師迎擊於海中，沉其舟，斬首百餘級。

註：

①「鐵」，明世宗實錄，卷四二二，嘉靖三十四年五月甲午朔丁巳條，談遷，國榷，卷六一，世宗嘉靖三十四年四月己丑朔戊子條俱作「鉄」。

卷六

○（萬曆二十年）五月，命將出師援朝鮮。朝鮮延袤六千里，三都八道饒庶有華風。然承平久，懦不習戰。而倭酋秀吉起人奴，篡立，善用兵。四月分遣巨酋（小西）行長、（加藤）清正、（宗）義智、妖僧（景轍）玄蘇等，擁舟師數百艘陷慶尙道；五月，渡臨津。先發遊擊史儒以偏師防義州，遣遼陽副總兵祖承訓統兵三千，渡鴨綠援之。

○十六日，援師攻平壤。時霖雨，我師不諳地利，爲倭擊，盡殪，史儒死之，祖承訓僅以身免。報至，朝議震動，海上登萊、天津、旅順、淮楊（揚），所在添募設防。命兵部尙書石星募能入倭關說者。游客沈惟敬請往宣諭，以數騎走倭營刺情歸報，石大惑之。

○以侍郞宋應昌爲經略，員外（郎）劉黃裳、主事袁黃爲贊畫。石星以沈惟敬可佐緩急，題假遊擊赴軍前行間。

○（九月），上在御久，邊境晏如。自西夏叛，卒發難，繼以倭，繼以播州，海內蕭然，而兵端自哱氏父子始。

○十二月，上憫東征將士寒苦，特發冏金十萬兩犒慰。先是，宋應昌抵山海關，而李如松甫平西夏亦未至軍，因謬借惟敬縻倭西向。前所羽檄徵兵七萬餘，至者半，請置三軍，以副將李如栢將左，張世爵將右，中軍則統于楊元，急趨遼陽。至是，李如松始至軍，而惟敬歸自倭，稱（小西）行長願退平壤迤西，以大同江爲界。李如松誓師渡江。

○（萬曆）二十一年癸巳正月初四日，我師抵肅寧館。倭酋行長遣將吉兵罷三郞，餘倭二十一人來安定窺虛實。李如松檄游擊李寧生縛之。倭猝起格鬬，止獲吉酋，將軍按寧申令，一軍股栗（慄）。六日，抵平壤，遣南兵試其鋒，佯退。夜，倭襲李如栢營，擊却之。如松部勒諸將攻圍，止缺東南，令遊擊吳惟忠攻牡丹峰。黎明，皷行抵城下，倭砲矢如雨，軍稍却。將軍手戮一人，我師齊奮聲震天地，火藥並發，毒烟蔽空。戰酣，吳惟忠中鉛洞胸，猶奮呼督戰。而將軍坐騎斃于砲，易馬馳，麾兵愈進，無不以一當百，倭遂宵遯，凡得級千二百八十五，殲酋宗逸（竹溪）、平（德川）秀忠、平（松浦）鎮信，餘死于火無筭，腥聞十里。李寧、查大受率精兵三千伏江邊僻路，復獲三百六十餘級，生擒三倭，乘勝追襲。十九日，李如栢遂奪開城，得百六十級，平安、黃海、京畿、江原并復；惟咸鏡爲（加藤）清正拒守，聞開城已破，並奔王京。

○王歸平壤。我師既連勝，有輕敵心。李如松引梟（驍）騎二千至碧蹄館，猝遇倭，殊死戰，從巳至午。李如栢、李寧等乃益遮擁；李如梅箭中金甲倭，墜馬。會楊元砍重圍入，倭遂潰，而我兵精銳亦多喪，乃退駐開城。

○上年逮楊應龍詣重慶，法當斬，請以二萬金贖。會倭大入朝鮮，應龍願自將五千兵報效。詔釋回播，尋報罷。四川都御史王繼光至，嚴提勘結，遂抗不復出。至是，繼光馳至重慶，與總兵劉承嗣議分三軍，三道並進。應龍佯令約降，據關衝殺。會繼光論罷，即撤兵委棄腦（輜）重略盡。詔遣兵部侍郎邢玠總督。

○經略令遊擊周弘謨仝沈惟敬往諭倭獻王京，返王子，如約縱歸。倭果於四月十八日棄王京遁。李如松翌日入王京，以大兵臨漢江；遣別將劉綎帥兵五千越尙州鳥嶺。鳥嶺廣亙七十餘里，懸崖鑱削，中通一道如線，灌木叢雜，騎不得成列。倭尙拒險而別將查大受、祖承訓等由間道踰槐山出鳥嶺後。倭大驚，前移釜山浦，築居屯種，爲久戍計。漢江以南千有餘里，朝鮮故土奄然還定，上乃諭朝鮮整師自守。

○（萬曆二十二年甲午）先是，沈惟敬歸自倭營，即有和親之說。九月，朝鮮疏請許貢保國。詔倭將小西飛（驒守，即內藤忠俊）入朝，乃定封議。命臨淮勳裔李宗城充正使，副以都指揮楊方亨，同沈惟敬往。

○（萬曆）二十三年乙未三月，總督邢玠，乘傳至蜀中，使重慶太守王士琦諭應龍。應龍囚服郊迎，輸四萬金贖罪，仍革職。總督以聞。時倭氛未靖，大司馬欲緩應龍專事東方，上亦念應龍積勞，可其奏功賞金，加邢玠右都御史歸朝，應龍再及寬政，益怙終不悛。

○（萬曆）二十四年丙申四月，封使李宗城自釜山易服夜遁，以方亨充使，惟敬爲副。

○（萬曆）二十五年丁酉，時封事已壞，而楊方亨詭報去年六月從釜山渡海，九月二日于大阪受封。然倭留釜山如故，謝表後時不發，方亨徒手歸。至是，沈惟敬始投表文，不奉正朔，無人臣禮；而寬奠副總兵馬棟報：「清正擁二百艘屯機張」，方亨始吐顛末，倭（委）罪惟敬，惟敬辱國及本兵彌縫罪狀。奉旨：「勘如律。」以尙書邢玠爲經略，麻貴爲大將，僉都御史楊鎬開城、天津申警備。

○五月，麻貴統兵萬七千人，七月至碧蹄。

○大學士張位，請于開城、平壤開府屯田，西接鴨綠、旅順之師，東爲王京、鳥嶺之援，因山鼓鑄，以資軍興。傳示朝鮮國王虞中朝吞併，乃疏稱：「朝鮮舊有三都，漢城、開城、平壤是也，今皆殘破，所居漢城亦荆棘未除，若屯田，則地土墝埆，終不如南方。」議遂寢。

○六月，倭數十艘先後渡海，分泊釜山、加德、安骨，放丸如雨，殲郡守安宏國，漸逼梁山、熊川。初，沈惟敬率營兵二百出入釜山與倭合，經略切齒，謬爲慰藉，即以屬楊元先假更換撤其營兵；惟敬聞上罪石星，而倭酋平調信益兵進犯，暗欲走倭。調信果以倭五百來迎。楊元在南原，即襲執而倭嚮導始絕。倭侵閑山，統制使元均遂棄閑山。八月，倭圍南原，守將楊元跣足遁。時全州有陳愚衷，忠州有吳惟忠執相倚角。南原告急，愚衷懦，不發兵，棄城云。麻貴急遣遊擊牛伯英，與遇（愚）衷合兵屯公州。倭遂犯全羅，逼王京。我兵單弱，因退守王京。麻貴發兵守稷山，朝鮮亦調都體察使李元翼，由鳥嶺出忠清道，經理楊鎬身赴王京，諭以死守，人心始定。

○九月，麻貴及副將解生、遊擊牛伯英等擊倭先鋒于稷山，大敗之；參將彭友德追倭至青山，獲級百六十，軍聲益振。經略聲言南北水陸兵七十萬旦暮至，福、廣、浙、直兵直搗日本。行長奔井邑，清正奔慶尙。

○十一月，經略分三協：左李如松，右李芳春、解生，中高策，並以副總兵分將。上賜經略尙方劍，陳效爲監軍御史。經略令麻貴同經理諭左右協自忠州鳥嶺向安東，專攻清正，恐行長自西來授，與朝鮮合營。由天安向南原大張旗皷，詐攻順天，以牽行長。十二月一日，經略與麻貴會慶州，欲專攻蔚山，恐倭由彥陽來援，令中協高策、吳惟忠等扼梁山，左協薰正誼等赴南原張疑；又遣右協盧繼忠兵二千屯西江。二十三日，從蔚山進攻，遊擊擺賽以輕騎誘倭入伏，獲級四百餘，餘倭盡奔島山。翌日，遊擊茅國器，統浙兵先登，連破之，獲級六百六十，倭堅壁不復出圍。十日夜，倭至嚙紙充饑。佯約降緩攻，而行長選銳倭三千，虛張旗幟蔽江上；經理倉卒撤兵，棄腦（輜）重無算。經理乃移各兵回王京，贊畫主事丁應泰劾經理楊鎬喪師黨欺。上罷鎬，命兵科左給事中徐觀瀾往勘，併勒大學士張閑住，以薦鎬僨事也。

○（萬曆）二十六年戊戌二月，別將陳璘以廣兵，劉綎以川兵，鄧子龍以浙兵先後至，而天津都御史萬世德代楊鎬經略，分三協爲水陸四路：中路李如梅，東路麻貴、西路劉綎，水路陳璘，各守信地。時倭盤據沿海千餘里，亦分三窟：清正據蔚山，行長據曳橋，石曼子據泗川，爲東西聲援。經略約日并進，而中路李如梅尋調遼帥，以董一元代。

○九月二十日，分道進兵，劉綎逼行長營挑戰，奪曳橋，斬九十二級；陳璘舟師協堵，擊燬倭船百餘；麻貴抵蔚山，割其糧稻，焚溺甚多；董一元進取晉州，乘勝渡江東，燬永川、昆陽二寨。倭退保泗川老營，鏖戰下之，遊擊盧得功歿于陣，得級九十。

○十月，董一元分派馬、步協攻，副將祖承訓殿步兵，遊擊茅國器、彭信古、葉邦榮、藍芳威騎兵，遊擊郝三聘、馬呈文、師道立、柴登科等前逼新寨攻圍，自辰至未，彭信古用大楨擊塞門，碎城垛數處。步兵齊至壕，砍護城寨湧入。忽營中楨破，火藥發烟漲天，倭乘勢衝殺，騎兵先潰，遂奔還晉州。經略查參，詔斬馬呈文、郝三聘以徇；彭信古充事爲（事）官，董一元革官，各戴罪立功。朝議以師久無功，洶洶撤兵。大學士趙志皐請令總督歸鎭制虜，以東方事專委萬世德。上令府部九卿科道集議，兵科都給事張輔之、御史于永卿等乃一意進剿。會福建都御史金學曾報平（豐臣）秀吉七月九日死，各酋亦有歸意，我師乘勢夾擊，捷音日至。

○十一月十七日，（加藤）清正發州先遁，麻貴遂入島山，劉綎攻其不意，遂奪曳橋，獲百六十級。石曼子引舟師救（小西）行長；陳璘統倉唬船進擊，並焚死石曼子，得級百二十四，水爲赤；副將鄧子龍、朝鮮統制使李舜臣陣亡，南海平。鄧子龍，南昌人，驍勇善戰，初渡鴨綠江，有物觸舟，取視之，乃沉香，一暇把翫。良久曰：「宛似人頭。」愛護之，每入夢則香木與首或對或協而爲一。至是，失其元，取香木雕爲首，酷肖。

○捷聞，上發冏金十萬兩犒賞。

○（萬曆）二十七年己亥，時東征業已完局，而播州議復用兵，劉綎督川兵先發，麻、陳、董三帥並撤回，以李承勛充禦倭總兵留戍。四月十八日，獻俘，平秀政、平正成梟磔，傳九邊。

○七月，勘東征功，首陳璘，次劉綎，次麻貴，次董一元，進邢玠太子太保，萬世德陞右副都御史，陳、劉各加都督同知，麻貴右都督，董一元復職，並給金幣，楊鎬以原官敘用，陳效殞命絕域，廕一子錦衣，而楊元、沈惟敬棄市。

註：

①「十三年庚申正月，丞相胡惟庸謀逆」……，有關西華門內使雲奇之事績已見於本書頁二三五二，故不重錄。

②有關劉江之平倭經緯與其恢復原名劉榮事，已見於本書頁二三〇九，註①，及頁二三三六所錄王世貞之按語，故不重錄。

③「數千人」，明世宗實錄，卷四二二，嘉靖三十四年五月甲午朔己酉條作「不足五十人」，故此數千人疑為數十人之誤。

皇明大事記

卷二一

明朱國禎輯，明刊本

朝鮮

○（嘉靖）三十八年，倭犯朝鮮，擊之，盡殪。……萬曆十九年四月①，倭酋（加藤）清正、（小西）行長兵至，連陷郡縣，（朝鮮王李）棄王京，令次子光海君琿權國事，奔平壤，又走義州，將入中國，倭遂據平壤。第一子、第五子及陪臣皆爲所執，遼東發三千人②救之，敗績。二十年，大發兵五萬人，兵部侍郎宋應昌督軍③，左都督李如松總兵，以十二月二十五日渡鴨綠江，明年正月初八日攻平壤，克之，斬二千餘人。益進兵，敗于碧蹄。時寧波人沈惟敬通倭，詭自效，往來軍中。二酋本畏關白之逼白，亦欲遠之，使與朝鮮爲難。又天寒，不耐戰，且借惟敬緩我軍。我氣銳，驟戰得志，倭亦棄王京，歸王子、陪臣，走釜山。山在朝鮮極東，濱海，故有舊倭久居爲巢者。　復歸王京，中國亦深信惟敬講封貢，爲倭所紿。自二十二年至二十五年，事大決裂，復用兵至八萬。兵部尙書（石星）、邢玠總督、左都督麻貴、總兵僉都楊鎬爲總理。二十六年，南原失守，王京幾陷。鎬疾馳往，得定進兵，圍清正于島山。救至，驟退，失亡多。贊畫丁應泰以聞。上怒，削鎬職，代以萬世德，委總督專任，兵分三路，與倭相持，並有斬獲。二十七年七月關白死，清正等皆渡海去，諸將亦尾而擊之，以大捷聞。而先應泰奏朝鮮通倭，力辯，且誓于神，朝廷亦不問，留兵以守。

卷一三

諸夷朝貢

○（洪武）二年二月，……遣吳用、顏宗魯、楊載等使占城、爪哇、日本等國。

○七年三月，暹羅斛國使臣沙里拔來朝貢方物，自言國本令其同祭思里儕剌悉議替入貢，去年八月，舟次烏渚洋，遭風壞舟，漂至海南，達本處官司收護，漂餘蘇木、棒香、兜羅綿等物來獻。省臣以奏。上恠其無表狀，詭言舟覆而方物乃存，疑必番商也，却之。詔中書禮部曰：「古者中國，諸侯于天子，比年一小聘，三年一大聘。九州之外番邦遠國則每世一朝，其所貢不過表誠敬而已。而高麗稍近中國，頗有文物、禮樂，與他番異，是以命依三年一聘之禮，彼若欲每世一見，亦從其意。其他遠國如：占城、安南、西洋瑣里、爪哇、浡泥、三佛齊、暹羅斛、真臘等處，新附國土，入貢既頻，勞費大甚，朕所不欲。今遵古典而行，不必煩數，其移文使諸國知之。」

○(洪武十六年)四月，上以海外諸國進貢，信使往來不實，中國人亦有假而索賄者，乃命禮部置勘合文簿給發，俾有憑信稽考，以杜奸詐。但遇入貢咨文，俱於各所經布政司比對勘合相同，然後發遣。於是給來朝者凡五十九國，所貢方物表式、歲期回答、賞賜并正副使廩給、宴賜禮儀、互市，各以國大小隆殺著爲定式。定西番貢數：闡化等王每貢百人，多不過百五十人；法王貢僧徒十人，凡嗣封、賜誥、袈裟、僧帽、數珠、鈴杵，以大茲恩寺剌麻僧二人充正副使；長河等番僧三歲一貢，或歲一貢，貢三十人，多不過五十人，小者四五人至京，餘留塞上，取道黎、雅、洮三州。

吳平

嘉靖四十二年，廣寇吳平，船四百餘艘出入南澳、浯嶼間謀犯，福建把總朱璣、協總王豪擊之。賊奄至，圍官軍，璣、豪俱陷沒。事聞，詔閩廣鎮巡官進討，平乞降，總兵俞大猷受之，使居海嶺殺賊自効。尋復叛，聚眾萬餘，築三城守之，倚海出沒行刼，兩廣惠、潮及詔安、漳浦等處皆苦之。福建總兵戚繼光，督兵襲擊，平盡移輜重入舟，率眾遯于海保南澳。繼光將陸兵，大猷將水兵夾擊，大破之，平僅以身免，奔饒平縣之鳳凰山，其眾稍稍集，勢復振。時繼光留擊南澳餘賊，大猷所部參將湯克寬、李超，都司白瀚、傅應嘉等，引兵躡平後，連戰不利，平遂迻樟林，掠民舟出海。事聞，大猷閑住，繼光兼鎮閩廣。平戰敗，奔安南。提督吳桂芳，檄安南萬寧宣撫司發兵會征，遣參將湯克寬、都司傅應嘉等，以舟師會之，夾擊平於萬橋山下。會暮，大風，我軍用火攻，焚平所乘舟，平軍大敗，赴水死者無筭，官兵生擒賊眾及斬首共三百九十八。閩撫汪道昆，據僉事畢竟立報，吳平投傅應嘉寨中被縛；桂芳獨以為平素號猾賊，必不肯自投以就顯戮，今初報生擒之妄，巳（已）不待言。即自沉一說，亦止據賊供報，彼時風火交織之中，昏黑莫辨，何由知其必死？因劾應嘉妄報當罪；而克寬不能乘勝窮追，亦當議罪。其後應嘉實縱賊逸去，坐斬。

曾一本

隆慶二年六月，廣東海寇曾一本，突犯省城，屯海珠寺者月餘，殺聽調知縣劉思顏。先一本以海盜係獄，脫出，聚眾刼掠，其勢日盛。官軍討之，求降，見許。巳（已）而復叛，入犯，并及福建界。俞大猷等出海迎擊于鹽埕等處，大破之，前後擒斬七百人，死水火者萬計。明年三月，一本勾引倭寇犯廣東，破碣石、甲子諸衛所，官軍禦之無功。雷瓊參將耿宗元，御下素嚴，及是，聲言欲斬敗將。周雲翔、廖鳳、曾德久、廖廷相等皆大懼，謀作亂。會宗元閱兵教場，雲翔等忽鼓噪躍起，手刃宗元，執通判潘槐以叛，遂與一本合。巳（已）而潘槐自賊中誘擒廖鳳獻之。賊屯兵平山、大峒等處，入掠海豐縣，從鹿境渡河。會總兵郭成等方率兵進剿，而贛撫張翀亦遣參將蔡汝蘭等兵至，於是共趨大浦白雲屯以入平山夾攻之，凡月餘，各部擒斬一千三百七十五人，內生擒真倭酋丘古所一人，從倭一百餘人，奪歸通判潘槐而下六百餘人。叛將周雲翔潰圍走，成部卒擒之正法。廣東巡按楊標言：「耿宗元憤官兵戰怯，欲以軍法治之，遂爲周云翔等所殺，而當事者謂之殘暴，莫爲昭雪。參將馬良匯所部兵多缺伍，侵餉銀三千六百有奇，貪黷無厭，而吏不敢問。請恤亂錄宗元，治良匯之罪，以昭勸懲。」從之。乃贈宗元都指揮使，革良匯任，按問。

四月，一本等突至南澳，窺福建玄鍾界，撫按官塗澤民、王宗載疏請大征，遂命兩省夾剿，調俞大猷率兵會之。侍郎劉燾往督大猷及李錫先，與賊遇於柘林澳，三戰皆捷，俘斬甚眾。賊遁入馬耳澳，整眾復戰。會郭成及王詔率廣東兵至次萊蕪澳，分二哨進攻，一本勢窮，自駕大船，戰益力，成等復敗之，遂焚其舟，賊多赴水死。詔生擒一本及其妻鄭氏并族黨尾叔等，斬首五百餘級。一本尋死，磔屍。

葉丹樓

嘉靖四十三年，葉丹樓、葉萬等流刼廣、惠、潮三府，副使方逢時督兵討之，失利，丹樓遂據中溪。逢時遣守備王詔衛、經歷郭文通部兵萬餘未進，因賊請撫罷兵，刼掠益甚。時伍端已死，別部王西橋出刼東莞，殺百戶王誂、典史蕭承命，執郭文通。提督吳桂芳，集兵進討，俞大猷將中軍，游擊魏宗瀚將左軍，參將王詔將右軍，副使張子弘，監督參議陳紀主餉。大猷行至平山，西橋巳(已)出莞。我兵抵周家村，遇賊，敗之，西橋走粉壁嶺。賴時清者，丹樓黨也，同西橋先出。及是，合群走梧桐山，又敗之，殺時清。西橋保三田山，乘夜襲殺總目徐良。我合軍圍之，王賴所部縛西橋以獻，餘眾走下梅，攻之不克，招降三百餘人。始議立縣。穆宗即位，大猷策賊獷悍，不可勝得西橋。明詔可塞，稱病旋師，餘衆尚千餘，流出破義容、烏鵝等處，尋以安撫報聞。順德舉人葉春及，應詔上書二十五篇，其一言盜賊曰：「臣五月離惠，賊巢百里之內破三十餘，圍殺萬人，陛下豈聞之乎？」報聞。〔隆慶〕二年，歲貢至京，乞討賊置縣。報下撫臣覆議。三年，立永安縣，以魏世熙知縣。自元年後賊歲加甚，舊者死，新者繼，一巢又分爲數巢，環永山溪立寨，大小無慮數百；而賴元爵、藍一清尤兇悍，爲之魁，恣意殺擄，沿海亦多倭船。六年，殷正茂總督，先復艚船之舊。艚船者，從來殷富商人造大船出海販鹽，編號報冊于官，但遇海賊即行併剿，無得脫者。後浙直倭患，調去二百餘艘，兵夫萬餘，悉沒不還，其制始廢。盜益縱橫，乃發三萬餘金，造六十艘，募商併力。海賊許瑞先曾聽撫，尚在狐疑。至是，遣頭目林萬樹，告招願殺倭，報功贖罪，許之，合艅進攻，斬倭千餘，軍聲頗振。廣東海上，瀕田細民，修築成業，伐石山場，石匠衣食所關，勢要之家，百計占奪，給帖軍門爲據，即魚蝦微利，亦必有大戶充總甲而武斷之，交通官府，科罰太重。狡黠驅而爲盜，山海合倭寇浪賊爲四害。惠、潮二府，大賊首一百九十餘名，中賊首七百餘名，縉紳、士民、有司畏之，禮之，慶弔相通，和光同塵，無復體統。市棍強梁，動稱其家有人在巢，以挾制良善，儘有對衆明言，夜果有賊破門而入矣。乃申明憲綱，盡革豪占諸弊，酌議用兵之先後緩急，兵將之衆寡勇怯，歸重于錢糧，藩司歲入，供辦軍餉銀二十五萬兩，水陸市舶榷稅約二十一萬兩，今止存七萬。因各賊出沒無常，路經千數百里，徼報一至，調西援東，顧此失彼，徒勞負而無成功。歷年以來，用兵費餉，山賊如四會二源張璉等，海賊如吳平、曾一本等，每費餉多至七八十萬，少亦不下四五十萬，司帑如何不匱？遂查歲入歲出數目，水路陸路兵將員名，詳審阨塞，據險設將，隨將督兵分布，監司駐劄。應起運者解司，應存留者貯府，隨處賊起，發隨處之兵，隨處發兵，支隨處之餉，議立畫一章程，執爲定例。在在有兵，亦節節備餉，既無調遣支放之勞，復無曠日持久之累。部署既有次第，即賊亦自知難敵，多爲泛海計。九月，申飭文武，始議大征。分五軍，參將王詔出歸善，副以守備陳璘，參議顧養謙監之。參將李誠立出海陽，參政陳奎監之。游擊王瑞出長樂，副使蘇禹監之。參將沈思學出海豐，參政唐九德監之。指揮祖萬松出永安，亦參議顧養謙監之。總兵張元勛將中軍，居陳田，副使吳一介總監諸軍。慮各巢并力，名討藍、賴二賊，許各巢納質，安其心。十月，陳璘、祖萬松兵至，永安賊卓子旺守橫坑，曾仕龍守田子逕，惟曾宗繼出降。十一月，永安令陳立中令義士黃讓假道諸巢，皆遣兵助戰。至南嶺，賊江萬松據險以抗，七日未下。立中又遣黃讓說之，賊稍懈，破斬之，曾仕龍、曹志良皆遁。十二月，吏目黃道計誘藍一清并妻子，執之。明年癸酉二月，諸軍競進，生擒賴元爵等數十人，葉景清者必誅之賊也。諸巢未破，陽撫以誤之。遣武中張邦聘領景清兵五百人，捕餘賊之匿山谷者，諸將皆會進，破施山，禽（擒）曹志良，遂破李坑諸巢，禽（擒）卓子旺等，斬二千級。惟永安尚有曾仕龍，仕龍先固乞降，破秋溪，禽（擒）歐宗政等自贖，引至城下，宴而班師，即階下禽（擒）之，殺其黨七百餘。次日，養謙釋仕龍，泣語諸酋念有功不忍殺，蓋欲致葉景清也。景清果不疑，養謙諭徙居城北隙地，詣軍門請罪，不獨免死，且可得官。喜而聽命，遂就縛，坑其衆千八百餘人。捷聞，陞賞。餘賊破下石圍，李如桂擊之，從猴頭嶺進，賊遁月角嶺。參將沈思學自海豐至，戰敗。賊上松子園，勢復振。張元勛兵至，賊遁，追及，殲之，山寇盡平。癸酉四月，報捷，陞賞。

蛋戶

廣東雷、廉之間有蛋戶盜珠爲患久矣，其酋長不一，惟蘇觀陞、周才雄、羅漢卿、曾國賓最著，皆來自安南，阻烏塊多浪爲險，日夜習水戰。舟檝或八櫓或十櫓，諸賊能自操舟，乘風行波濤，殆若閃電急，輒走入水，水不能爲災海上，號爲水獺，視我海上師一可當百。世擅珠池利，往往交驩大□，因而稱貸。迺招致四方亡命千餘人自衛。然惟利是視，往往爭便益，自相賊，雖其親戚兄弟不顧也。漢卿阻中路港，尤貪暴，諸偷襲殺之。萬曆元年，曾國賓以三十艘入海康，明年犯上村及合浦冠頭嶺。五年，犯永安，還入大廉角。軍中大疫，悔禍，請降。七年，佯爲珠商所迫，鼓棹入于海，因犯南板村，受招撫，復降。是年，蘇、周二酋亦以十八艘合浦犯□體村，又犯安南永安州，我兵追急，二酋乃逊還烏兔。烏兔北枕高山，南濱大海，采巨木建屋居，令部曲相保爲塹壘。開東西二大門，其一面海，往來得通。他門皆重封誡門者，弗爲通，啓閉必張旂、鳴金鼓，晝夜嚴儆，惟恐官〔軍〕一旦得入，掃其穴也。九年，犯斷州。斷州去永安所甚近，百戶張禕備、白沙哨千戶田治備、濱澁哨蘇至禕攻其東，治攻其西。治長於擊劍，横行諸蛋中，無敢當者，然卒被創死。都司陳居仁、廉州推官汪堯卿，引白鴿寨兵追逐，斬十餘級，蘇等遁走，復突入東山殺掠。分守張明正、陸萬鍾請用兵樓舡二十七艘爲西哨，督以把總李如桂三十一艘東哨，堵以指揮文濟武，分兵斷其走路。雷、廉、高三府軍分道倚之，期九月十八日出師，下令自縛歸降者聽。賊聞，夜半從欖樹港逃井村，我兵追之，生獲蘇觀陞、陳鷹爪等一百八十九人。大風從西南來，蛋舟多湛死。諸將分道逐捕，餘皆請降。梁本豪者，廣海蛋酋也。先曾一本雄海上，豪誘導入城中。本既死，豪竄于海曲，其黨漸集至千餘人，結東倭、西番，將寇省城，巳（已）有約爲內應者矣。壬午，撫按陳瑞、羅應鶴發兵討之。指揮徐瑞陽往老萬，備倭把總張容正住虎門，備雷廉諸蛋參將楊爲棟、白翰紀備外海，游擊沈茂、指揮王權備內海、分守。周之屏、朱一相營居中，皆令乘白艚大艘，不足，則借及漁舟，七月十五日分道並出，沉其舡二十餘艘，生獲本豪等四十二人，俘獲四十四人餘，斬獲又數百人，聽撫者二千五百餘人。而海賊許俊美從吳平爲亂，一旦詣高州，願以功贖，眾皆不信，逸去。官軍追戰，破之；復追至雷州望雞山，幾獲。遇大風，舟多沉。俊美迺得走馬頭觜登山矣。俄厓門蛋民請兵合剿，海道檄各縣商、漁船兵四面攻之。俊美鼓而出香山大漾，議治艚船往討時，海賊鄭大漢、張朝乘隙相扇而起，漢犯瓊海，朝犯甲子、碣石之間。我兵駐虎跳門，未敢進。會諸偷私相攻擊，迺殺俊美及其妻，棄屍水中，鄭、張二酋旋亦被獲。蓋海賊甚多，先有林道乾者，澄海人，剽略海上，與諸良保來降，凡三千人。給田千畝，自耕而食，聽調立功。隆慶中，總兵郭成調乾征曾本有功，雄據禦貨，日益甚。摠督殷正茂，徉（佯）寬假，密囑參議顧養謙圖之。乾有侄曰茂，先在彭亨國爲都夷使，密約乾于萬曆癸酉二月。乾謁參政陳奎曰：「極知制臺意不相容，抗非吾事，降亦不免。男子各自求生，豈必中土？遠托異國，不復返矣！」繳舊所給十七劄，徑出。既行至甘（柬）浦寨，檄安南、暹羅、索乾及老賊何鸞等曰：「乾今更名林浯梁，在臣海澳中聲欲會大泥國來攻，不得巳（已）與爲盟而去。今巳（已）行至頭關矣，頭關者，閩海之大洋也。」香山澳人吳章、佛郎機人馬囉咻，並請自治裝往擊乾，許之，不果。初，乾在東埔發兵攻暹羅，不克，制臺使人賞諭東埔，令與暹羅並攻乾。乾覺，格殺番眾，略其舳艫，往佛丑海嶼而去，竟莫知所終。

諸良寶

潮撫民也。曾一本既誅，其黨許瑞二千人，逖在外島。寶與瑞有隙，相攻殺。既與林道乾歸降，亡何，復縱兵殺略，道乾逃入于海，寶亦接踵去，尋與林鳳合兵爲寇，戰敗走後，突犯陽江，燒諸村落，泊大金門數日，乃去。復歸原巢，巢皆高山臨海，維以土垣，聚死士固守。攻之輒失利。乃以陳璘爲參將督軍，賊方出洋，擊敗之。追至三丫港，賊棄船登巢。璘分兵四面攻之，築土山乘城而入，獲良寶，共斬一千二百三十級，時甲戌三月初十也。

林鳳

潮遖酋，從諸良保寇掠，爲總兵俞大猷所敗，遂泛大洋。未幾，自玄鍾所還潮陽請降，授以官，令散諸海舟，不奉命，曰：「官易欺人。」竟以百餘艘突入清瀾所，還潮陽請降。授以官，令散諸海舟。不奉命，曰：「官易欺人。」竟以百餘艘突入清瀾所港。久雨城頹，引眾入略畜產，鹵七十人而去，地界閩廣間。集兵夾剿，逐至大星海，斬二百五級，俘七十五人，奪三十四艘。鳳逃至香山，巳（已），復自大金海至北津，入汾州之頭澳，復集黨略商船，環結為固。我兵覘知，用大艚舟載火，刻日攻之，覺而遁去。追至臨高外海，斬一百餘人。鳳復自長沙港走白沙湖，跡之，匿于老萬山邊。巳（已），涉閩海至彭（澎）湖，潛往呂宋，築玳瑁港為城，自稱國王，欲脅番眾。我守將諭呂宋招番兵五千人襲港內，焚其舟幾盡。還走于潮，遇巡海兵，擊之，斬二百級，眾纔三百人，舟不過二十艘，復掠柘林、靖海、碣石之間，奪漁舟、民船至一百五十，徜徉海中，時以小舟進內港取雜貨，厚與之直。海中諸較亦入其賄，庇之不發。鳳亦慨然曰：「道乾，吾師也。」遂遠遁。後鳳黨澳主黃裳、劉興策、莫敷教等使酋長至潮請撫曰：「鳳已走西番，年老不復來矣。寬之，容吾等歸故土良民。」報允，二千餘人皆復業。惟林奇材、李茂等三大夥，復回道乾寨中，盡收財寶而去。又數年，死。

註：

①「萬曆十九年四月」，日本豐臣秀吉之發動大兵侵略朝鮮，中、日、韓三國史乘俱紀錄為萬曆二十年（日本文祿元年，朝鮮宣祖二十五年）四月。

②「三」，諸葛元聲，兩朝平攘錄，卷四，日本作「五」。

③「督軍」，諸葛元聲，兩朝平攘錄，及明神宗實錄、明史等俱作宋應昌經略。

國史紀聞

明張銓撰，明天啓四年刊本

卷二

○（洪武戊辰元年十二月）詔諭四夷君長。遣使以即位詔諭日本、占城、爪哇、西洋諸國。

○（洪武庚戌三年三月）遣使詔諭日本。寇登萊，轉掠沿海諸郡，上乃遣萊州同知趙秩持詔招諭日本國王良懷，令毋出沒海濱為患。

○（洪武辛亥四年冬十月）日本入貢。先是，遣趙秩諭日本。秩至其國，王良懷疑，欲殺秩。秩盛稱天子威德以讋服之。良懷乃遣其臣僧祖（來）奉表稱臣，隨秩入貢。

○（洪武）癸丑六年春正月，增置備倭舟師。廖永忠上言：「倭夷竄伏海島，時出剽掠，來若奔，豚（遁）去如驚鳥，不易剪捕，請廣洋、江陰、橫海、水軍四衛多造輕舸，無事則沿海巡徼，以備不虞；若入寇，則逐之，使不得為患。」上善其言，從之。

卷三

○（洪武丙辰九年）夏四月，日本國入貢。先是，倭屢入寇，上命中書省移文責之。至是，遣使謝罪，并貢方物。

○（洪武）庚申十三年春正月，誅左丞相胡惟庸、御史大夫陳寧、中丞涂節。自楊憲誅，惟庸總中書政，招權納賄，專肆威福，諸司封事，有病巳（己）者，輒匿不聞。徐達嫉其奸，從容言於上。惟庸忌之，誘達閽者福壽圖達，為福壽所發。惟庸兄女妻李善長弟太僕丞存義子佑，因與善長深相結，過從甚密。時吉安侯陸仲亨、平涼侯費聚，皆以事被譴，惟庸陰結之，欲為用事。未發，會惟庸子馳馬於市，馬奔，入輓輅中，傷死，惟庸殺輓輅者。上怒，命償其死。惟庸請給以金帛，不許。惟庸乃謀起事。涂節上告變，上曰：「朕不負惟庸，何得至是。」命群臣更訊，惟庸具伏。於是賜惟庸、陳寧死；以涂節本與謀，見事不成始上變，并殺節；餘黨皆連坐。群臣又請誅善長、陸仲亨等。上曰：「朕初起兵時，善長來謁軍門曰：『有天有日矣。』是時朕年二十七，善長年四十一，所言多合吾意，遂命掌簿書，贊計畫，功成，爵以上公。陸仲亨年十七，父母俱忘，恐為亂兵所掠。持一升麥，藏草間。朕見之，呼曰：『來！』遂從朕。長育成就，以功封侯，此皆吾初起時腹心股肱，吾不忍罪之，其勿問！」

○（洪武甲子十七年春正月）以信國公湯和巡視海道，築山東、江南北、浙東西海上諸城。

○（洪武丁卯二十年春正月）置兩浙防倭衛所。

○夏四月，命江夏侯周德興備倭海上。籍福、興、泉、漳四府民，三丁取一，為緣海戍兵，凡萬五千餘人。築城一十六，增置巡司四十五，分隸諸衛。

○（洪武甲戌二十七年）二月，倭寇浙東。

卷四

○（三月）命魏國公徐輝祖、安陸侯吳傑海上防倭。

○（永樂甲申二年三月）遣通政趙居任使日本。日本遣人來貢，上遣居任報之，賜國王冠服、文綺，令十年一貢，毋過二百人。若貢非期，人、船踰數，挾兵器，並以寇論。

卷五

○（永樂辛卯九年）五月，倭寇浙東。

○（永樂）丁酉十五年春，倭寇浙東。

○（永樂戊戌十六年）夏四月，呂淵自日本還。國王源義〔持〕遣使奉表謝罪。

○（永樂）巳（已）亥十七年六月，遼東總兵劉江大破倭於望海堝，封江爲廣寧伯。②

註：

①「良懷」，即懷良，參看本書頁二二五七，註③。

②有關劉江原名「榮」，及他平倭之經緯已見於本書頁二三〇八—二三〇九，至江之原名為榮的問題亦見於本書頁二三〇九，註①，及頁二三三六所錄王世貞之語，故不重錄。

③考之明太宗實錄、明史等，並無成祖令日本國「十年一貢」之相關記載。

新刻明政統宗

明涂山編，明萬曆四十三年原刊本

卷二

○（洪武二年）二月，遣使諭占城、爪哇、日本等國，賜以璽書。

卷三

○（洪武四年九月）禁征海外諸夷。

上謂臺省臣曰：「海外蠻夷諸國，不為中國患者，不可輒以兵加之。古人有言：『地廣非久安之計，民勞乃易亂之原。』隋煬帝妄興師旅，征討琉球，徒慕虛名，自敝中土，朕實鄙之。今惟西北胡戎，世為中國患，不可不謹備之，卿等當知朕此意。」

○（洪武六年正月）廖永忠請多造櫓船以捕倭，從之。

時東南倭夷竄伏，海軍衛添造多櫓快船，命將領之，沿海巡徼，若倭夷一來，則大船薄之，快船逐之，彼欲為寇，不可得也。上善其言，故從之。

○（洪武七年八月）命吳禎總沿海兵捕倭，至琉球大洋，獲人船，俘送京師。禎為靖海侯。

卷四

○庚申洪武十三年春正月癸巳朔，殺左丞相胡惟庸、御史大夫陳寧、中丞涂節。

自楊憲伏誅後，惟庸總中書政事，專生殺黜陟，以恣威福，內外諸司封事，有病己者，輒匿不聞。四方奔競者趨其門，諸武臣多附之。徐達嘗言于上，惟庸忌之。達有閽者福壽，惟庸陰誘為己用，冀以圖達；乃為福壽所發。劉基亦嘗為上言惟庸不可用。惟庸知之，恨基。及基病，詔惟庸挾醫往視，基飲藥，逾月卒，事在八年正月。惟庸兄女妻李善長從子祐，相結擅權，安吉侯陸仲亨、平涼侯費聚，見惟庸專政，往來益密。惟庸令掌管軍馬，又與陳寧在省中閱天下軍馬籍，令都督毛驤取衛士劉遇寶，及亡命魏文進等為心膂。太僕寺丞李存義，善長之弟，惟庸之婿父也，以親，故往來惟庸家。惟庸令存義陰說善長以邪謀，事皆未發。會惟庸子有馬馳驟于市，奔入輓輅中傷死，惟庸殺輓輅者。上怒，命償其死。惟庸請以金帛給其家。上不許。涂節乃上變告。時商（商）暠謫降中書省吏，亦以惟庸陰事告。上命群臣更訊，惟庸辭窮，不能隱，遂論死。又以涂節本為惟庸謀主，見事不成，始上變告，乃誅節，併陳寧，餘黨皆連坐。是時有大監雲奇者，南粵人，守西華門，邇惟庸第，刺知其有逆謀。惟庸誑言所居湧醴泉，請上往觀。鑾輿西由，雲急走衡蹕，勒馬啣欲言狀，氣方勃崒，舌駃不能達。上怒，左右撾捶亂下，雲垂斃，右臂將折，猶奮指賊臣第。上悟，登城眺望，見壯士披甲伏屏幃間數匝。亟反欒殿，罪人就擒。召雲，則息絕矣。上追悼，賜葬，歲祀。墓在太平門外鍾山西。

○（洪武十四年）七月，日本國王良懷①，遣僧如瑤等貢方物。

上卻（郤）其貢，仍命禮部以書責之。大略曰：「大明禮部尚書致書日本國王，王居滄海之中，不奉上帝之命，不守本分，但知環海為險，限山為固，肆侮鄰邦，縱民為盜，上帝將假手于人，禍有日矣。吾奉至尊之命，移文于王。王若不審其微，井觀蠡測，自以為大，無乃搆隙之源乎。王之國，始號曰倭，後更日本，歷朝皆遣使貢方物。當時帝王或授以職，或爵以王，由歸慕意誠，故復禮厚也。若叛服不常，搆隙中國，則必受禍，王其審之！」

○（洪武十六年）十月，給北番勘合。

上以海外諸國進貢，信息往來，真偽難辨，遂命禮部置勘合文簿，發諸國往來俱布憑信稽考，以杜奸詐之弊，但遇入貢咨文，具于所經各布政司，比對勘合相同，然後發遣。干（于）是暹羅、占城、琉球等五十九國，俱給勘合文冊。

註：

①「良懷」，「良懷」之為「懷良」之誤，請參看本書頁二二五七，註③。

○（永樂元年十月）日本國入貢。

時貢使附載胡椒與民互市，有司議征稅。上以失國家大體，不許。

○（永樂二年春正月）禁民下海。以閩、浙海地私置海船，交通外國為寇故也。

○（永樂四年春正月）遣使褒諭日本國王源道義。先是對馬、臺（壹）岐寺（等）島海寇掠居民，勅道義捕之，獲渠魁以獻，而盡殲其類。上嘉其勤誠，故有是命。仍賜白金千兩，綵幣、綺繡、銀壺諸物，并海舟二艘，又封其國之山曰「壽安鎮國之山」，立碑其地。

○（永樂十六年）八月，遼東總兵劉江①，請築堡於金州衛金線島備倭，從之。江言：「本島西北望海堝上，其地特高，傍可住劄守備。詢諸土人云：『洪武初，都督耿忠，亦嘗于此築堡備倭。離金州城七十餘里，凡有寇，必先過此，為濱海襟喉之地』，乞用石壘堡，築烟墩瞭望。」

○（永樂十七年五月）左都督劉江，大破倭奴于望海堝，封江爲廣寧伯。先是，賜誥印，封其王為日本國王，名其國鎮山曰壽安鎮海山。給勘合百道，令十年一貢，正副使毋過三百人，若貢非期入，若人船踰數，挾兵刃器，以寇論。然倭時時掠海上不止。久之，江鎮遼東，請築堡金線島堝，置烽堠瞭望。一日，瞭者云：「海東南島夜舉火光。」江計寇且至，將馬、步軍伏堝堡上備之，簡銳卒伏山下以待。俟旗舉、砲鳴，即起共夾擊。明日，倭二千餘，乘海　逼堝登岸，魚貫行。一酋貌獰甚，揮兵登如入無人境。江蓐食秣馬不為動，而潛遣壯士間道往同賊。賊畢登，則盡焚其□。已（已）而賊至堨，江披髮出搏賊，舉旗，鳴砲，伏盡起夾擊，倭大衄，走櫻桃園空堡內。我軍追圍之，將校皆奮請入擊，不許。已（已）而開西壁縱，倭急走。張兩翼夾擊，俘斬千數。百（有？）倭跳身急走，則已（已）盡焚，為焚舟卒所縛，無一人得脫者。凱還，將士請曰：「公見敵而秣士馬，林陣披髮，追賊入堡，不殺而縱之，乃卒收功，何也？」江曰：「寇遠來逼堨，我以飽待饑，以逸待勞，固治敵之道。賊始魚貫來，為蛇陣，我作真武狀攝之，亦愚士卒耳目，而張其氣也。賊既入堡，有死而巳（已），我師攻急，彼必致死，未必無傷，縱其生路，即圍師必缺之意，此固兵法，顧諸君未察耳。」事聞，上賜勑褒，進封江廣寧伯。自是倭不窺海上者數十年。

註：

①「江」，參看本書頁二三〇九，註①，及頁二三三六所錄王世禎之按語。以下同此。

卷二〇

○（正德十三年八月）命建湯和廟于定海縣。和，國初守備寧波，築城、增城，至今倭不敢侵犯，故巡按吳成奏祀之。

卷二六

○（嘉靖二十九年二月）淅（浙）江御史董威請寬海禁。

初，太祖置市舶司千（于）倉黃渡，以通華夷，貿有無，詰海貨，抑奸賈，便利權在上，且以省戍守費。後以黃渡逼京圻，改置于福建、廣東。既而絕日本入貢，而三市舶二所廢，海上利之。嘉靖元　年，宋素卿、宗設（謙道）仇殺，夏言謂：「禍起于市舶。」禮部遂請罷之。自是番貨至，輒為奸商所籠，賒取轉鬻，動負數千萬金不之償。巳（已）而番賈主貴官家，意以讐奸賈，而貴家取負更多，甚于奸商。番人泊近島，坐索其負，不能得，遂出沒寇海上。貴官家乃責讓官府，謂不為禦倭。及官為出師，復恫喝番人，間以好言啗之，冀他日復主我而復沒其貨。番人積怒日久，乃盤據海洋，日掠我海濱不之去。而餓寒黠徒，及失職衣冠士，失志生儒，諸不逞者，皆為之諜間鄉道。弱者計飽暖，強者奮臂欲泄其憤。于是汪五峰、徐碧溪、毛海峰等，皆以華人據近島，襲王者衣冠，刼掠瀕海諸郡邑，而浙東無寧歲矣。朱紈明晰其情，特嚴海禁，鐫暴貴官家二三渠魁，于是譁者四起，竟陷紈落職。御史董威乃希貴官指請寬海禁，以便漁樵，裕國課。下兵部集議，從之。

○（嘉靖三十一年四月）倭入寇，浙東大震。

○七月，以都御史王忬巡視浙江海道。

時倭寇猖獗日甚，廷議復設巡視重臣，乃以忬提督軍務，巡視浙、福海道。時忬巡撫山東，聞命，即日至浙，度所治軍皆草創，而浙人柔脆不任戰，所受簡書輕，不足督率吏士，乃上疏請假事權，誅賞得便宜；且欲嚴應援之律，寬損傷之條；且剿且撫，勿拘。從之。忬任參將俞大猷、湯克寬為心膂，徵狼、土諸兵，及募溫、台諸下邑桀黠少年分隸諸將，布列瀕海各鎮堡，嚴督防禦，浙人恃以為無恐。

○（嘉靖三十三年）五月，倭寇掠蘇州。

給事中王國禎上言：「招降賊首汪（王）直非計。」本兵覆言：「直本徽郡人，以通番入海。後斬寇自贖，有司不收之，致有今日，故懸賞招降，非示弱也。」上以國禎言是，令一意剿撫，降順者待以不死，賊首不赦。

○六月，以王忬爲右都御史，巡撫大同。

齊宗道被逮，上問（嚴）嵩可撫大同者。嵩倉卒不知所對。上曰：「朕知王忬可。」乃手勅吏部曰：「朕思大同撫臣，須得人乃可，其以王忬為右副都御史，巡撫其地，趨令之任。」初，忬在浙江薦盧鏜，釋柯喬，激厲諸將，鄧城、劉堂、孫敖、夏光等，爭奮逐北，或以死綏節，復廣為偵刺，凡沿海大滑稱倭內主者，悉繫按覆其家，破解黨與。自是倭奴不復知我，與所從嚮往，而餘艎在海中者，亦無以菽粟火藥通矣，往往食盡自遁散。又行視諸郡邑未城者，計寇所由急緩，次第城之，凡二十餘所。杭州官吏以烽火不時發，日集坊民登陴守，夙夜苦怨，忬令罷之。曰：「吾斥堠明，無慮弗及，奈何先敵而逆受困弊耶？」一郡大喜。至是往撫大同，以徐州兵備副使李天寵為僉都御史代忬。忬去而浙中之禍始慘矣。

○擢徐州兵備副使李天寵爲都御史。巡視浙、福海道。

○南京太僕寺卿章煥，條上海防四事：一曰：築城堡。言：兵因地形，今江南之變，千村萬落，皆為戰場，而郡縣且相率閉城，奈何使各鄉兵當賊？宜急築城堡于諸鄉以固守，并力于郡縣以待戰。郡縣有備則賊不敢散掠而謀阻，諸鄉堅守則兵不必偏分而力裕，將人人自為戰守。昔皇祖嘗命湯和視海上，擇要地築數十城以備倭，而東南安堵，此其驗也。二曰預軍需。言：西北諸邊，一切軍食皆有司先期部署，以聽督撫調度，故卒有緩急，可啐咄而辦。今臨變之時，上官漫督之，主者亦漫應之，眉睫間已成胡越，何況百里之外。嗣後軍中之需，賞軍之費，一一會計所出，貯之別庫。使軍門不以煩有司，有司不以煩居民，則萬全之術也。三曰：練土兵。言：今議者悉備調兵，不知少發則不足，多發則用不繼，久駐則師老費財，暫駐則兵散而賊復入。急之則怨，寬之則驕，而為亂。宜訓練土兵，漸罷客兵。若土兵不足，宜募近海丁壯，及有罪調發者，居之海壖，給偶配予田宅，使之土著，而忘其鄉。是城堡之外，益以藩籬，計無便此者。四曰：收豪奸。言：外賊易見，內賊難知。今賊深入內境，凡我動靜，無不知之者，誰為之？又其始至千人，四布莫測，而鳴號畢集者，又誰為之？皆奸民所釀也。誠使郡縣得人，示寬大，布恩信，問疾苦，時拊循，使反側者將反本而呼天，何變之能生？且海上多壯士，負氣任俠而不肯下人。我能制之，則為我用；不能制之，則為賊用。故安反側，收豪傑，治亂之機也。疏入，詔所司議行。

○（嘉靖三十四年正月朔）以南京兵部尙書張經，總督浙福南畿軍務。時朝議欲徵狼、土兵剿倭寇，以經嘗總督兩廣有威惠，為狼、土兵所戴服，故用之。勑令節制，當天下半，得以便宜從事，開府置幕，自辟置諸參佐。張經亦慷慨自負許，而中外忻忻謂島寇不足平矣。

○二月，以原任兵部侍郎張時徹爲南京兵部尙書，參預軍務。

○遣工部〔右〕侍郎趙文華，往祭海神兼督察海防。時嵩言海寇猖獗，宜遣大臣禱祀東海，以奪其魄，宣布朝廷德意；即令察視賊情，訪求區處長策，因薦文華可用。上從之，乃賜文華印記，令得以密啟。言文華本嵩私人，既奉命出，憑寵恣肆，所睚眥，即立摧仆，有司無不望風震慴，奔走供奉，江南為之困弊。至于牽制兵機，顛倒功罪，以致紀律大亂；戰士解體，須徵兵半天下而賊勢益熾，人皆以為嵩引用匪人之罪云。

○（四月）詔：議處民兵。先是，具〔兵〕部尚書楊博奉詔議，上言：「京城民兵之設，始自庚戌虜患之後，倉卒召募，類多烏合。今欲盡汰之，則細民遽失月糧，于情不堪。且巡檄京城，分布不足，與其取之于營民，不若議處民兵之為便也。請勅所司汰其老弱，存其精銳。其原出真保者，發兵備道，藉為民兵，在京者仍隸巡捕參將管領，與尖哨軍人相兼巡邏，逃者不補。」上從其所議。

○五月，遣官校逮繫直隸浙福總督張經，及參將湯克寬，詣京，論死。

時文華劾其玩寇殃民也。經疏自理，不報。刑部尚書何鰲論經、克寬罪死，繫獄待決。

○詔罷巡撫浙江都御史李天寵，詔逮詣京，論死。擢巡按浙江御史胡宗憲爲僉都御史，巡撫浙江。

時宗憲與趙文華合，文華扶宗憲，宗憲亦力排天寵，欲奪其位，言在浙嗜酒廢事。上今（令）罷黜之。文華遂薦宗憲，乃以宗憲代天寵。既而復詔逮繫天寵來京，下獄論死。

○（秋七月）倭犯南京。

先是，高埠逬倭自杭州西掠至嚴州淳安，僅六十餘人，以浙兵逼急，突入歙縣，流刼至南陵，趨太平。時操江都御史守太平，督兵禦之。賊引而東犯江寧鎮。守備遣指揮朱襄等，率勇士百人出戰。時賊已至板橋。襄等怠緩不知，袒裼縱酒，一遇賊，盡為所殺。群賊沿途殺人，由安德、鳳臺、夾岡各門外鄉落搶掠，趨秣陵關。時應天府推官羅節卿、指揮徐承宗，率兵千人守關，望風奔走，賊遂過關而去。

○（九月）浙江巡撫胡宗憲，與直隸巡撫曹邦輔，會兵勦倭。

○給事中楊允繩，疏條禦倭之策。

言：「海寇為患，已（已）及三載，破邑殺官，猖獗日甚，而迄無定期者，在將習不振，而弊源不革。夫為將之道，曰制，曰法，曰謀，江南諸將，全不知此。故用兵之際，絕無紀律，不鳴金鼓，不別旗幟，聚如兒戲，渙若搏沙。前有伏而不見，後有賊而不知。浸率為兵，浪與賊戰，自相蹂踐，全軍覆沒，此其咎端在不知三者。而至于不設哨探，不知地形，又其取敗之尤。當事者不此之察，動以增兵益餉為請，意不過張賊聲勢，緩己罪愆，豈知難括天下之財，供江南之役；藉天下之民，為江南之兵。如以蛾赴火，以雪實井，竟有何益？臣愚以為先擇將，而至于弊源，則又不專在外督撫賂在京權要，官司又賂督撫，皆取具于民。即今子遺待盡之民，豈堪掊剋侵剝之患？異日國家隱憂，蓋不止海島之間。宜勅令大臣洗心滌慮，剖絕朋昵之私，汛掃苞苴之習，此端本澄源，平倭之要道也。」疏入，納之。

按：吳瑞登曰：「當時嵩父子以貨賄多寡為黜陟，而又用趙文華以視師江浙之吏，悉歛脂膏，以填溪壑。當此外寇方熾之時，又有內寇朘削之，根本重地，安所之哉？吾以為允繩之疏，更有關于社稷者不小也。

○（冬十月）殺巡撫李天寵、總督張經、兵部員外郎楊繼盛于西市。

初，繼盛具獄，至冬月朝審，三木詣審，諸內臣士庶夾道擁視。因其指曰：「此天下義士。」又指其三木竊嘆曰：「奈何不以此囊嵩與世蕃？」繼盛口吟曰：「風吹枷鎖滿城香，簇簇爭看員外郎。豈願同聲稱義士，可憐長板見君王。聖明厚德如天地，廷尉稱平過漢唐。性癖生來歸視死，此生原自不隨揚。」上意惜之。至是，復朝審，部臣與繼盛與張經同疏覆奏。上廈旨行刑。繼盛妻張氏上言：「願代夫死。」不報。以是月一日，死于西市，天下冤之。

按：吳瑞登曰：「士師天下之平，西市臣民之聚，即使一人無辜受戮，亦干陰陽之和，召夷狄之變，況張經嘉興之捷為第一功，楊繼盛劾嵩之疏為第一忠。即李天寵之在浙，不過飲酒廢事，何嘗失律喪師？特為文華所陷，一旦遂致之死。況當刑者百人，而所決者九人，三良與焉，豈非天下人心之共憤乎？是時何鰲掌刑部，可勝誅哉？噫！習此忍心，其為故人。至于楊允繩疏論侵冒，而反曲律處絞，宜天灾地裂，史不絕書也。」

○論平倭功，胡宗憲陞右都御史加太子太保。

按：支大綸曰：「嵩，內結貴黨，外布黨與，既滅邦憲，復逆天道，公殺諫臣。自是而沈鍊、郭希顏繼隕矣。即閶門寸斬，不足以洩義士之憤也。」

○十一月，光祿寺卿章煥，疏條禦倭之策八事。

一曰：統兵之制未定。言：將佐雜居，諸軍烏合，兵視將而弁髦，將視郡縣如傳舍，必將有專閫，兵有常伍，無事相習，有事相隨，則兵可統。二曰：馭兵之制未定。言：諸軍目不睹軍容，耳不聞軍令，有急驅之不能卒集，臨陣而逃，轉相刼掠。必平時有約束，臨陣有紀律，則兵可馭。三曰：調兵之制未定。言：調至土、狼，獷猂難訓。必以諸邊節制之兵為準，調到土、狼之兵為輔，則兵可調。四曰：募兵之制未定。言：分道募兵，蘚游手無賴，來去不定，道路驛騷。必程其技力，藉其家室。守法者厚恤，犯法而逃者孥戮，則兵可募。五曰：練兵之制未定。言：始調客寘（兵），不練鄉兵；既用鄉兵，又散客兵。及鄉兵難持，不免復徵客兵。不惟緩不及事，且恐為客兵所侮。必識權宜實用，則兵可練。六曰：屯兵之制未定。言：兵有營居，故可聚不可散；有行列，故可散不可亂。今雜處市纏，嬉遊思巷，遂令山東椎鈍變為紈袴子弟；狼、苗鄙野，咸習歌舞。必營居行列，早為區處，則兵可屯。七曰：行兵之制未定。言：南方皆沮洳之澤，萑葦之場，動犯兵家所忌。必行有斥堠，止有堅壁，又有戰地，有間諜，則可正可奇，可疑可伏，而兵可行。八曰：眷兵之制未定。言：師行糧從，強者主戰，弱者主爨。今或臨陣未食，或食至不均；或師行境外，食具城中。必給軍有制，犒士有資。弔死扶傷，恤孤問寡，則可飽可饑，可生可死，而兵可養。又言：「倭賊遠來，多苦于饑，海濱積藏，賊據而食，所向無前。如使築城繕堡，蓄積收斂，野無所掠，又坐困之道也。」部覆：「疏切時務，請下督撫議處。」從之。

○（嘉靖三十五年二月）：詔：「逮繫直隸巡撫曹邦輔詣京訊治，謫戍邊。」趙文華陷之也。

○（三月）以趙文華爲工部尚書加太子太保。

○（四月）以趙南京吏部尚書鄭曉爲右都御史兼兵部右侍郎，協理戎政。

○（五月）大徵夷夏諸兵協剿倭寇；以工部尚書趙文華總督浙、福、南畿軍務。初，倭寇日熾，圍巡撫院（阮）鶚于郡城。巡按御史趙孔昭上言乞援。巡按御史邵惟忠亦上言：「倭寇薄通州，攻圍未解。餘眾自狼山轉掠瀕江諸郡。而瓜、儀為留都門戶，鎮、常乃漕運咽喉，不可視為緩圖。宜大集客兵，嚴飭諸臣協心戮力，共靖其亂。」下兵部。覆題：「倭自入犯以來，未有徧浙之東西，江之南北如今日者。縱使地方多兵分役防禦，不無顧此失彼之患，徵兵應援，寔不容巳（已）。日者趙孔昭乞援，巳（已）議令徵集湖廣土舍、永順夷兵，併山東、河南、廣東、打手胡盧等兵共六枝，俱赴浙有有軍聽用。今再議選河南睢陳及山東八衛兵，陝西延綏兵，徐沛募兵，勅遣才望大臣一人總督前去，以為犄角，保障留都。」上然之，。文華請行。乃命兼右副都御史，總督浙福直隸軍務。

○（七月）倭犯薄海鹽縣，指揮徐行健、程祿、百戶方存仁力戰死之。

行健贈指揮，任一子百戶；祿、存仁，仍各恤錄，有差。

○（八月）以胡宗憲爲兵部侍郎，總督浙福直隸軍務，詔總督浙福直隸軍務尙書趙文華等協力剿賊。

初，趙文華赴浙，沿河徵檄河間、山東兵四千人為前鋒。，及抵鎮江兵東下。諸寇在常州、桃河諸處者問之，皆解散。亡何，復摽掠，倏忽莫測。胡宗憲欲招輯之，阮鶚不可，文華等益恨之。巡按趙孔昭、蘇州巡按周如斗，是鶚議，上言：「寇未一挫，撫之，徒滋後患。宜命華等矢心討寇安民，勿輕信寡謀，自貽僇辱。」上然之，諭文華等協謀剿寇，剋期蕩平。

○官兵大破寇于沈庄。

初［徐］海舍桐鄉賊黨，別陷仙居。巡撫阮鶚赴剿，諜舉火城中，分道入應。三戰，賊皆敗，遂殲之。言者皆謂：「宜切責宗憲，而專任鶚剿平。」上從其議，曰：「言撫者斬！」于是賊辛五郎等奔蔡其山，鶚趨兵大戰，獲之黨陳東、麻葉輩，以次授首。海勢孤，乃退保沈庄，溝柵數重。官兵皆觀望不敢進。鶚人（大）怒曰：「若輩乃不如海之攻桐鄉耶？」檄趣總兵俞大猷，先鶚觀重兵，由海鹽突環之戰，寅至酉，海賊馘之鶚所部兵。自四月戰于觀海，又戰于海寧等處，又戰于仙居，又戰于白馬廟，又戰于乍浦等處，又戰于蔡。其至沈庄之戰，腹裡賊乃盡，是年六月也。至十二月，鶚與海道正（王）詢、都司戚繼光攻舟山且拔，宗憲兵乃至。鶚堅主剿，冒險犯猜，以至成功。又建言善後、卹死、蠲賦、撤客兵，言撫者益甘心矣。文華兩上捷，盡襲為己功。

○總督尚書趙文華至京。

初，文華再督出兵，所至徵兵集餉，靡費不貲。于是編傜役，加徵稅租，截留漕粟，扣除京帑，迫脅富民，脫釋凶醜，搜括公帑、金寶、圖畫以百計，其為軍旅之用，止什之一二。所徵官、土、民兵，川、湖、廣、貴、山東、山西、河南北，無不罹患；而臨敵不前，遣還不去，往往潛為盜賊。行者，居者，並受其禍，須有梁庄之捷何足贖。至是回京，而吳越之間始若脫距。

○加趙文華少保，胡宗憲右都御史，各任一子。

以平倭功也，各任一子錦衣千戶。

○朝鮮俘，遣使歸俘。

助擊倭也。

○總督胡宗憲，督總兵帥師攻舟山倭，平之。

初，自梁庄捷後，倭賊悉靖，惟舟山倭據險結巢，官兵環守之，不能克。時土、狼兵俱已遣歸，而川、貴兵六千人始至。胡宗憲方留防春汛，隸總兵俞大猷經營舟山之賊。會夜大雪，乃督兵四面攻之。賊悉銳出，敵殺土官莫翁送，諸軍益怒，競進。賊大敗，歸巢。官兵積薪草，以棕簑捲火擲之，賊四散潰出，斬首一百四十餘級，餘悉焚死，乃平之。

附錄：（十二月）提督操江都御史高建，言狼、福二山乃倭寇出入之處，請增募水兵萬人，沙舡三百艘，分發參將等官操練。部議，從之。

○獻倭俘。

趙文華至京，麻葉、陳東等械繫亦至。禮、兵二部奏請獻俘。從之。群臣俱具服稱賀，仍舉謝玄大典。

註：

①「元」，鄭若曾籌海圖編、鄭舜功日本一鑑、明世宗實錄、明史等俱作「二」。

○（嘉靖三十六年正月朔）改都御史阮鶚巡撫浙福軍務。
○三月，倭寇掠寧波府。
初，梁莊之捷，徐海等敗死，其渠魁王直復糾倭眾六艘約三千餘人，入寧波府岑港，登陸四掠，焚戮慘甚。總督胡宗憲，方議招納，按兵不擊。參政劉燾屢請出師，不聽。
○五月，倭寇犯泰州等處。
時有倭舟七艘，自金沙登岸，復犯如皋，至泰州，轉掠揚州、山東及徐州，官兵禦之，皆潰。逐薄新水關，矢及城中。又進犯天長縣。都司沃田、把總丘君寵禦之，皆敗死，賊遂入縣刼掠。已（已）而由石梁趨盱眙縣，復攻入之。遂突犯泗州，攻城不克。分眾犯清河，攻入縣治，縱火焚掠而去；遂出淮安府，入安東刼掠。
○七月，海寇王直就誅。
胡宗憲與王直俱徽人。初，直寇岑港，宗憲欲戰而慮不勝，乃力主撫議，檄總兵官盧剛往來直舟，為盟甚堅，約直來，官以都督，置司海上，通互市。直信之，亦自奮言能肅清海波，遂與毛海峰、葉碧川挺身來見。宗憲以賓禮遇，使指揮為其館主，給輿夫，肩輿出入。復出薪米酒肉，供餽其舟人，日費百餘金；且交質為信，保無他虞。宗憲以狀上，然不敢悉其故，大媿沮，然不獲。已（已），密檄搜察，使收繫臬司，獄具。諭令少緩，恐急則激之去。然其實欲陰逸直，顧前盟也，而將歸責于按察司。按察司覺之，乃急收直，竟服上刑，宗憲復以為已（己）

功，謂招納為權計，非本心也。朝廷信之，加憲太子太保，餘陞賞有差。然直須就誅，而三千人無所歸，益恚恨，謂我不足信，撫之不復來矣。日散掠閩、越、淮、揚，為禍更慘。

○詔罷工部尙書趙文華，削籍爲民，謫其子錦衣千戶懌思戍邊。

先是，文華視師江南，黷貨殃民，要功債事，上亦稍聞之。及還京，以金二萬兩、新絲床幄一具，餽嚴世蕃。世蕃姬共二十有七人，各金翠髻粧一奩，世蕃以為薄，已啣之。而文華官大司空加少保，日驕亢，與世蕃不相容，世蕃思所以中之。上素以文華能任勞，時三殿大工方興，上以屬文華，而欲先建正朝門樓，責成甚急。文華雖慓狡，然實無應卒理劇才，不能以時奉旨，上滋不悅。世蕃乃為疏草遺文華，使移疾請假。上曰：「今大工方興，司空乃其本職，趙文華既有疾，令回籍養病。」然上既稔知文華罪惡，雖斥去，意猶未平。會其子懌思請假送親回籍時，上方以聖旦祈典，止封而疾，猶所忌，怒曰：「止封限內，乃敢稱病！」于是令司禮監覘視真僞。及小內監至，文華箕踞暢飲。內監曰：「上令我來視疾，君疾云何？」文華狎而戲之曰：「吾第飲酒耳，何疾？」且贈遺，復薄，內使嗔之以實告。上大怒，乃以文華江南諸不法罪狀示嵩，欲殺之。嵩知為世蕃所中，恚曰：「吾家心腹一旦敗亡，何以勸後？」乃具疏申救，伏謁西苑。移日，內監屢偵以聞。上手批曰：「文華，卿子也，安得不救？然朕之臣也，以臣欺君，其速殺之！」嵩復具疏，伏謁如初。上乃霽顏批曰：「慰嵩老，文華放還矣！」嵩老慰，乃削籍休回，懌思戍邊。文華道卒，或云仰藥死。文華初憑藉嵩資要結上寵，既以睚眥殺張經，陷李默。及再出江南，人畏如虎，所至望風媚附，賍賂填溢，與世蕃比周作惡，朝野以目，一旦斥去，中外稱快。

○（嘉靖三十七年三月）逮繫都御史阮鶚詣京。

鶚先督學浙江，適倭逼，守臣會省閩門棄關之民，鶚率生徒啟武林門納之，全活百萬，故超拜巡撫。時總督胡宗憲黨于嚴世蕃，建議撫賊，世蕃庇之，而鶚力主剿，乃移鎮閩。閩創建巡撫，兵費稠亂。鶚遇賊于福寧，大戰于連江等處。至福清，至海口，皆募土著應敵，大破之。而世蕃嗾御史宋儀望，劾鶚久徵客兵，豢養民間，驕恣淫縱，無復紀律，百姓被害，不可勝言，宜罷斥。章下兵部，世蕃復嗾給事中劉祐劾之，乃臨陣逮歸京師。鶚立論不屈，且先有撤各兵蠲賦善後疏。上以鶚屢立奇功，前建剿議允合齊斷，察其無罪，乃特恩免，歸田里。然破倭賊之功，鶚力多，宗憲攘其成而已。至今浙福思慕其功。

○四月，倭寇掠臨海縣。

時倭寇二十二艘約數千人，掠臨海之三石鎮，總督胡攖憲驅走之。

○（五月）倭攻福建惠安縣，知縣林咸死之。

先是，倭千餘攻惠安城，率丁壯乘城禦之，倭攻五晝夜不克，丁壯死沒數百，倭亦頗有損失，乃引去。咸復率兵攻倭于縣境之鴨山，乘勝追奔，陷賊伏中而死。

○七月，詔奪總兵俞大猷等官。

初，總督侍郎胡宗憲遣還毛海峰，誘降王直。及直下獄，海峰遂絕，與倭目善妙等列柵舟山，阻岑港而守。官軍四面圍之，須頗有斬穫。而賊憑高死守，我兵莫利，先登多陷沒者。時新倭大至，上屢降嚴旨趣胡宗憲及時平賊。宗憲懼得罪，乃上疏侈言水陸戰功。于是言官極言其欺誕，并劾失事諸臣，乃詔奪大猷及參將戚繼光等職級，期一月蕩平。

○總督浙直侍郎胡宗憲，請辭功賞，不許。

時今（岑）港倭寇巢柯梅，宗憲督兵討之，不能克。南京御史李瑚乃追劾宗憲私誘王直啟釁。巡按浙江御史王本固、給事中劉堯誨，亦劾其老師縱寇，濫叨功賞，請行追奪。宗憲自辨（辯）。上曰：「卿計獲妖賊，人所共知，特以獻瑞，故人即引軍事害卿耳。卿宜竭誠展布，以平餘氛，不允辭。」因命兵部郎中唐順之往浙、直視師，與宗憲協謀剿賊。

○八月，兵科給事中鄭茂條上邊務八事。曰：審兵機、慎選用、勤巡歷、明戰守、攻火器、清耗蠹、申禁例、恤凋殘。章下所司，行之。

○（嘉靖三十八年）三月，廣東倭賊流刼福（建）詔安，官兵禦之，賊引眾犯漳浦。

○鳳陽都御史李遂等，請留入衛班軍。不許。遂等言：「淮、陽（揚）、鳳、泗，東南重地，武備久弛。近者倭夷突入，乃暫留京操春班官軍，以為防禦。但兵非怕役，必無固志，將非特設，終難責成。乞定議存留班軍，專勅副留守等，分領操練，抵護陵寢。」兵部言：「人（入）衛官軍，輪班歇操，原係舊制，若留春班，則秋班每歲京操，有礙事體，宜將皇陵衛官軍編立甲伍，令加操演，專一護陵，不許別調。其春秋班軍番休者，遇儆候軍門調遣。」疏入，報可。

○詔逮浙直總兵俞大猷訊治。

先是，倭流泊泉州浯嶼焚掠，相拒者一年，所後諸酋移眾南嶼，建屋而居，閩中大譁，謂：「胡宗憲縱寇往。」宗憲乃上言：「舟山餘孽，勢易成擒，而總兵俞大猷，邀擊不力，縱之南奔閩、廣，宜加重治。」上命逮俞大猷訊治。閩人復大譟，謂宗憲嫁禍大猷。于是南京御史李瑚劾宗憲，數其三大罪。瑚與大猷俱閩人，宗憲疑有漏言，遂委罪大猷，以自掩飾。

○倭寇掠通州、如皐、松門等處。

巡撫都御史李遂督兵拒倭，有廟灣之捷，入為南京兵部侍郎。

○以唐順之爲右通政。

先是，順之以職方郎中，命視師浙、直。至是，胡宗憲薦其有文武才，宜超格用之。時進右通政，仍同宗憲經畫軍政。

○五月，倭犯福清等處。

時倭犯福清、晉江諸郡，焚掠慘甚。福建御史樊獻科，劾都御史王詢、參將黎鵬　失律罪。詔奪祿抵罪，有差。

○（八月）總督胡宗憲，遣江南副總兵劉顯剿江北倭于劉家庄，敗走之。

初，江北倭自鄧家庄敗後，沿河覓舟不得，官兵自後急擊之于劉家橋諸處。賊勞餒困頓，會天雨，乃奔入劉家庄，官兵四面圍之。宗憲遣劉顯以銳卒千餘來援。江北將士謂功在垂成，慮為顯所攘，嘖嘖有言。巡撫都御史李遂恐士卒不和，乃檄江北兵悉□之顯，軍政既一，遂刻期進兵。顯率所部先登，各營選鋒繼進，縱火衝擊。自辰至酉，賊剿（巢）始破，奔走。追擊之，先後斬首四百餘級，賊眾盡殄。

○（九月）總督浙福侍郎胡宗憲乞休，不許。

先是，巡撫浙江御史王本固、南京御史李瑚，各論劾宗憲岑港養寇，台、溫失事，掩敗餙功之罪。詔下查盤科道官羅嘉賓、龐尚鵬從實覈報。嘉賓等復奏其不職，宗憲乃引疾乞解任，上留之。

○蘇州諸惡作亂。

蘇州自海寇興，招集武勇，市井惡少咸奮腕稱雄，十百成群，誆詐剽刧，白晝橫行，市人莫敢正視。巡撫都御史翁大立擊捕之，諸惡少惧，相與歃血，以白巾抹額，各持長刃巨斧，攻吳縣、長州縣及蘇州衛獄，刧囚自隨，鼓噪攻都察院門入之。大立挾妻子踰墻遁，乃縱灾（火）焚衙廨，勅諭、符驗、令字、旗牌，一時俱燬。會大將曙，諸惡乃衝封門，斬關而出，迯入大湖中。官兵四散探捕，獲首從等周二二（衍）十餘人，以聞。上命大立戴罪剋期殄滅，以靖地方；奪知府王道行、知縣柳東伯等俸；捕賊指揮朱正等，按臣逮問。

○十二月，詔贈蘇松兵備右參政任環爲光祿寺卿，立祠，蔭子。
環，前為蘇州府同知，倭寇犯蘇之閶門，城門閉，民避寇者不得入，繞城號得（哭），環按劍開門納之，全活萬計，蘇人德之。屢擊倭寇有功，累進參政。矢志滅倭，衣服皆自識其名，誓必死賊。後以母喪歸，遂卒于家。禮科給事中徐師曾上其事，請贈祀。上命贈光祿寺卿。有司建祠祀之。

○（嘉靖三十九年正月）以唐順之爲僉都御史，巡撫淮、揚。
先是，順之以右通政淅、直視師，至是，令巡撫淮、揚。順之因條上海防八事：一曰：禦海洋。言：禦倭上策必禦于海，而崇明、舟山乃海賊入寇之路，尤宜預防。當春汛時，宜令蘇松兵備暫守，崇明寧紹兵備暫住舟山，總、副將官常居海中督兵分哨，如有縱賊入港登岸者，以次論罪。二曰：固海岸。言：賊至如不能禦于海，則海岸之守為第二。著昔但坐地殘破者之罪，今宜併坐賊所從入者。有能衝鋒禦賊，使不能登岸深入者，雖不首級，亦以奇功陞賞。三曰：圖海外。（言：）沿海逋逃之徒，為賊嚮道者甚眾，宜多方招徠，以消禍本，并開日本通貢之徒（途），若抄杞如故，則命朝鮮、琉球承制宣諭。四曰：定軍制。：言：調募客坐靡廩餉，宜急練土著之兵，俟訓練成，悉調罷募。五曰：鼓軍氣。言：士卒遇海風而頭日（目）掉眩，聞朝（潮）而耳聾心惕，何望掃□大懟？宜□丈（大）臣督帥？時御戎服，出入軍中，以作武將之氣。武將臨時間取潰校逃卒一二人，以變士卒耳目。六曰：復舊制。言：沿海衛所軍伍素整，屯田□

萬，悉可墾種。七省原設三市舶司，收権于上，今數俱巳（已）廢壞，宜令諸路酌時修舉。七曰：別人才。言：海道副使譚綸、總兵盧鏜等可舉，而台州知府黃大節、副總兵曹克新等宜罷。八曰：定廟謨。言：外患未息，內變恐作。近者吳松（淞）定海水卒，以呼糧之故，俘官刼獄，漸不可長。宜預議招懷之。略疏入，下所司議，從之。

○（二月）詔：更定浙東守巡信地，以台金嚴爲一道，改分巡寧紹僉事爲台州分巡，兼管三府兵備，添設參將一員守之。其原設寧紹台兵備副使及參將，俱令止領寧紹二府，以溫處衢爲一道，其原設溫處兵備、分巡副使，令兼領衢州一府，仍以寧紹分巡事併于兵備道。從總督胡宗憲請也。

○兵科給事中王文炳，請議安民、蓄兵、絕寇之策。言：邇者浙、直倭患稍寧，而閩、廣儆報踵至，蘇、松、淮、揚間，博徒悍卒，所在繹騷，宜勅下本兵議所以安民、蓄兵、絕寇之策。部議：「安民之策，莫若去不急之務，捐無名之征，重懲貪官酷吏。蓄兵之策，莫若訓練各處鄉兵，至隸籍行伍者，則責之軍衛，募自民間者，則責之有司。絕寇之策，宜令沿海有司，按籍所部居民，有與盜賊通者，許同里首告，即置之法，仍追所犯銀三十兩給賞告者。又有無賴惡少竄入軍中，巧立報効，贊畫名色，平居坐靡公廩，有事曾冒首功，此輩亦將來禍本，宜一切禁革。」上皆納之。

○（五月）加胡宗憲兵部尙書兼右都御史，仍督沿海軍務。

初，南京御史李瑚劾宗憲要功致寇，下兵部議詳覆。上不問。巳（已）而閩、廣、浙、直倭寇日熾。福建巡按樊獻科請趣宗憲赴閩應援，浙江巡按請勅兵部趣宗憲督師剿寇，以弭海□。宗憲聞命，泄泄如故。巳（已）而寇稍解散，竟以功進兵部尚書，沿海撫、巡諸官悉聽節制，其體統如三邊，而勳臣、總兵者亦由掖門通謁，庭拜下風矣。

○南京操江都御史喻時，請止設蕪葫（湖）參將，從之。

先是，翁大立欲添設參將於蕪葫（湖），而史褒善亦同其議。至是時奏安畿輔言：「狼山、金山各有副總兵，沿海一帶各有參將、把總，則藩籬巳（已）為有守，推（淮）揚以至嘉湖，各有兵備，而復有兵備守劄。廣德則門戶巳（已）為有守，此足以禦外至之賊矣。安慶、儀真，各有守備，又有操江、巡江之設；巡視則堂奥防守又巳（已）嚴密，此足以禦內發之盜矣。使諸群工殫心竭力，則天塹屹然，料難飛度（渡），不必添設參將明甚。且置將必須增兵，增兵必須議食。今應天連年倭寇之擾，生理未復，去歲灾傷之後，流徙更多。正辦錢糧，尚爾逋負，復加兵餉，其何能堪。伏乞專責安慶、儀真二守備，分定地方，時常會哨，稍有違誤，參拿處置。庶官不增而事亦集，賦不加而民自安。」疏入，報可。

○（秋七月）巡撫河南都御史章煥，疏請經略中原。

時南征寇儆，徵斂煩急，貪吏肆行，水潦屬至，民不堪命，往往群聚為盜。河南初傳倭至鳳、泗，又言開封沒于黃河。于是林縣聚賊數千，睢州亦聚數百，犯其南關。聞知前言訛傳，始皆解散。煥乃上言備陳經略之策，以綏安地方，杜遏亂萌。曰：屯重兵、收梟儁、修城池、察險隘、時巡歷、選良吏、處宗藩、議黃河。疏下所司。

○（嘉靖四十年五月）命都督僉事劉顯提督南京振武營。顯，承新命上言：「南京營軍，習成驕悍，宜以法裁制之。臣故所統川兵三千，有勇知方，乞許便鼻帶領，隨營操練。內以彈壓兇惡，外以控制倭夷，卒有怙終者。許臣以軍法從事，俟其內馴外服，海防稍靜，漸為散遣。」兵部尚書楊博覆言：「南京原無前項糧餉，請許選精銳五百自隨，餘付代者，有儆，聽顯調用。」上從部議行。

○（二月）福建倭寇犯懷安縣，提督游震得，檄兵剿之。時坐營指揮王亳帥三衛軍，福州府通判彭登瀛帥鄉兵，先嘗賊失利，歸罪于亳。震得執亳笞之，斬隊長以下四人。三衛軍不服，有怨言。會副使汪道昆閱操教場，遂大譟，格殺鄉兵數人，求殺登瀛，不得，屯城南，久之，乃去。

○六月，廣東賊張璉伏誅。初，自倭寇滋蔓，福建、江西諸路不逞奸民所以蜂起，而廣東為尤甚。渠魁張璉、林朝曦、黃啟薦等，築城置郊自保，建官紀元，攻刼郡縣，為患日大。上憂之。總督尚書胡宗憲，不能為計，上書自言中風，願乞骸骨。言官劾其托疾避艱，置不問。宗憲遷延待命，先奏以三月十有六日進兵剿賊，既而易為四月十有八日。凡徵集狼兵十萬餘人，久聚待哺。上疑之，手諭元輔

〔徐〕階曰：「東南寇氛何如？宗憲果有疾否？」階上言：「寇氛可慮，宗憲疾須稍愈（癒），未嘗親行督勦。」上又云：「尚書〔楊〕博何不運謀滅之？」階以語博。博奏令都督劉顯、參將俞大猷，領家卒往督狼兵赴勦。又徵發永順土兵以為先聲，以寒逆寇之膽。上皆從之。顯等聞命馳至廣東，督兵進攻，大破之，遂擒張璉，餘黨解散。其林朝曦、黃啟薦逸去，遁于海島，不復敢出。捷聞，百官表賀。顯等遂領家卒往福建收勦水陸賊盜數月，俱平。

○（嘉靖四十一年十一月）詔總督胡宗憲專督福建軍務，不兼江西。以江西寇平故也。

○詔逮繫總督浙直福建尚書胡宗憲，詣京，釋之。南京給事中陸鳳儀，劾宗憲欺橫貪淫十大罪，言：「潛結海寇王直，欺天冒功，大罪一。奉旨會勦江閩群盜，偷安不行，違旨玩寇，大罪二。虛張兵數，侵餰軍需，大罪三。延納贊畫嚴中、茅坤、蔣孝、呂希周、田汝成等，競為奢僭，靡費無忌，大罪四。扣減織造價值，侵盜誤國，大罪五。遍府驛派，解廩給銀兩，更舍騙索廩糧、馬匹，流毒驛傳，大罪六。私出把總，僉總告身，賣官通賄，大罪七。以杭州衛官廠私餽鄉官，徇私滅官，大罪八。私役官兵，送子守家，為門子報怨，大罪九。娶杭州部民洪梗女為妻，留卒役來往徐子明之妻于督府，宣淫敗度，大罪十。乞將宗憲罷斥，別選才良，以紓南顧之懷。」疏下，吏部覆奏：「宜置于理。」上然之，命遣官校逮治宗憲來京。既而至，請旨處分。上曰：「今却（却）加罪，後來誰與我任事？其釋之。」乃落職居家。

○詔罷浙福總督大臣。

時胡宗憲事敗，上諭大學士徐階曰：「浙福總督似不必設。」階上言：「地方巳（已）就平寧，百姓遭宗憲擾害之後有資綏輯止，宜巡撫重臣于勅內開載，浙直有儆，互相應援之語，似為便益。」從之。

○倭寇攻興化府，陷之。

初至先犯邵武，殺指揮齊天祥；轉掠羅源、連江等縣，殺遊擊倪祿；遂攻玄鍾所城及寧德縣，入之。乘勝，直抵興化府城。浙江參將戚繼光，引兵還，遇倭自福清東營澳登岸，麾兵擊之，斬首一百八十有奇，遂行。而閩倭至者日眾，始攻興化城不克，乃合兵薄城下圍之且匝月。至是，守城卒勞罷，賊乘其怠弛，夜以布梯傳城入之，開門放火，城中方知賊至，百姓惟擾。參軍畢高、參政翁時器，悉縋城宵遁；同知奚世亮為賊所殺，賊遂入據府。總兵劉顯，時在會城，聞變來援，至則城巳（已）陷。顯大兵留江西剿廣寇，所提八閩卒不及七百人，且罷于屢戰。倭新至，勢眾且銳，顯知不敵，乃逼城為營，以伺賊隙。顯有威名，興化人初聞顯至，以為旦夕破賊，而相持日久，疑其養寇，懷以為恨。巡撫福建都御史游震得，以狀聞。部覆言：「賊以旬月內連破數城，如入無人之境，帥府而下職守謂何？顧事急之際，姑令戴罪立功。請調新募義烏兵一枝，以戚繼光統之。仍起丁憂參政譚綸，與都督劉顯、總兵俞大猷同心共濟，以收奇功。」上從之。

○（十二月）擢廣東程鄉知縣徐甫宰爲僉事。紀功御史段顧言：「薦其督捕巨寇林朝曦有功，故超擢之。

○（嘉靖四十二年三月）副總兵戚繼光，督兵大破倭賊于平海衛。是役也，斬首二千三百級，火焚、刃傷及墜崖溺水死者無算。縱所掠男女三千餘人，復得衛、所印十五顆。自是福州以南寇悉平。

○詔贈興化死事諸臣。贈同知奚世亮為右參議；知縣周尚文、縣丞葉德良、徐九經、訓導盧學顏為太僕寺丞，各蔭一子為國子生；遊擊倪祿、指揮齊天祥、張光祚、千戶魯思亮、邵于蕃、張珊，各陞其子二級。

○五月，復逮繫胡宗憲詣京。宗憲自殺。是歲大計京官，復有宗憲未盡法者。有旨：逮治。既而逮，宗憲至京，服藥死。

○詔陞參政譚綸爲都察院右僉都御史，巡撫福建、浙、直。

○（嘉靖四十三年二月）福建總兵戚繼光，追擊仙遊縣殘倭，大破之。時舊倭餘黨復糾新倭萬餘攻仙遊城，圍之三日，繼光引兵馳赴之，大戰城下，賊敗，趨同安。繼光麾兵追至王倉坪，斬首數百級，餘眾奔漳浦之蔡丕嶺。繼光督兵入賊巢，擒斬數百人，閩寇悉平。殘寇得脫者，流入廣東界，掠魚（漁）舟入海。

○（三月）都御史譚綸，以寇平請終喪，許之。綸既回籍，復條上經久善後六事：一、議將。言：軍中必令大將軍運籌，而佐以偏裨。今獨恃戚繼光，令其左右支吾，四面當寇。繼光須才勇，力亦不及。乞行撫按隨宜舉用。如守備胡守仁、把總傅應嘉以充之，則官不必備，而分任有人。二、議兵。言：許撫臣各取州縣民壯團練之，半與各巡司弓兵，給與客兵之費，集之會省，分為二營，設練都司二人，分領訓練，可以漸減客兵而增主兵。三、議食。言：自兵興以來，未入朝廷者甚多，議者以寇亂稍寧，欲為催徵之舉，不知瘡痍未起，蕪穢未闢，一旦督促數年之逋，是毆之盜也，宜令巳（已）徵者姑免追并。四、議寬海禁。五、言：設縣治。六、言：處有司。疏入，行之。

○（六月）改江南總兵署都督僉事劉顯鎮守浙江，以蘇松參將郭成充副總兵，鎮守江南。

○（嘉靖四十五年十二月）詔設福建海澄、寧祥二縣。以其地多盜故也。

註：

①王直就戮之經緯，此段文字與明世宗實錄、采九德倭變事略之記載出入深大，似未可信。請參看第七輯倭變事略之相關文字。

②「黎鵬」，明世宗實錄，卷五一六，嘉靖四十一年十二月辛亥朔乙亥條作「黎鵬舉」。

日本巔末

按曰：本在東海之中，古稱倭奴國①。或云：「惡其舊名，以其近日所出也。」其地分〔五〕畿、七道、三島。又附庸國百餘，大者五百里，小者百里，最強大桀黠。自漢、魏來以通中國，元初許其貢市，乃至四明，沿海而來，與中國人貿易，凡所欲，輒燔城郭，抄掠居民，爲害最大。世祖乃使趙良弼招之，不至。遣唆都范文虎將兵十萬往征之，至五龍山，颶風大作，舟盡覆焉，於是終元之世不通中國矣。國朝洪武二年，倭數出沒海島中，侵掠蘇州崇明，殺傷居民，刼奪財貨。時太倉守禦指揮翁德，率官軍出海捕之，遇於海門之上。及其未陣，揮衆衝擊之，殺傷不可勝計，生獲數百人，得其兵器、海舟。奏至，詔以德有功，陞本衛指揮副使，諸將校賞賚有差；戰力死者，厚加撫恤；仍命德往捕餘倭。遣祭東海之神曰：「予受命上穹爲中國主，惟圖乂民，罔敢怠逸。蠢彼倭夷，屢肆寇刼，濱海舟郡，實被其殃。命德統率舟師，揚帆海島，乘機征剿，以靖邊民。特備牲醴，用告神知。」德被命往捕，倭皆畏懼，不敢復出，沿海遂寧。至四年，上遣趙秩語其王良懷②：「爾能臣則來，無患苦吾邊，不能則善自爲備。」良懷：「蒙古嘗使趙良弼好語餂我，襲以兵；今使者得毋良弼後乎？其亦將襲我也？」欲刃之。秩爲具言所以來宣國家威德耳，豈狙汝耶？良懷氣沮，乃遣僧隨秩奉表稱臣入貢；上亦遣〔無逸〕克勤、仲猷〔祖闡〕二僧往諭。然其爲寇掠自如，瀕海地迄無寧歲，乃下令造舟防倭。德慶侯廖永忠，請備輕舸以便追逐，從之。

七年，倭常寇邊，命靖海侯吳禎③率沿海各衛兵出捕，至琉球大洋，獲倭寇人船，俘送京師。厥後倭主屢入貢，屢不敬，屢詔責之，郄（卻）不受。迨十三年，丞相胡惟庸謀逆，倭乃匿兵貢艘中，以爲助逆計。事發，上乃著祖訓示後世，毋與倭通。又令信國公湯和、江夏侯周德興分行海上，視要害築城，設衛、所，摘民四丁取一爲兵以戍守之。永樂初，對馬、岐臺（壹岐）等島海寇掠居民，詔勅倭王原（源）道義捕之。道義出師獲渠魁以獻，而盡殲其黨類，上嘉其勤誠，乃遣使賚璽書褒諭之，仍賜原（源）道義白金千兩，織金綵段（緞）二百匹，綺綉衣六件，帳、褥、枕、席（蓆）、銀盤、器皿諸物，又封其國之山曰「壽安鎮國之山」，立碑其地，上親製文賜之，恩渥至矣。倭性貪婪不悛，又寇內地，至沙門島，時平江伯陳瑄督海運至遼東，舟還，倭率眾遣至朝鮮境上，焚寇舟殆盡，殺溺死者甚眾。至十七年夏，鎮守遼東都督劉江④，大破倭寇於望海堝，詔封江爲廣寧伯。先是，江初至遼時，巡視諸島，相地形勢，請于金山衛金線島西北之望海堝築城堡，立烟墩瞭望。蓋其地特高，可望諸島，寇所必由，實爲瀕海襟喉之地。一日，瞭者言：「東南夜舉火有光。」江計寇將至，亟遣馬、步軍赴堝上小堡備之。翌日，倭數千餘乘海艢直逼堝下，登岸魚貫而行。江令犒師秣馬，略不爲意，以都指揮徐剛伏兵于山下。賊至堝，江舉旗鳴砲，伏兵盡起，繼以兩翼而進，賊眾大敗，死者橫仆草莽，餘眾奔櫻桃園空堡內。我師追而圍之，諸士皆奮勇請入堡剿殺，江不許，特開西壁以縱之。仍分兩翼夾擊。間有潛脫而走艢者，生擒不啻千餘，斬之，凱還。將士請曰：「明公見敵，意思安閑，惟飽士馬，臨陣作真武批髮狀，追賊入堡不殺而縱之，何也？」江曰：「窮寇遠來，必饑且勞，我以逸待勞，以飽待饑，固制敵之道。賊始魚貫而來，蛇陣也，故作此以鎮服之，雖愚士卒之耳目，亦可壯士卒之氣。賊既入堡，有死而巳（已），我師臨之，彼必至死，未必無傷，故縱其生路，即圍師必闕之意，此固兵法所當察者。」當是時我方招來諸海夷絡繹島上，倭寇乘爲欺詐，瀕海復騷。賴是捷，寇害屛息者數十餘年。宣德時久不貢，遣使責之。時即入貢，亦不遵約束。成化時，廷臣發憤，有議郤（卻）其貢者，竟格不行。正德四年，倭王源義澄，遣宋素卿來貢。素卿者，實鄞人朱縞也。逊入倭，有寵于其王，遂易姓名充貢使，其族人相爲耳目，爲奸利。守臣白發之。禮臣恐失外夷心，置不問。素卿厚賂中闍劉瑾，賜飛魚服遣歸。嘉靖一⑤年再奉使。至是時，國王源義植（稙）孱甚，諸島爭貢以邀利，大內藝⑥興遣宗設（謙道）先素卿至俱（俱至）寧波。故事：夷使以先後爲序，市舶中官賴恩，墨素卿財，先素卿，宗設大忿，相仇殺，戕指揮袁璡、劉錦，大掠寧波、紹興，逼令獻城。閫帥墮馬，守臣棄城，縱賊焚掠四劫。以城門之鎖鑰之賊手，以日本之國號封我東庫，淹留旬日，楊（揚）帆而去。巡按御史以聞，禮臣仍右素卿。給事、御史言，乃下素卿獄，論死，沒其貲，絕貢者十餘年。嘉靖十八年，其主源義（晴）請復貢，乞易勘合，還素卿貲，不許。乃申約：貢必如期，舟三，人百，不者郤（卻）不受。夷性貪婪，違約如故，而內奸往往與爲市不償直（值）。夷索逋急，則恫喝官府以縱寇爲辭，兵出則陰洩之倭，速其去，且樹德也。如是者久之，倭大恨，遂不歸，盤據各島中。而我巳命無賴，及小民迫于貪酷饑寒者，咸相率從之，東南之禍大作。于是朱紈以巡撫蒞治之。紈日夜飭兵便糾察，上章暴勢豪交通罪，奸謀稍解。紈竟爲（奸）豪所中，自殺，賊益猖獗。三十一年以後，殘浙東，犯太倉，破沿海諸郡邑。惟時巡撫則李天寵，元戎則盧鏜、湯克寬、俞大猷，屢戰皆不利。後以張經爲摠督。經前督兩廣有威惠，計調廣兵禦寇。兵尙未集而工部侍郎趙文華以禱海至。文華素寅緣太（大）學士（嚴）嵩貴幸，乃頤指經。經自以大臣位其上，不爲下。文華屢促出師，經以兵機秘密，巳（已）刻師期不之告也。文華遂劾經養寇，併及（李）天寵。詔逮時，經巳（已）與賊大戰王江涇，破走之，斬首千九百八十有奇；進攻陸涇壩賊，又敗之，斬首二百八十有奇，焚其舟三千餘艘，倭大創。經至京上疏自理，不聽，竟死西市。後以楊宜代經，胡宗憲代天寵，屬文華督察其師。倭來益衆，大掠江北，焚漕舟。文華盛集兵與戰于陶宅，敗績，遂還朝。三十五年，楊宜罷，以宗憲代，以阮鶚代宗憲。五月，倭寇圍阮鶚于桐鄉，攻城甚急。宗憲知賊首有麻葉、徐海二酋，乃飾美妓二人，黃金千兩，繒綺數十疋，月下舁送徐海而不及脒葉。葉知之，疑有異志，遂拔寨歸，得不破。時巡江御史請集兵勦倭，復命文華出視師。九月，宗憲以餌誘徐海居沈庄且久，議和既諧而文華力主勦，督兵甚嚴，以書遺宗憲曰：「賊已在柙，何逼兵自老？吾請以巾幗辱君。」復集兵圍，縱火焚其廬，死者甚衆，浙郡以寧。其明年，誅汪（王）直⑦。汪（王）直者，徽人也。嘯逋海上，能號召諸夷。治大舶，巢五島中。奸商王激、葉宗滿、謝和、王清溪等，共集衆相署置，倭之來，皆直導之。宗憲欲招之，乃迎其毋（母）、妻至杭，供具犒慰甚厚。先是，鄞縣生員蔣洲者上書督府，言：「能說直使禁戢諸夷毋內犯。」宗憲遣洲行，又以生員陳可願副之。至五島，直邀入，爲言：「日本方亂，無能爲也。誠令我輩得自歸，無難倭矣。」遂遣養子毛臣（毛海峰，即王激）同可願還。具白直語，而傳送洲至豐後島⑧。其島主留洲，稍爲傳諭諸島。居二歲，乃遣僧海⑨陽及夷目四十人隨洲來入貢，直亦許俱至，而宗憲亦遣毛臣歸報直所以游說者百端。至是，直乃來。御史王邦⑩固疏言不宜招直，異議鬨然。直至，覺有異，乃先遣王激入見宗憲。曰：「吾等奉詔而來，謂宜信使遠迎，宴犒交至也。今行李不通，而兵陣儼然，公毌（毋）誑我乎？」宗憲曰：「國法宜爾，毋我虞也。」與約誓堅苦，直終不信。曰：「果爾，可遣激歸。」宗憲立遣之，復以指揮夏正爲質，直乃使王激、毛臣等守舟而身入見。頓首言：「死罪！」且陳其與洲戮力狀。宗憲慰藉甚至，令居獄中俟命。疏聞，詔誅直。時宗憲本無意殺直，以本固爭之強，議者且謂憲受直金，欲貸其死。故宗憲懼，不敢爲請云。直死，王激、毛臣遂殺夏正，據舟山，復爲侵掠矣。

三十八年，倭寇江北，分數道而入。巡撫李遂馳至如皋，與賊遇于白浦。諸將請及其未定擊之，遂曰：「夫戰貴得地，賊方銳而我軍未嘗見大敵，即小挫難復振矣。」約軍中毌（毋）得言戰。賊益進。遂策曰：「賊分道入，過如皋，必且合，合則道有三，自泰州逼天長、鳳泗，即皇陵震驚；最要自黃橋逼瓜、儀，搖南都而梗漕次之，若從富安而東，海濱荒涼，擄掠無所得，至廟灣絕矣，乃吾得地時也。」于是諸部將防遏，令毌（毋）得過天長、瓜、儀，而分兵綴賊後。賊果走廟灣，遂欲以策困之。而通政唐順之以視師至，促戰，死傷甚眾。順之度不能克，釋去，遂益合兵攻圍。

賊困甚，欲遁。副使彭景韶，督兵焚其舟，賊救舟，我兵水陸攻之，大潰，斬首八百餘級，江北倭悉平。其寇福建者張甚，連攻破寧德、福清等邑。巡撫阮鶚罷去，繼至者亦無尺寸功，宗憲乃檄參將戚繼光往援。時賊據寧德之橫嶼，阻水爲營。路險隘，官軍坐守踰年，莫敢進。繼光軍令嚴，所部用命，至則令軍中人持束草塡河進，力戰，大破之，生擒九十餘人，斬首二千六百餘級，焚溺死者無筭，奪所擄三千七百餘人歸。乘勝剿福清牛田倭，又破之。初，繼光至福清，邑令及父老請師期。繼光曰：「吾兵疲且休矣，俟緩圖之。」賊偵者歸告，不爲備。其夜，督兵行三十里，黎明破其巢，邑人尙未知兵出也。繼光歸，賊復肆。四十一年，攻陷興化府，總兵劉顯去，賊一合，未便進戰，僉議繼光偕往。時賊方巢平海，聞繼光欲逃，爲俞大猷所扼，不得出。顯同繼光督兵薄戰，大猷繼之，因風縱火，賊皆糜巢中無脫者。支黨寇仙游（遊）、連江等處，盡討平之。未幾，廣東倭亦爲官軍所敗，逊至甲子門，將奪舟入海。暴風，盡溺，得脫者僅二千餘，留屯海豐。俞大猷就圍之。賊食盡，欲走，副總兵湯克寬，伏兵待之。賊至，伏發，擒斬幾盡，倭患遂息。自東南中倭以來十餘年間，中外騷擾，財力俱困，生靈之塗炭巳（已）極，而倭亦大傷，至盡島不返焉。自隆慶至今上初年，雖有時寇海上，亦時至時撲，不復如嘉靖之季矣。亡何，萬曆十九年五月，福建長樂縣民與琉球夷人偕來，詣巡撫趙公參魯，臺報云：「倭首關白名平（豐臣）秀吉，驍勇多謀，數年以來，巳（已）併海中六十餘島⑪，今巳（已）調兵刻期，約明年併朝鮮及遼東等情，聲勢甚猛。」時巡撫與各守臣尙在疑信之間，及巡撫再訊夷人責之曰：「汝琉球巳（已）愆貢期二載，故以此抵塞而呵喝我乎？」訊縣民云：「汝往海勾引，故以此互為奸乎？」乃夷人與縣民俱執對如初詞。然而巡撫在閩，悉心鎮守，威惠兼施，猶恐其聲東而寇西也。於是戒飭水陸二兵各時訓練，嚴部伍，簡將校，繕城堡，且召福清致仕參將秦經國等，至省會共議防守戰攻之策，諸凡兵政確有成筭矣。乃二十年夏，倭果渡海，屯絕影島諸處以犯朝鮮。朝鮮君臣素逸樂不為備，屢戰屢敗，遂陷釜山諸鎮，密陽諸郡，入王京，毀墳墓，擄王子、陪臣，剽府庫，財物蕩然一空。鮮君臣逃之平壤，奉書請救。上問將相大臣，僉曰：「朝鮮世屬東藩，素稱忠恪，今以窮困來告，宜救之。且患切震鄰，宜乘其未至邀擊之。」詔曰：「可」。出虎符，發郡國兵，遣侍郎宋應昌經略。秋七月，賊抵平壤，鮮君臣勢益急，出避愛州。遊擊史儒，將兵先至，戰敗死，而副總兵祖承訓兵亦失利。八月，賊入豐德等郡，而我兵稍集，勝之。倭將〔小西〕行長等頗習兵，詐謂不敢與中國衡，以緩我師。致書鮮君臣，令速成彼，以毋貽悔。大司馬亦謂諸將未有利，計無所出。而沈惟敬者，市井無賴也，依影附影，往來遊說，驟至倭營。是時關白屯對馬島⑫，據王京，而行長妖僧〔景轍〕玄蘇、宗達等各分兵守要害，相為聲援。獨以天尚寒沍，難以窺進，乃紿惟敬曰：「天朝幸按兵不動，不久當還報關白，平壤以西盡歸鮮耳。」惟敬入京馳奏，廷議以倭多變詐，不可信。上促應昌、李如松統兵進擊。〔萬曆二十一年〕一月，我師至平壤，火器齊發，賊眾驚潰，獲虜酋甚眾，益分兵出開城，攻黃海諸道，黃州諸郡。倭遂棄開城，奔走王京，而我軍益振矣。如松兵至碧蹄，見所過皆空城，偵探不得倭，以為倭悉遁矣，有輕敵邀功心，不知倭實伏以待我也。倭師悉衆以綴我師，又發伏以撓我師，遂至大敗，全軍幾沒。會總兵劉綎⑬往援松，松乃稍收散卒復聚。倭見我兵怵怵于勝負之間，因詭稱願約款乞貢封。惟敬亦詭謂倭衆巳（已）解漢江，然倭實自便利爲城柵住釜山也。七月，復圍晉州。會副將查大受等統衆犄角並進，倭乃乘船急渡，一屯釜山，一屯對馬島，詐以小西飛（小西飛驒守，即內藤忠俊）充貢使，上書請得比外藩。冊使既頒，惟敬復以中國情輸，倭令五營併爲一，匿其精銳，示其羸弱。時洶洶謂「倭既約款，而時出兵以屠鮮，何異城下盟？倭亦既表文稱，謝事稍聞上矣，奈何倭將（加藤）清正後據梁山西山浦，與所匿諸倭合？」督臣（孫）鑛爲上言狀，乃詔罷封，下司馬獄。悉諭邊臣，更遣尙書邢玠、都御史楊鎬往治其軍。尙書既徵得惟敬先後通倭狀，執捕惟敬就獄。七月，倭渡熊川，朝鮮統制李均、節度李叔億俱敗績，隨陷閑山諸處。倭乃分三路，清正寇慶州，平秀志寇丹陽，行長寇南原、韓山、高靈、梁山，殺掠吏民甚慘，而全羅、忠清盡陷入倭。詔增浙、直、閩、廣兵往計之。九月，倭入公州，犯全義館。經理鎬見事急，單騎馳至王京，而諸將俱至，因夾擊破之。冬，尙書玠與鎬俱至王京，與鮮群臣大會，共議進兵。李如松居左，高宋居中，李春芳居右，鮮將李時吉、咸允門、鄭起龍爲副，至蔚山島山，殺虜各相當，相持未決，而鎬以損兵罷。會閩中撫臣報倭首秀吉以病死決，玠乃會諸將歃血分剿。總兵綎當西路，麻貴當東路，董一元當中路，而陳璘以閩廣舟師適至，往來江海間援截屬。行長等有內憂，氣頗沮，然猶修城柵以抗我師。九月，綎以計誘行長，獲倭橋貴，亦設伏阻清正。一元哨至晉州，與石曼子遇戰，各斬獲及焚毀倭營，與招回鮮民男婦。會官兵營中失火，賊乘勢伏發，士馬頗有損傷。三路恐陣動，約且勿得發。而巡撫萬世德以代至，倭計以蹙潰圍出，我兵夜追之，斬捕首虜甚眾。陳璘兵邀擊海上，倭兵披靡，擒倭將秀政，殺捕倭兵三百有餘，溺死者無算，副將鄧子龍亦戰死。捷聞，上御午門樓，群臣稱賀，乃磔諸倭于市，惟敬亦伏誅東市乃撤。是役也，朝鮮爲遼左外藩，理勢不可不救，第諸將新有寧夏之捷，氣強甚而不閑將略，以故事勢蔓延，六七年間，財、力俱費。然賴天子神武，謝絕夷使，一意戰剿，箕封始完，東藩始安，戰守之策，豈不以斷哉。論曰：「歷觀往牒，倭奴自昔變詐，叛服不常，匪可以化誨懷服之也。夫以太祖之聖武，成祖之威靈，彼猶不傾誠用命，則與北虜之狡黠者何殊乎。第北虜與我接壤，防之尤要，島夷則辟（僻）處海外，勢差緩耳。卓哉祖訓，宜爲世守，而楊文懿公陳亦謂：『倭夷變詐凶惡，時以刀扇小物褻瀆天朝牟大利，不當與之通好』，斯誠確論也哉！」

註：

①「倭奴國」，日本古稱「倭國」，非「倭奴國」。

②「良懷」，良懷之為懷良之誤，請參看本書頁二二五七，註③。

③「積」，明史卷二，太祖本紀，洪武七年三月甲子條作「禎」。

④「江」，江之為「榮」之誤，參看本書頁二三〇九，註①，及頁二三三六所錄王世貞之言。

⑤「一」，明實錄、明史及其他史乘俱作「二」。
⑥「藝」，日本史乘俱作「義」。
⑦王直被誅之事，倭變事略繫於嘉靖三十八年十二月二十五日。
⑧「豐後島」，豐後在九州島內，非單獨島嶼。
⑨「海」，明史卷三二二日本傳作「德」。
⑩「邦」，明世宗實錄及本書附卷俱作「本」。
⑪「島」，如據日本地史書的記載，應為州之誤。
⑫「關白屯對馬島」，如據日本史乘的記載，豐臣秀吉發動大兵入侵朝鮮期間坐鎮於九州肥前的名護屋（佐賀縣），未曾前往對馬島。
⑬「綎」，明世宗實錄明史本傳、朝鮮傳、日本傳，及俱作「綎」。

占寇情

按：日本國四際皆海，乘風入寇，杳不可測。總其大凡，東南風猛則由薩摩或五島至大小琉球，而視風之變；北甚則犯廣東，東甚則犯福建；正東風猛則必由五島歷天堂官渡，而視風之便；東北甚則至烏沙門分䑸，或過韭山海閘門而犯溫州，或由舟山之南而犯定海，犯象山、奉化，犯昌國，犯台州；至東風甚則至李西澚壁下陳錢分䑸，或由洋山之南而犯臨觀，犯錢塘，或由洋山之北而犯青南，犯太倉，或由南沙而入大江，犯瓜、儀、常、鎮，或在大洋而風欻東南則犯淮、楊（揚）、登、萊；若五島開洋而南風方猛，則趨遼陽、天津。議者謂：防之要不過三策，出洋遠哨，毌（毋）使入港，是謂上策；循塘拒守，毋令登岸，是爲中策；阻水爲陣，拒之于陸，是爲下策；不得巳（已）而至於守城，則爲無策矣。若賊船遠來未至，尙二三百里許，我哨兵登島遠眺，日間或如鴉點沓來，夜間或有火光如星，此是賊船的矣，可速備之。昔劉江在望海堝，令瞭者見東南角夜有火，知爲盜至是也。其在海上，彼我俱列水陣相拒，賊有小舟數往來者，謀議也，遲而審顧者，疑我也，欲進而復退者，探我也，既退而卒進者，襲我也，鼓噪而矢石不下者，兵器少也，刦（却）而顧者，欲復來也，先急而後緩者，整備也，促鼓而不戰者，懼我也，泊而揚帆者，欲出不意也，既退而不速者，謀也，火夜明而忽呼譟者，恐我襲彼也，擲纜而即起者，欲擇其利也，火數明而無聲者，備器也，夜泊而趨于涯涘者，嚮道欲往也，促纜而不呼者，急欲逃也，促纜及流懸燈于途者，夜逸而潰也，久而不動者，偶人也，鼓而無韻者，僞響也，近岸連村而不登刼者，怯也，不久困請和投降者，詐也。嗚呼！巳（已）上防海之計，大略具備矣。所賴清晏之時，不忘儆戒，太寧之久愈切，綢繆務使暴鱷潛踪，不復鼓威海，若長鯨戢鬣，寧能借險。陽侯則孺子歌滄挹清流而慶漁人晒網，睹旭日以揚輝矣，豈非臣庶之願見休而朝廷之膺遐福也哉。

論南北事宜

嘗謂臨事而補苴者，劻勷之急務，先時而經畫者，明哲之遠猷，故先甲後甲之勞，易垂治蠱，未陰未雨之戒詩，謹豫防，古訓于昭，今時可鑒。惟我大祖高皇帝，迅掃胡元，金陵奠鼎；成祖文皇帝驅除亂略，冀北遷都，政教翔洽。平華夷，德業同流于天地，相傳奕世，二百餘年矣。當世宗朝，孽孽突起，在北則戎馬紛馳，再侵畿甸，所賴天子神武，將相協心，殫力防禦，犬羊遠遁。迨近時俺酋求貢，順義錫封，數十年來，邊防無儆。故今之議虜者，定計于款矣，在南則夷舟蕩漾，再犧留都，所賴憲臣定策，大將奮武，悉心驅逐，鯨鯢潛匿。至生義，關白首難，樂浪求援，六七年間，東兵始撤。故今之議倭者，定計于勦矣，然北虜桀黠，信義難憑，無論以民膏而易羸畜積之無用，正恐羸畜無窮，民膏有盡，一旦戎心叵測，唁然內鬨，斯時也，亦將責之以款乎？是款之不足恃也明甚。倭奴貪婪，來往有時，搖拽于舟楫之間，出沒于波濤之險。來疾飄風，去迅飛電，我居內地，安能時出銳師以爲邀擊之計乎，是勦之不可常也亦明甚。然則何如而可哉，愚以爲議款者，必以戰爲款，其款乃固；議勦者，必以守爲勦，其勦乃威，蓋今日之虜，名雖爲款，實則要求無已，溪壑難厭，乃歲以金繒啗之，祇令彼玩視吾中國而已，謂宜申令各邊選將練兵，儲糧利器以爲戰備。彼守舊例而不復恣，則與款如故，不然，閉關以謝絕之，示我以必戰之意。彼或貪我金繒，時有悔心，自爲斂戢，未可知也。是款惟我戰，亦惟我所謂以戰爲款，其款乃固者也。至于倭奴，則僻居海島，非値汛期，難抵中國，惟沿海處所，嚴列水寨以爲防閑，倘彼自爲出入，自爲剽掠，不涉我地，我何與焉。一或移舟近港，意在內窺，則督率水兵，即爲攔截。萬一登岸時，乃調集陸兵大爲掩擊，我逸彼勞，我實彼虛，必將盡殲醜類，不遺餘孽矣。是則所謂以守爲剿，其剿乃威者也。雖然，倭，海夷也，何足過慮。惟茲北虜，遠者與我邊塞爲鄰，近者與我畿甸爲鄰，蹂躪窺伺，其毒易茲，則國家之所當兢兢而亟圖者，何以加此？然愚栖以爲特患耳，根本之計不在焉。根本謂何？民生是巳（已）。是惟聖明，清心寡欲，勵精刷神，省其刑罰，薄其稅歛，黜貪墨之長，重旌廉明之吏，凡百舉動，一以軫恤爲心。而開礦之條，抽稅之額，亟爲報罷，務以愛本元，元培其根本，由是養威蓄銳，乘隙俟時，即以東取大寧，西復河套，南收交趾，亦可也。亦或鑒于外寧內憂之說，釋彼三處以爲外患，亦可也。或操或縱，碓有成謀，張之弛之，必無遺筭，則統治之盛，遠邁乎漢唐，而卜曆之永，可並乎殷周矣。

皇明鴻猷錄

明高岱撰，明萬曆間錫山刋本

卷六

四夷來王

○（洪武元年戊申十二月）遣行人楊載往招諭日本。①

○洪武二年四月，倭夷寇蘇州、崇明等處，指揮王②德率兵擊敗之，殺溺死者無筭，生擒九十二人。捷至，擢德官，賞賚其將校，有差。遣使祭告東海之神。倭寇自是不敢復至。

○初，遣楊載往諭日本還，日本使未至。上遣趙秩往入境，守關者不納。秩以書達其王，乃納之。秩諭以中國威德，責其不臣。其王以元嘗使趙姓者往，欲襲之。今秩復趙姓，意將襲巳（已），以嫚語答之，命左右刃秩。秩不爲動，徐曰：「今天子聖神文武，君主華夏，非元比，爾殺我，禍不旋踵。我朝之兵，天兵也，無不一當百，其戰艦蒙古之戈船百不當一，況天命所在，人孰能違？我朝以禮懷爾，豈與蒙古襲爾者比邪？日本國王氣沮。會上復遣楊載往③，於是日本王良懷④禮遇載等有加，遣其陪臣并僧九人隨詔使入朝，奉表稱（稱）臣，貢馬及方物。

○（洪武五年八月）上曰：「島夷何敢狡詐如此？」却其貢不受。命宋濂草詔責之。

○十六年癸亥，上以海外諸國進貢，信使往來不實，乃命禮部置勘合文簿發給諸國，俾有憑信稽考，以杜奸詐。但遇入貢咨文，俱於各經過布政司比對勘合相同，然後發遣。於是暹羅、占城、安南、真臘、爪哇、瑣里、西洋瑣里、三佛齊、古里、滿剌加、小葛蘭、榜葛剌、錫蘭山、古里班卒、柯支、蘇祿、忽魯謨斯、忽魯母恩、甘巴里、麻林、阿哇、白葛達、天方、渤泥、百花、彭亨、覽邦、淡巴、須文達那、蘇門答剌、呂宋、合貓里、碟里、古剌麻、招納撲兒、加異勒、祖法兒、留山、黜德那、南巫里、急蘭丹、奇剌尼夏、剌比屈察、尼烏、涉剌喝、阿丹、魯密、彭加、那捨剌齊、八可意坎、巴夷替、左法兒、黑葛達、八答黑、裔打回日落、日羅、夏治、佛麻、婆羅門，凡五十九國嘗來朝貢者，皆給勘合文冊。其琉球又分三國，有中山王、山南王、山北王，俱賜鍍金銀印。其諸國所貢方物、表式、歲期、回答、賞賜，并正副使廩給、宴賜禮儀、互市，各以國大小隆殺著爲定式。

○（三十年丁丑二月）上製祖訓有曰：「東南諸夷，限山隔海，後世不必征伐，惟以日本多詐，絕其朝貢。」

註：

①楊載之東渡詔諭日本，明太祖實錄，卷三八，作洪武二年正月丙申朔乙卯；明史，卷三二二作洪武二年三月。

②「王」，明太祖實錄，卷四一，洪武二年四月乙卯朔戊子條作「翁」。

③「復遣楊載往」，明太祖實錄、明史及日本史乘，均無楊載再渡赴日之記載。

④「良懷」，之為「懷良」之誤，請參看本書頁二二五七，註③。

皇明法傳錄

明高汝栻輯，高鼎熺、高鼎焯校，明崇禎九年刊本

卷三

嘉隆紀

○（嘉靖二十五年三月）倭寇浙東，以朱紈爲浙江巡撫都御史討之。自罷市舶，凡番貨至，輒賒與奸商，久之，奸商欺負，多者萬金，少不下千金，轉展不肯償，乃投貴官家。久之，貴官家又欺負不肯償，貪戾甚於奸商。番人泊近島，遣人坐索，久之，竟不肯償。番人乏食，出沒海上爲盜。貴官家欲其亟去，輒以危言撼官府云：「番人據近島殺掠人，奈何不出一兵，備倭當如是耶？」及官府出兵，輒齎糧、漏師，好語啗番人，利他日貨至，且復賒我。如是者久之，番人大恨諸貴官家，言：「我貨本倭王物，爾價不我償，我何以復倭王？不掠爾金寶以償，倭必殺我。」盤據海洋不肯去。近年寵賂公行，上下相蒙，官邪政亂。小民迫于貪酷，苦于徭賦，困于饑寒，相率入海從倭。兇徒、逸囚、罷吏、黠僧，及衣冠失職、書生不得志群、不逞者，皆爲倭奸細，爲之鄉導。人情忿恨，不可堪忍。弱者圖飽煖旦夕，強者奮臂欲洩其怒。于是汪

忤瘋（汪五峰，即王直）、徐必欺（徐碧溪，即徐銓）、毛醢瘋（毛海峰，即王激）之徒，皆我華人，金冠龍袍，稱王海島；復糾漳、廣群盜，勾集各島倭夷，大舉入寇，連艦百餘艘，蔽海而至，南自台、寧、嘉、湖至蘇、松，迄淮北濱海數千里，同時告警，兩京戒嚴。兵部議以朱紈爲浙江巡撫都御史，兼領福、興、泉、漳，治兵捕賊。紈任勞任怨，嚴禁閩、浙諸通番者。

○（嘉靖二十九年二月）浙江巡按童威，請寬海禁以便漁樵，裕國諫（課）。從之。

卷四

○（嘉靖三十二年）三月，倭寇海上，王忬督兵攻於普陀山。捷聞，賜金帛有差。

○海賊汪（王）直，糾漳、廣群盜大舉入寇，連艦百餘艘，蔽海而南，自台、寧、嘉、湖至蘇、松，迄淮北，沿海數千里，同時告警。

○時倭寇中有渠魁名汪（王）直者，號五峰，與毛敖（激），號海峰、葉宗滿，號碧川，及王清溪、謝和，皆中國人，復糾漳、廣盜約三千餘人，入寧波岑港，登陸四掠，焚戮甚慘。因入慈谿，知縣柳東伯，不知所禦，攜印綬走匿。寇殘殺人民無筭，縉紳被禍尤慘。先是，王忬在浙，令各縣皆築城自固，獨慈谿士人持不可，至是，始悔不城爲失計。東伯失守，當坐死，以無城可守，削藉（籍）爲民。其省祭官杜槐，與其父文明，率兵追敗於王家團。海道劉起宗，因委槐防守餘姚、慈谿、定海三縣，未幾，與賊遇於白沙，一日戰十三合，殺賊三十餘人，斬其一酋。槐被創，墜馬死。文明別將兵，擊賊於鳴鶴場，斬白眉倭帥一級，從七級，生擒二賊。倭見驚遁，呼爲杜將軍。既而復追賊，至奉化楓樹嶺，以兵少無繼，陷陣，而倭益熾矣。

○五月，倭寇破上海縣，燒刼縣市，知縣喻顯科逃匿，指揮武尙文、縣丞宗鰲戰死。撫操官奏令太平同知陳璋，同蘇州同知任環統兵籌畫，璋因上禦倭十二事，撫操俱從之。

○（嘉靖三十三年五月）以南京兵部尙書張經提督浙江、福建、江南軍務。

○七月，陳璋統兵敗倭寇，斬首千餘級，餘寇出境，浮海東遁。

○倭寇犯太倉州，攻城不克，分掠。有失舟倭三百人，突至平湖、海寧等境，焚戮甚慘，官兵禦之，皆敗。先是，倭自獨山之敗，其衆東遁，江南稍寧，惟崇明、南沙泊失風倭幾三百人，舟壞不能去。總兵湯克寬，及僉事任環，留兵守之，日久不克。至是，克寬復督邳、漳等兵擊之，敗績，亡卒四百餘人。賊百餘由華亭縣漴缺登岸，流刼至木涇、金山衛等處，至是移舟泊寶山。克寬引舟師追擊，及於高家嘴，毀其舟，斬七十三級，生擒十四人。倭賊復據大（太）倉南沙五月餘，官軍列檻海口，圍之數重，不能攻。軍中疾疫，乃佯棄弊（敝）舟，開壁東南陬，賊遂潰圍出，掠蘇、松各州縣三月。又掠民舟入海，趨江北，大略通州如皋、海門諸縣，復焚掠各鹽場。餘衆有漂入青、徐界者，山東、遼東俱震。巡撫都御史江東，因上海防八事，部覆議，從之。

○倭分掠嘉、湖。

○乙卯嘉靖三十四年正月，嚴嵩言：「倭寇猖獗，請遣大臣禱海，兼探賊情。」命趙文華往，賜印，得密啓言事。

○（三月）任環督舟師，與倭戰於南沙野。時蔡中丞檄環討倭，付兵三百，皆新募，環勵以必死。無旋踵，不入與家人訣，爲書付之而去。親介冑，臨陣，士無敢不從。特賊鋒銳甚，勢不敵，屢戰嘗縮，賊亦不敢肆。環敝衣芷履，與士襍行。濡雨際昏黑，無休舍，依草間，嚙糒飲水，同勞苦；且喻勉眾士以古義烈事，將士願與之同生死。至是，倭自吳淞出洋，弋船要之，不得前，以五百據南沙。環率參將解道明往擊，適新倭至，甚盛。相與守數月，以舟師與戰，敗之，斬首百餘級。

高汝栻曰：「按：賊潛出沒，環嘗夜追之，出其前後，宰夫佩者恐其有失，嘗衣環衣，介馬而馳，賊不知所取。環嘗墮溝中，賊過之不知。匿至明，士始得之。又遇矢石，士以死悍（捍）環，環亦被傷。舁之趨水濱，梁巳（已）撤丈餘，超而過。追急，佩留，禦之，死焉，乃免。環求其首，為流涕親酬之。」

○五月，倭寇自崇明進薄蘇州府城大掠，復自蘇州至嘉善縣，轉趨松江出海，參將俞大猷擊敗之於吳淞所，擒七人，斬首二十餘級。倭自是趨海鹽，復攻嘉興，參將盧鏜等帥兵禦之，稍郄（卻）。次日，復戰於孟宗偃（堰），伏起，殺官軍四百人，溺死五百人，都司周應棋①等死之。賊乘勝入據石墩山，分兵四掠，攻嘉興城，副使陳宗夔帥兵禦郄（卻）之，焚其舟。賊遁入乍浦，與長沙灣寇合，犯海寧諸縣。既而東掠入海，至崇明縣，夜襲破其城，知縣唐一岑死之。

○八月，倭寇自嘉興遠屯採淘②港、枋林等處，進薄嘉定縣城，募兵參將李逢時與許國，以山東兵鎗手六千人至，與賊遇於新涇橋。逢時麾下先進取之，賊退據羅店鎮，官軍追及之，擒斬八十餘人。許國恨逢時與之同事而先不約己，乃別從間道襲賊，以分逢時功。追至採淘港，乘勝深入，伏起，官兵大潰，溺水死者千人，指揮劉勇等死之，諸軍倉卒不整，國大敗。事聞，以南京兵部尙書張經嘗總督兩廣有威惠，爲狼、土兵所戴服，故以總督直隸浙福軍務，勅令節制，當天下半得以便宜從事，開府置募（幕），自辟參佐，經亦慷慨自許。然是時倭據川沙窪③、柘林爲巢，新倭復至，地方甚恐。聞狼兵至，人心稍安。而趙文華奉命往松江祀海，乃厚犒狼兵，激使進剿。至漕涇，遇倭，與戰不勝，頭目鍾寅等十四人皆死。於是倭知狼兵不足畏，復肆掠如故。迨至王江涇之捷，生擒、斬首二千有餘；賊數百奔於柘林，縱火焚巢，駕舟二百餘艘出海東遯。東南用兵，此稍爲吐氣云。

○高埠逃倭，自杭州西掠至嚴州淳安，僅六十餘人，以浙兵逼急，突入歙縣，流刼至南陵縣，趨太平府。時操江都御使駐太平，督兵禦之，賊引而東犯江寧鎮，守備遣指揮朱襄等，率勇士數百人出，時賊巳（已）至板橋。襄等怠緩不知，袒裼縱酒，一遇賊，盡爲所殲。群賊沿途殺人，由安德、鳳臺、夾岡各門外鄉落搶掠，趨秣陵關。時應天府推官羅節卿，指揮徐承宗，帥兵千人守關，望風奔潰，賊遂過關而去；自南京出秣陵關，流刼溧水、溧陽，趨宜興、無錫，至滸墅關。南直巡撫曹邦輔，慮與柘林賊合，且爲大患，乃親督兵備王崇古，會集各部兵扼其東路，四面蹙之，隨地與戰。乃檄僉事董邦政、指揮婁宇，以沙兵助剿，一戰斬首十九級，賊始懼，奔吳舍，欲潛走太湖；我兵覺之，追及於楊家橋，盡殲其衆。此賊自紹興高埠奔竄，不過六七十人，流刼杭、嚴、徽、寧、太平，至犯南都，經行數千里，戰傷無慮四五千人，歷八十餘日始滅。邦輔以捷聞，歸功僉事董邦政。時督察趙文華聞此寇且滅，急趨赴之，欲攘其功，比奏，則邦輔巳（已）先奏捷。文華大怒，遂調兵四集，謂陶賊乃柘林餘孽；胡宗憲因大言賊不足平，以悅其意。遂悉簡浙兵，得四千人，約邦輔以直兵會勦。浙江兵分三道，直兵分四道，東西並進。賊悉銳衝，浙兵諸營皆潰，損失軍士千餘人；直兵亦陷賊伏中，死者二百餘人，賊勢益熾。文華先恨邦輔，至是，乃以陶賊寇患委罪邦輔及僉事董邦政，參之。詔下邦政與總督逮問。既而刑科給事中孫濬言：「近見督察趙文華請罷巡撫曹邦輔，參稱約與夾攻，而邦輔後期；及考疏內所列邦輔督副總兵俞大猷進勦在九月十一日，浙兵次日方進，則後期之罪不在直兵。今蘇、松士民，交口咸稱邦輔實心任事，而前流刼留都之倭，又爲邦輔所滅，功績顯然，遽請罷斥，文華之意，殆不可曉。」兵科給事中張栻復言：「浙直官兵會勦陶賊、倭寇，屢遭陷敗，諸臣奏報不實。且趙文華欺罔，大負簡命。」上乃申飭文華，矢心秉公視師圖效。後趙文華既攘王江涇之捷爲己有，又奏言破倭於周浦等處。捷聞，召還京。各臣奏勘功罪，俱□□董邦政、婁宇二人，文華惡之，賞竟不及。巡按直隸御史張雲、路敦亦爲論奏，不報，而曹邦輔竟謫戍邊。文華妬能陷功，一至於此。

○四月田州土官瓦氏并孫男岑大壽、大祿，引兵應調，總督張經分配總兵俞大猷等殺倭。奏聞，詔賞銀紵，餘令軍門獎賞。

○趙文華還京，誣下張經、李天寵獄。時以天寵轉巡撫，張經爲提督，於巳（已）有力，陰望厚報，而經、寵以地方孔亟，不遑往謝；又見經有王江涇之捷，更深忌之，遂誣奏逮獄。經上疏自理，不報。

○六月，常熟知縣王鐵④、江陰縣知縣錢錞，率士民禦倭，死之，贈卹有加。

○倭寇蘇州，民逃避無所，號呼震野，焚掠慘不可言。門不敢啓，擁塞蹂踐，乘埤者望之而嘆。攀緣上者，又縋絕而下。〔任〕環適還自儀真，曰：「奈何坐視之？縱有覘諜，我在何患？」身自出辟門，令男女以列進，且察之。賊聞，竊入，即縛訊，駭以爲神。累日所活，蓋數萬人。復率解明道兵出力疾戰，賊退入太湖，我兵用舴艋邀之，乃棄所獲餌，我因得逸去。環以功進副使。有親喪，巡按以倭寇未平，請留之。詔曰：「可。」任事如故。

○以胡宗憲爲浙江巡撫。

○按察司副使任環，以破倭功巡撫薦其素閑經略，命統兵蘇松諸郡禦倭。會倭寇上海，浙援適至，環與夾攻，以舉燧爲約。賊出掠歸，縱火殪之。賊奔，追至青村，賊入堡壘，計可必取。時大雨，又得豖突去。未幾，復寇上海，攻圍急。環以輕兵三百及僧八十人跡之，擊敗於五里橋習家墳；又以兵援崑山，而身間行抵大倉，則毛家、葛隆諸屯賊皆會集，傅於城，三面治攻，具有必剪屠意。除道覘望群醜，坐甲斷扼聲援，衝梯隊道，肉薄而登。環率死士飛刃斫之，連發鏦碎其首，矢石交下，相殺傷甚。又縋兵下突而前，漸氣奪，委棄塗地走，始以我易與，城可旦夕拔。至是始畏恐，不敢緣我堞。

○（嘉靖三十五年）四月，倭寇溫州，同知黃釧死之。

○倭寇萬餘趨浙江皂林，游擊宗禮帥兵九百人禦之於三里橋，三戰三捷，斬首三百餘，賊首徐海等駭懼，稱爲神兵。會橋陷，軍潰，禮等俱死。論者謂：「兵興以來，稱血戰第一功。」巳（已）而贈禮都督同知，世襲指揮僉事。

○復遣趙文華視師江南。先是，文華歸，上疑其言之不實，每以問嵩。文華大懼。時浙中倭報甚急，巡按請遣才望大臣督師應援，嵩爲文華保全，言于上，遂得遣。

○五月，方倭之寇嘉興也，阮鶚爲巡撫，而胡宗憲爲總督。鶚議主剿，而胡議主撫，兩不相能。然自嘉興轉寇桐鄉，敵氛甚銳，去來實徐海、麻葉領之，陳東附焉。斯時度我兵未聚，阮鶚在圍城中，旦夕且破。宗憲思城一破，必且虜巡撫去，愈益輕我，於是謀間徐、麻，遣一善說者詣徐所，謂曰：「胡公慕足下威名，終當爲國保障，若肯惠顧，且有薄貺欲輸左右，以示結納之意。」徐聞之甚喜。說者還報。宗憲業巳（已）買二美妓，皆殊色絕飾，佐之千黃金，及繒幣數百純，遣人從月下舁送徐海。徐拜受之，深感宗憲厚己，遂無意攻城。麻葉聞海受美女、金幣之賜，以爲有二心於我，懼其賣己。叱曰：「豎子背我耶？不足與共事。」遂拔岩去，以此桐鄉得不破。

○科臣孫濬言：「禦倭諸臣，事權不一，久無成功。」本兵奏言：「督察主竭忠討賊，覈實布聞；總督主徵集官兵，指授方略；巡撫主督理軍務，措置餉銀；總兵主設法教練，身親戰陣；有司保安地方，固守城池。」命下諸臣遵守。

○有諸生蔣州⑤者謁軍門，請往說倭夷汪（王）直，使降，則夷禍不煩戰而消。宗憲是其言，且書至，諭直還報島夷，欲奉命通貢，而汪（王）直謝爲徐海所誤，願得來降，惟懼死罪不敢耳。遣養子毛臣送州回，乃令州仍往諭，且許直來降之日，與官鎮海上焉。自州之再往入倭也，徧歷諸島，披誠勸諭，倭眾惟其言是從，而直又自分能肅清海氛，遂與其黨毛海峰、葉碧川諸奸人挺身同蔣州來杭州。洲至而直未至，人疑其詐。巡按周斯盛請罷貢罪州，於是逮州獄。州既迨，陳諭倭始末，及言直以誠來，其未至，必風阻耳。九月，直裝巨舟，遣夷目四十人隨來，泊舟定海。蓋初同舟來，實以颶風損舟也。宗憲使人招直，直願見州，州方對理，疑觖望不遣。遣千戶夏正質其舟。直素與正善，恃質，遂詣軍門請罪，具言其與州戮力，伏乞得靖海中自効。宗憲待以客禮，命指揮爲其館主，給肩輿出入，復予蔬、米、酒、肉，供膳。舟人日費數百金，且交質爲信，保無他故。宗憲上狀請赦汪（王）直等，科臣王國禎，力持不可。疏入，上謂：「直，元兇不可赦。」宗憲不得巳（已），乃密檄按察司收繫直等，梟斬之。

○九月，胡宗憲以餌誘徐海居沈庄，且久議和，而文華力主剿，督兵甚嚴，以書遺宗憲，讓其逗兵自老。遂集諸路兵，圍之數重，縱焚其廬，死者甚眾。後從溺屍中識徐海屍，浙郡遂平。先是，宗憲以計間麻葉，葉怨海，遂別與陳東合部，率倭攻我。宗憲偵知之，遂謀專結海，遣前說客往說海曰：「胡公欲委心足下，誠得足下，陽比麻緯、陳東，示之無疑，而以間圖之，二人就縛，則餘黨可解，是足下以一身退數千倭眾，爲中國功甚大。胡公請命於朝，赦足下罪，授之安東將軍，傳之後裔，又有仗義之名，孰與以寇終，處安危不可知之地哉！因與立誓曰：「胡公有言：負足下者如日。」海念桐鄉之賜，又察說者言非爲欺者，遂慨然許諾。未久，以計擒陳東、麻葉等一百餘人獻軍門乞降。時有欲閉城不納者，宗憲曰：「弗納示弱，亟開之！」各官以次列坐受降。海率眾露刃，雨翌而入。首呼：「犯人徐海死罪！」宗憲慰以既能擒賊乞降，前罪可宥。海，故遊僧，復下堂以手摩其頂戲之，賜中國服與袈裟，而覆以錦繡，併賞其眾紅絹各一，俾擇所便以居，候朝命。而海斂兵屯於梁庄。是時趙文華復出督兵，宗憲乃語文華曰：「賊首既擒，皆徐海之力，此其功罪相等，宜疏請宥海，量予一官，爲歸義者勸。」文華欲以殺敵爲功，力持不可。宗憲復曰：「海親兵皆死士，且縛叛乞降者，不顧眾議而撫之，今安能驅烏合與鬪？」文華曰：「海率眾扶刃輒入，以窺間隙，非納降之理。況阱中之虎，豈可復縱歸山耶？」宗憲爭之不得，華催原調兵六千既集，移營薄沈庄。宗憲猶心憐海，未遽議戰；文華與鶚乃移憲婦人冠辱之。宗憲不得巳（已），與文華督兵攻梁庄營。海知事變，掘深塹自守，且溝柵數重，官兵皆觀望不敢入。鶚乃怒曰：「若輩不知海之攻桐鄉耶？」檄趨總兵俞大猷督重兵，由海鹽環攻之。其地四面皆水，若不能登，乃令諸軍囊土，填河成路，而用火炮攻之。會大風，火發風烈，賊多焚死。城中分道出應，三戰皆捷，斬獲一千六百餘級。海倉卒溺水，引出割其首。於是其從辛五郎等皆授首矣，餘衆解散。

○（十一月）獻倭俘，加文華少保，宗憲右都御史，各任一子。

○迨（逮）直隸總兵俞大猷下錦衣衛獄，尋發沿海立功，以盧鏜爲浙直總兵。此胡宗憲論其失事，承世藩旨也。大猷老成持重，性沈默，不善滑剌，世藩怒其不附巳（己），故有是迨（逮）。迨至文武臣以大猷忠勇爲國，惜才救解勿獲，乃助金千五百兩，大猷復自假貸，合爲三千兩，以餽世藩，遂得不死。

註：

①「棋」，明世宗實錄，卷四二〇，嘉靖三十四年三月丙申朔丁未條作「辰」。

②「洶」，明世宗實錄，卷四一三，嘉靖三十三年八月己巳朔庚寅條；明史，世宗本紀，二，俱作「洶」。

③「窪」，明世宗實錄，卷四二一，嘉靖三十四年四月乙丑朔辛未條作「窪」。

④「鐵」，明世宗實錄，卷四二二，嘉靖三十四年五月甲午朔丁巳條、談遷，國榷，卷六一，世宗嘉靖三十四年四月乙丑朔戊子條俱作「鈇」。

⑤「州」，明世宗實錄，卷四三四，嘉靖三十五年四月己丑朔甲午條，明史，卷三二二，日本傳，及談遷，國榷，卷六一，同年同月同日條俱作「洲」，以下同此。

○（嘉靖三十六年春三月）趙文華還京，陞工部尚書，加太子太保，尋加少保，敘其子錦衣千戶。

○八月，罷工部尚書趙文華，尋褫職編氓，子千戶譎戍榆林。時嚴嵩在相位，江右士大夫往往號之爲父，其後外省亦稍有效之者，趙文華其最也。文華既以父嵩故，位至尚書，得上寵眷，乃稍欲結知人主，不稟其命。一日，密進藥酒方，言授之仙，飲可不死，獨臣與嵩知之。上曰：「嵩有是方不奏，文華奏我。」嵩知之，大懼且恨，立召文華問之曰：「若何所獻？」對曰：「無有。」嵩取進酒疏示之，文華長跽頓首。嵩怒，斥之，不起。呼左右拽出，命門者毋得爲文華通。當時嵩一睚眥立族矣，文華日夜憂懼，不知所由，從世藩乞憐，爲白夫人。夫人以其兒也，殊不忍其觳觫。一日休沐，諸義兒及世藩咸候起居，置酒堂上，嵩、夫人上座，義子及世藩侍列。文華不得入，乃曲賂左右，伏于軒檽之下。酒中，夫人曰：「今日一家皆在，目中何少文華？」嵩嘻曰：「阿奴負人，那得在此。」夫人因宛轉暴白，嵩色微和。文華遽走入，伏席前涕泣。嵩不得巳（已），遂留侍飲，然而終不能免也，至此落職。

○胡宗憲擒獲海寇功，加太子太保。

○（十二月），科臣徐浦，劾胡宗憲額外提邊，所費漫無稽考。戶部覆：「宗憲欺罔。」上然之。宗憲在浙中與趙文華共事，趙退縮無能，宗憲忠勇揮洒。總督親臨陣者甚少，而憲戎裝立矢石之間以督戰。一日，被鳥嘴鐵彈穿過其盔，去髮僅一寸，亦危矣哉。方其倭圍杭時，宗憲登城巡視，俯身堞外，三司股栗（慄），懼爲流矢所加，憲恬然視之，其膽略誠有過人者。後被迨（逮），歸安茅坤上書訟其冤云。

○柘林賊復犯蘇、松，任寰①力疾調集永順官舍彭翼南等土兵，復督俞大猷等夾擊於盛墩，斬三千級；又敗之於泖湖，斬七十三級，賊始大挫。又一支突入邵，分爲二，一從陸抄掠，一入太湖。寰追之急，賊漫入川瀆，恣其忿，然爲我控扼不得逞，由常熟去。在柘林者復來陸涇，寰率師擣之，獲其三舟。明日，賊復揚帆直上，寰以夷兵鏖之壩上，自辰至申，賊披靡，斬首八百，幾殲焉。餘賊二千自崑山至城下，寰率解明道兵與戰，敗之。又有在平望者，寰以盛墩兵乘之，浙兵亦至，賊遂絕跡。以母喪，故摧毀過甚，又以前奮不顧身，蒙犯矢刃傷，瘦支體，疾大作，亡何卒。禮科給事中□師曾上其事，請卹典。上命贈光祿寺卿，有司建祠蘇州，以時致祭，仍任一子原衛付（副）千戶。

○（嘉靖三十七年）三月，倭夷寇福建，命巡撫阮鶚往剿之，擒斬萬餘人，餘賊盡滅。

○御史何儀望，劾何楝在薊、遼，周玩在蘇、松，楊順在大同驕縱不法，福建巡撫阮鶚，大徵客兵肆虐。命逮訊。

○科臣吳時來，劾嵩令子世蕃預政，窺覘市恩。趙文華餽遺數萬，猶惡其薄，而授草引疾。張經行五千金，及聖斷不貸，改□□□。王汝孝以三千而倖得遣戍，蔡克廉以三千而即轉寺卿。

楊順欺君，而三廕其子；吳嘉會侵冒，而三廕三遷。邊事不振，軍民困窮。主事張狆，劾其受賄報功，而備邊之政壞；侵冒戶部錢糧十分之六，而理財之政壞。以厚賄而調美官，以餽金而得與選，而忠節之氣壞。家奴永年，富將百萬，賓客親識，位俱膴顯云。主事董傳策云：「吏、兵二部選官，持簿任嵩塡發，故俗呼文選郎，萬寀爲文管家，職方郎方昕爲武管家，宜罷斥以快人心。」帝怒，各逮繫之於獄，命擬辟。鄭曉執不可。降旨廷杖，謫戍嶺南。

○十月，命唐順之視師浙、直，與宗憲協勦倭寇。

○（嘉靖三十八年）八月，征倭總督胡宗憲與都御史李遂，命劉顯率銳卒殲江北倭於劉家庄，江北軍悉屬顯節制，遂得奏捷。蘇州自海寇興，亡賴子輒奮臂賈勇，白晝橫行，十百成群，市纏不敢正視。巡撫翁大立擊捕之，諸惡少歃血，夜持刀斧攻長州吳縣，劫獄皷譟；攻入都院。大立挾妻子踰墻遁，乃縱火焚其廨，勑諭、符驗俱燬。天曙，斬封門關，入太湖。事聞，命大立剋期殄滅。

○（嘉靖四十一年）六月，廣東逆賊張璉等械京伏誅。初，倭寇滋蔓，福建、廣東、江西諸路，不逞奸民所在蜂起，而廣東尤甚。賊首張璉，本饒平縣烏石村人，以毆死族長，懼誅亡命，入宿賊鄭八、蕭雪峰黨。後鄭八死，璉與雪峰分部其衆，而璉爲最強。知縣林叢槐，嘗親至其巢，約降，給以冠帶。璉益驕甚，與雪峰兵合，縱掠汀、漳、延、建，及江西之寧都、連城、瑞金等處，攻陷雲霄、鎭海衛、南清等城，三省騷動。守臣以璉巢介三饒之間，四面皆山，未敢遽言剿之。璉雖叛，猶揚言聽撫，以緩我師。及提督兩廣侍郎張臬，始議大征，奏言：「逆賊張璉，勢甚猖獗，臣巳（已）調集狼兵十萬，與福建、江西會兵進剿，分定信地，臣臬駐惠、潮，巡撫福建都御史游震得駐漳州，南贛都御史陸穩駐永定。」得旨：「如擬」。仍令協力進兵，剋期殄滅。時方議剿，調兵未集，賊覘知福建平和縣單虛，率眾攻城。府知事胡期亨、署縣事與典吏談蘊，率鄉兵出城迎戰。賊見鼓行甚銳，以爲有大兵至，驚駭奔潰。蘊麾眾疾擊之，擒賊五人，斬首三十二級。穩，疏以聞，而臬亦報擒程鄉賊首王子云、陳福保等二十五人。是時上深以南寇爲慮，聞報大喜，下諭獎勵，賞臬、穩等銀幣，各有差。兵部尚書楊博，因言大賊猶在，蕩滅未期，乞下嚴旨申飭之。至是，臬等以閩、廣、江西兵捕剿，賊首張璉、蕭雪峰俱就擒，斬首一千二百有奇。捷聞，兵部請將賊首檻送京師，獻俘正罪，餘黨未平者，亟行所司撫剿，并令巡按官詳覈功罪以聞。上曰：「獻俘一節，祖宗久不行，賊首就擒，可即彼地刑之，首梟三省，以雪民怒爲正。」乃以逆賊平，告於郊廟，群臣表賀。既而論平賊功，加臬右都御史，廕一子國子生；穩，進兵部侍郎，總督胡宗憲巡撫江西，胡松、參政譚綸等各賞銀幣，有差。

○（嘉靖四十二年）四月，副總兵戚繼光由浙江至福建，與總兵俞大猷大破賊倭於平海衛，海寇悉平。時新倭自福清海口入寇，遂圍興化府城。劉顯去府城三十里，隔一江，按兵不進。至十一月，欲掩逗留之罪，始遣五卒齎文詣府，約欲率兵赴城禦敵。賊獲五卒，殺之，用其職銜僞爲顯文，約某日夜某時分率兵潛入應援，城中勿舉火作聲，恐賊驚覺，擇奸細五人詐爲劉卒齎入。時參將畢高、參政翁時器在城，信之。至期，賊冒劉兵入城，人莫之疑。賊既大入，忽爾殺人，城中驚亂，畢高、翁時器及衛掌印指揮徐將等，皆倉皇縋城走，城遂陷。賊據城中三閱月，殺虜、刼掠、焚燬，慘毒備極。劉顯乘亂擄執城中逃出婦女，時有閑住參政王鳳靈，繼妻年少，竟爲劉顯擄去。賊既飽其所欲，始如平海衛，欲擄船泛海去。廣東總兵俞大猷，率兵截平海港，賊不得去。福建總兵戚繼光，遂擣賊於平海衛，盡殪之。其別黨圍仙遊城，福建巡撫譚論、總兵戚繼光，合擊走之。戚繼光復追至泉州安平鎭，又破之。賊出閩境，至廣東潮州，俞大猷又截殺之。

○詔罷江南加派兵糧銀兩。

○（嘉靖四十三年十二月）原任南京兵部尚書李遂卒，贈太子少保。

遂，江西豐城人，姿貌魁偉，博學有才。長于用兵，沉機秘筭，出人意表，人甚服戡定之略。

○逌（逮）嚴世藩，下詔獄論死，嚴嵩削籍沒其家。世藩之戍（戍）雷州也，羅龍文時常私至戍（戍）所，與世藩計議脫伍。世藩素享富貴，不堪雷州邊海烟瘴，因之怨恨朝廷，每與龍文妄肆呪詈，既而相與棄伍逃回。世藩時慮逃軍事發，家居不安，又與彭孔謀往外國，別圖富貴。羅龍文亦集無賴與江洋群盜，陰相謀結。嚴嵩頗聞世藩等謀，諭令休生他心，待爲陳乞，遂具本乞將世藩特賜寬宥，或量改附近衛所侍養。奏入，上曰：「嚴嵩巳（已）有孫鴻侍看，巳（已）

恩待了。」世藩怨恨益深，因之狂悖，時肆言語，侮嫚無忌，乃托以爲子造屋，招集四方亡命之徒至四千餘人，報仇殺人，流刼鄰縣，羅龍文陰謀率眾往合。世藩爲巡江御史張士佩訪知，行令地方有司，捕解不獲。至御史林潤接管巡江，催令徽州府張同知嚴緝。風聞在世藩家窩住，而袁州府署印郭推官，亦聞世藩所聚群徒爲害，慮恐變生不測，城池倉庫，或有疎虞。隨申合于上司，亟行趕逐解散，世藩負固不服。御史林潤，遂以逃軍怨望朝廷，黨眾肆害，漸成大亂，乞照國法，以絕禍根上奏。上曰：「這逆犯，著林潤拿送來京問。」潤奉旨，先獲羅龍文，繼獲嚴世藩，并將世藩陰受伊藩與模賂金十餘萬兩，計殺倒贓樂工三十餘人，及窩藏強盜，陰養刺客諸不法狀奏聞，俱下刑部。擬世藩悖逆處斬，子男在職者革任，財貨家產追沒入官。嵩後無依，卒於養濟院云。

○言官劾逮胡宗憲，至京，飲藥死。

註：

①「褱」，明世宗實錄、倭變事略、明史本傳、國榷及其他各書俱作「環」。

②「論」，明世宗實錄，卷五二一，嘉靖四十二年五月戊寅朔庚辰條作「綸」。

皇明法傳錄

明陳建輯，明高汝栻增訂，明高鼎熺、高鼎焯正，明崇禎間崇文堂刋本

卷五

高皇帝

○（洪武四年十二月）日本國王良懷①，遣其臣僧祖來進表箋，貢方物。先是，遣趙秩等往日本國宣諭，秩泛海至析木崖，入其境，閽者拒勿納。秩以書達其王，王乃延秩入。秩諭以中國威德，而詔旨有責讓其不臣中國語。王曰：「吾國雖夷狄，僻在扶桑，未嘗不慕中國之化而通貢奉，惟蒙古以戎狄蒞華夏，而以小國視我。我先王曰：『我夷，彼亦夷也，乃欲臣妾我，而使其趙姓者訹我以好語，初不知其覘國也。』既而使者所領水犀數十艘，巳（已）環集于海崖，賴天地之靈，一時雷霆風波，漂覆幾無遺類。自是不與通者數十年。今新天子帝華夏，天使亦趙姓，豈昔蒙古使者之雲仍乎？亦將訹以好語而襲我也？」命左右將刃之。秩不爲動，徐曰：「今聖天子神聖文武，明燭八表，生于華夏而帝華夏，非蒙古比。我爲使者，非蒙古者後裔，

爾若悖逆不吾信，則先殺我，則爾之禍，亦不旋踵矣。我朝之兵，天兵也，無不一當百，我朝之戰艦，雖蒙古戈船，百不當其一，況天命所在，人孰能違？豈以我朝之以禮懷爾者，與蒙古之襲爾國者比耶？」其王氣沮，下堂延秩，禮遇有加。于是奉表箋稱臣，遣祖來隨秩入貢。詔賜祖來等文綺幣帛，賜良懷大統曆，及文綺紗羅。

註：

①「良懷」，良懷為懷良之誤，請參看本書頁二二五七，註③。

卷六

○（洪武七年八月）海上倭寇有警，命靖海侯吳禎率沿海各衛兵出捕，至琉球大洋，獲倭寇八船，俘送京師。

卷七

○洪武十三年正月，丞相胡惟庸等謀逆，內史雲奇發其事，皆伏誅。

胡惟庸黨逆謀已（已）定，誑言所居井湧醴泉，邀上往觀。惟庸居第近西華門，守門內史雲奇知其謀。乘輿將西出，奇走衝蹕道勒馬銜言狀。氣方勃，舌駃不能達意。上怒其不敬，左右撾棰亂下，奇垂死，右臂將折，猶尚指賊臣第，弗為痛縮。上方悟，登城眺察，則見彼第內兵甲伏屏帷間數匝。上亟反，遣兵圍其第，罪人一一就縛，并其黨御史大夫陳寧、中丞涂節等，皆伏誅。上召雲奇，死矣。深悼之，追封右少監，賜葬鍾山，命有司春秋致祭，仍給洒掃戶六人。

按：惟庸自楊憲誅後，總中書政事，專生殺、黜陟以恣威福，內外諸司封事，有病巳（己）者輒匿不聞。四方奔競者趨其門，諸武臣多附之。徐達嘗言于上，惟庸忌之。達有閽者福壽，惟庸陰誘為巳（己）用，冀以圖達；乃為福壽所發。昔劉基亦言：「庸不可用」，知而恨之。會基病，以毒藥中之，事在八年正月。惟庸兄女妻〔李〕善長從子祐，相結擅權。安吉侯陸仲亨、平涼侯費聚，見庸專政，往來益密。庸令掌管軍馬，又與陳寧在省中閱天下軍馬籍，令都督毛醲①取衛士劉遇寶及亡命魏文進等為心膂。太僕寺丞李存義，善長之弟，惟庸之婿父也，以親，故往來惟庸家，密令存義以邪謀說善長，事皆未發。會惟庸子有馬馳驟干（于）市，奔入輓輅中傷死，惟庸殺輓輅者。上怒，命償其死。惟傭請以金帛給其家，上不許。涂節乃上變告。時商　謫降中書省吏，而亦以惟庸陰事告。上命群臣更訊，惟庸辭窮不能隱，遂論死；又以涂節本為惟庸謀主，見其事不成始上變告，乃誅涂節併陳寧，餘黨皆伏誅。

註：

①「醲」，明太祖實錄，卷七四，洪武五年六月丙子朔己丑條作「驤」。

○（洪武十六年）七月，給諸番國勘合。上以海外諸國進貢，信使往來，真僞難辨，遂命禮部置勘合文簿發諸國，俾往來俱有憑信稽考，以杜姦詐之弊，但遇入貢咨文，俱於所經各布政司比對勘合相同，然後發遣。於是暹羅、占城、琉球②等五十九國，俱給勘合文冊。

○（洪武十八年四月）湯和還京師，以年高思歸故鄉，從容乞骸骨。上喜，賜鈔五萬，俾造第鳳陽。面諭和曰：「日本小夷屢擾東海，卿等老強，爲朕行，視要地，築城、增戍，以固守備。」和行，築海上數十城，民四丁取一，爲兵以守之。

○（洪武二十年）夏四月，命江夏侯周德興往福建築城、練兵防倭。

註：

①琉球雖自洪武五年起朝貢中國，但明廷只賜予鍍金銀印而未給勘合，其理由在於該國與朝鮮對明最能盡禮節，態度誠懇而文移相通，所以無須符敕、勘合。請參看大明會典，卷一〇八，禮部，朝貢條，及明不著編人，皇明外夷朝貢考，卷下，朝貢「外國四夷符勅勘合沿革事例」。

②有關明廷頒與勘合的國家數目問題，請參看大明會典卷一〇八、明不著編人，皇明外夷朝貢考，卷下，及本書頁二三〇七。

○永樂四年正月，遣使齎書褒諭日本國王源道義。先是對馬、岐臺（壹岐）等島海寇刼掠居民，勑道義捕之，道義出師獲渠魁以獻，而盡殲其黨類。上嘉其勤誠，故有是命。到賜道義金銀綵繡衣、綺帳并褥枕、銀盤、器皿諸物，又封其國山曰「壽安鎮國之山」，立碑，親製文賜之。

卷一四

○（永樂十七年）夏，鎮守遼東左都督劉江，大破倭寇於望海堝，封江爲廣寧伯。①

卷一五

註：

①有關劉江即劉榮的問題，請參看本書二三〇九，註①；至於他在望海堝大破倭寇的經緯，已見於前，故不重錄。

皇明從信錄

明陳建撰，明沈國元訂補，明啓禎間刊本

卷四

○（洪武元年十一月）遣使頒詔報諭安南、占城、高麗、日本①各四夷君長，詔曰：「昔帝王之治天下，凡日月所照，無有遠邇，一視同仁，故中國尊（奠）安，四夷得所，非有意於臣服之也。自元政失綱，天下兵爭者十有七年，四方遐裔，信奸②不通。朕肇基江左，掃群雄，定華夏，臣民推戴，巳（已）主中國，建國號曰大明，建元洪武。頃者克平元都，疆宇大同，巳（已）承正統。方與遠邇相安于無事，以共享太平之福。惟爾四夷君長酋帥等，遐邇未聞，故茲詔示，想宜知悉。」

○（洪武二年四月）時倭寇刼掠蘇州崇明，沿海皆患。太倉衛守禦指揮僉事翁德，帥官軍捕之，遇於海門之上幫，擊殺不可勝計，生獲數百人，得其兵器、海舟。奏至，詔以德有功，陞本衛指揮副使，其官校賞綺帛、白金，有差，戰溺死者，加賜錢、布、米，仍命德往捕未盡倭寇。

遣使祭告東海之神。德承命往，倭畏懼，不復出，沿海遂寧。

註：

①「日本」，遣使頒詔報諭日本事，明太祖實錄，卷三八繫於洪武二年正月丙申朔乙卯。

②「奷」，陳建，皇明資治通紀作「好」。

○（洪武七年八月）海上倭寇有警，命靖海侯吳禎率沿海各衛兵出捕，至琉球大洋，獲倭寇人船，俘送京師。　　卷六

○洪武十三年正月，丞相胡惟庸等謀逆，內史雲奇發其事，皆伏誅。①　　卷七

○（洪武十四年）七月，日本國王良懷②遣僧如瑤等貢方物，上却其貢，仍命以書責之曰：「大明禮部尚書致意日本國王，王居滄溟之中，不奉上帝之命，不守巳（己）分，但知環海爲險，限山爲固，肆侮鄰邦，縱民爲盜。上帝將假手於人，禍有日矣。吾奉至尊之命，移文與王，王若不審其微，井觀蠡測，自以爲大，無乃搆隙之源乎。王之國，始號曰倭，後惡其名，遂改日本。自漢、魏、晉、宋、梁、隋、唐、宋之朝，皆遣使奉表貢方物。當時帝王或授以職，或爵

以王，由歸慕意誠，故復禮厚也。若叛服不常，搆隙中國，則必受禍，王其審之。」

註：
①有關雲奇揭發胡惟庸謀逆的經緯，已見於本書頁二四六〇—二四六一，故不重錄。
②「良懷」，良懷即日本南朝征西府將軍懷良親王，有關他的考證文字已見於本書頁二二五七，註③，故不贅言。

○（洪武十六年）十月，給諸番國勘合。上以海外諸國進貢，信使往來，真僞難辨，遂命禮部置勘合文簿發諸國，俾往來俱有憑信稽考，以杜奸詐之弊。但遇入貢咨文，其於所經各布政司比對勘合相同，然後發遣。于是暹羅、占城、琉球①等五十九國。俱給勘合文冊。　卷八

註：
①「琉球」，琉球國之未獲勘合文簿事，已見於本書頁二四六二，註①，故不贅言。

○（洪武二十八年）閏九月，皇明祖訓成。……祖訓首章云：……又一章云：「四方諸夷，皆限　卷一〇

山隔海，僻在一隅，得其地，不足以供給，得其民，不足以供使令。若其不自揣量，來擾我邊，則彼爲不祥，彼既不爲中國患，而我興兵輕伐，亦不祥也。吾恐後世子孫，倚中國富強，貪一時戰功，無故興兵，致傷人命，切記不可。但胡戎與西北邊境密邇，累世戰攻，必選將練兵，時謹備之。」

卷一三

○（永樂元年九月）日本入貢。

○（永樂二年二月）日本人屢寇濱海郡縣，是時遣人來貢，并擒獻犯邊賊二十餘人。于是遣通政趙居任賜日本王冠服、文綺、金銀古器、書畫，又給勘合百道，令十年一貢，每貢正副使毋過二百人，若貢非期，人船踰數，夾帶刀鎗，並以寇論。日本餽送居任，不受而還。上喜，厚賜之。

○禁瀕海居民，毋得私製海船，交通引寇，命有司嚴防出入。

○（永樂三年七月），海內諸番朝貢之使益多，命福建、浙江、廣東市舶提舉司，各設驛以館之。

卷一四

○永樂十七年夏，鎮守遼東左都督劉江，大破倭寇于望海堝，封江爲廣寧伯。江初至遼東，巡視諸島，相地形勢，請于金州衛金線島西北之望海堝築城堡，立烟墩瞭望，蓋其地特高，可望諸島寇所必由，實爲濱海襟喉之地。一日，瞭者言：「寇將至。」江亟遣馬、步官軍赴堝上小堡備之。翌日，倭賊二千餘，乘海艄直逼堝下，作蛇陣以進。一賊貌甚醜惡，揮兵而前。江犒師秣馬，略不爲意，以都指揮徐剛伏兵于山下，百戶姜隆帥壯士潛燒賊船，截其歸路。乃與之約曰：「旗舉砲鳴，伏兵奮擊，不用命者，以軍法從事。」既而賊至堝下，江披髮作真武狀。舉旗鳴砲，伏兵盡起。繼以兩翼而進。賊眾大敗，奔櫻桃園空堡內。我師追而圍之，將士皆奮勇請入堡剿殺，不許；特開西壁以縱之。仍令兩翼夾攻，生擒數百，斬首千餘。間有潛脫而走艄者，又爲隆等所縛，無一人得脫。事聞，上勅賜褒美，封江廣寧伯，食祿一千二百石，子孫世襲；將士有功者，陞賚有差。自是倭寇不敢出沒海上，屏息數十年。

王世貞曰：「遼東破倭之捷，莫重于廣寧伯，謚忠武。劉榮，遼東志以為劉江，水東日記載其事而疑其姓名。考之國史，蓋榮父名江，卒于戍，仍父名補伍，累功至右都督。當奏捷之日，尚名江，及封伯而後具其事，始改名榮也。」

○（嘉靖二年）六月，叛人宋素卿等伏誅。①卿假充日本貢使，率其黨竄慈谿，縱火大掠，殺指揮劉錦，蹂躪寧、紹間。巳（已）而浙江鎮巡官捕得素卿及夷人中林、望古多羅等②，具獄，論死。

註：

①「宋素卿等伏誅」，宋素卿未被處死。明史，日本傳云：「至（嘉靖）四年，獄成，素卿及中林、望古多羅並論死，繫獄。久之，皆瘐死」。

②「浙江鎮巡官捕得素卿及夷人中林、望古多羅等」，中林、望古多羅並非浙江鎮巡官所捕，明史日本傳云：「會爾設黨中林、望古多羅逸出之舟，為暴風飄至朝鮮。朝鮮人擊斬三十級，生擒二賊以獻。」鄭舜功日本一鑑窮河話海卷七奉貢亦云：「……而罪犯逃夷曰中林，曰望古多羅，及被虜人口，漂至朝鮮。國王李懌，擒送來歸，發浙江會問素卿等，以正其罪。」明世宗實錄，卷三二，嘉靖二年十月丁酉朔丙寅條則云：「朝鮮國俘獲倭夷二名，審系進貢至浙自相搆殺拒敵官兵者。」

卷三〇

○（嘉靖二十三年）八月，日本貢使釋壽光等至①，詔以違例却之。

○（嘉靖二十五年）四月，倭寇浙東。

自罷市舶，凡番貨至，輒賒與奸商。奸商欺負，多者萬金，少不下千金，轉展不肯償，乃投貴官家，又欺負不肯當，貪戾甚於奸商。番人泊近島，遣人坐索，竟不肯償。番人乏食，出沒海上為盜。貴官家欲其亟去，輒以危言憾官府云：「番人據近島殺掠人，奈何不出一兵，備倭當如是耶？」及官府出兵，輒齎糧漏師，好語啗番人，利他日貨至，且復賒我。番人大恨諸貴官家，言：「我貨本倭王物，爾價不我償，我何以復倭王？不掠爾金寶，殺爾，倭王必殺我。」

盤據海洋不肯去。近年官邪政亂，小民迫於貪酷，苦於徭役，困於饑寒，相率入海從倭，凶徒、逸囚、罷吏、黠僧，及衣冠失職、書生不得志群、不逞者，皆為倭奸細，為之鄉導。於是汪忤瘋（汪五峰，即王直）、徐必欺（徐碧溪，即徐銓）、毛醢瘋（毛海峰，即毛烈）之徒，皆我華人，金冠龍袍，稱王海島，攻城掠邑，刼庫縱囚，遇文武官，發憤斫殺，而其妻子宗族，田盧金穀，公然富厚，莫敢誰何，浙東大壞。至是，以朱紈為浙江巡撫都御史，兼領福、興、泉、漳，治兵捕賊。紈任怨任勞，嚴禁閩、浙諸通番者。時福建海道副使林②喬、都司盧鏜，捕獲通番九十餘人，紈欲禁止令行，遣旗牌督決于演武場，一時通番稍息。而諸達官家以失利大譁，詆誣，惑亂視聽，遂改紈為巡視。未幾，言官論劾，即訊，甘心煅煉。紈憤悶卒，喬、鏜皆論死下獄，自是群盜益無忌憚矣。

註：

①按：在嘉靖二十三年當時日本並未遣使朝貢中國，故釋壽光等應屬私貢。

②「林」，明史，卷二〇五，朱紈傳作「柯」。

〇（嘉靖三十一年）四月，倭寇浙東。倭率萬人自浙江舟山、象山等處登岸，攻破黃岩縣，流刼餘姚、山陰等處，殺虜居民無計。事聞，命王忬提督軍務，巡視浙江、福建；以俞大猷、湯克寬為分守參將。

自朱紈死，巡視官不復設。日本近年兩貢，中經阻回，往來內地，日久習知中國虛實，乃糾亡命、惡少，奸商、黠僧又為之嚮導，于是東南歲有倭患。

○（嘉靖三十二年二月）海賊汪（王）直糾漳、廣群盜大舉入寇，連艦伯（百）餘艘，蔽海而南，自台、寧、嘉、湖至蘇、松，迄淮北，濱海數千里，同時告警。

○四月，海寇犯太倉州，攻城不克，分掠。有失舟倭四千人，突至平湖、海寧等境，焚戮慘虐。官兵禦之，皆敗。殺把總、指揮、千、百戶、縣丞諸官，奪舟而去。

○倭犯松楊，知縣羅拱辰禦却之。賊浮海，李（俞？）大猷以舟師邀擊，斬首六十九級。

○五月，出盧鏜于獄，為福建備倭都指揮。

○倭攻上海縣，燒刼縣市。知縣喻顯科逃匿，指揮武尙文、縣丞宗鰲戰死。撫摻（操）官奏令太平同知陳璋，同蘇州同知任環統兵籌畫。璋因上禦倭十二事，撫操俱從之。

○（七月）陳璋統兵敗倭寇，斬首千餘級，餘浮海東遁。

○（嘉靖三十三年二月）倭犯松江，殺縣丞劉東陽。詔革克寬、鳳職，戴罪立功，而以解明道、盧鏜代之。

○四月，倭犯嘉興，都指揮周應禎、李元律等死之。

○倭陷嘉善。

○倭薄通州，揚州衛千戶洪岱以兵援之，戰死。

○倭夜襲崇明，知縣唐一岑死之。

○五月，科臣王國楨①言：「招降賊首非計。」本兵覆言：「直本徽州人，以通番入海，後嘗斬寇自贖，有司不收之，致有今日，故懸賞格招降，非示弱也。」上以國禎言是，令一意剿撫，降順者待以不死，賊首不赦。

○倭薄蘇州城，大掠。

○六月，漕運都御史鄭曉奏：「倭寇類多中國人，其間有勇力智謀者可用。每苦資身無策，遂甘心從賊，爲之嚮導，若不蚤圖區處，必爲腹心憂。乞命各巡撫官于軍民白衣中，每歲查舉勇力智謀者數十人，與以義勇名色，月給食米一石，令其無事則率人捕盜，有事則領兵殺賊。立有功勞，量議官職，奏請陞授，如此，不惟中國之人不爲賊用，異日且有將才出于其間。今從賊者，宜出榜諭，許令歸降，遣還故土，有擒斬賊徒者，如例給賞；才力可用者，立功贖罪；俟有勞績，亦與敘遷。不然，數年後或有如盧循、孫恩、黃巢、王仙芝者，益至滋蔓，難撲滅矣！」報可。

○以王忬爲右都御史，巡撫大同。忬在浙中，薦勇謀，勵將士，築城堡，捕豪滑，浙人恃之，忬去而禍慘矣。

○八月，俞大猷敗倭于吳淞所，都指揮任錦敗倭于長礁。

○九月，南京太僕卿章渙條〔奏〕海防四事：一、築城堡。二、預軍需。三、練土兵。四、收豪奸。令議行。

○（十月），倭寇分掠嘉、湖。

○十二月，百戶賴榮華，薄倭于新市，乘勝，陷伏中，死。

○（嘉靖三十四年正月）海賊犯乍浦，陷崇德，復攻德清，殺把總指揮梁鶚六人。時諸將號令不一，偏裨將各自爲進止，採淘港窯墩之戰，許國、劉恩，皆以背約銳進，敗。〔張〕經所奏調狼兵及保靖兵俱未至，持重不發。江南人苦倭患久，恨不旦夕殲滅，遂籍籍以玩寇爲經罪矣。

○（二月）工部侍郎趙文華，奉命祭告海神，并察視江南賊情。

文華為〔嚴〕嵩私人，寅緣為上所嚮用。既出，憑寵自恣，所睚眥，即立推仆，百司震懼，財賂競（競）進，比倭寇焚掠尤烈云。

○（三月）任環督舟師與倭戰于南沙野茅洪，敗之，斬首百餘級。

○四月，田州土官瓦氏併孫男岑、大壽、大祿，引兵應調，總督張經分配俞大猷等殺倭。奏聞，詔賞銀、紵，餘令軍門獎賞。

○文華至松江祭海神，會狼兵方應調至，副總兵俞大猷遣游擊白泫等嘗賊，稍有斬獲。文華因厚犒之，激使進剿。至曹涇，遇倭數百人，戰敗，頭目鏜等死之。文華固急督戰，冀掩敗爲功。

經謂：「宜待保靖兵至，合力夾攻，庶保萬全。」文華固強，經不聽，文華遂啣經。

○五月，倭寇四千餘，自柘林犯嘉興，總督張經分遣參將盧鏜等水陸攻之。保靖宣慰使彭藎臣，與賊遇于石塘灣，大敗之。賊走平望。俞大猷及永順宣慰使彭翼南邀擊之，賊奔王江涇；永順兵出泖湖，攻其前，鏜及保靖兵躡其後，共擒斬一千八百餘人，溺死者復不可勝計。餘賊奔歸柘林。

按：自有倭來，用兵東南，未有如此之捷者。然文華論經玩寇殘民之疏則已（已）上矣，冤哉。

○任環、俞大猷破賊於陸涇垻。

○遣官校逮張經、李天寵，及參將湯克寬，俱械繫來京，論死。經上疏自辯，不報。

○倭寇常熟，知縣王鈇②禦之，鄉官錢泮率民兵追賊于上滄港，爲賊所掩擊，俱死之。事聞，贈鈇太僕少卿，泮，光祿少卿，各蔭子錦衣百戶，□祠死所。

○六月，倭據江陰蔡涇閘，知縣錢錞率狼兵禦之，遇賊于九里山。賊伏發，狼兵悉奔，錞及民兵死于賊。事聞，贈錞光祿少卿，蔭子國子生，立祠死所。

○蘇松參政任環及俞大猷，以舟師擊倭船于馬蹟山，破之，擒斬一百五十餘人。環遇親喪，巡按周如斗請留之，特詔奪情任事。

○倭駕舟從三丈浦出海，大猷遮擊之，沉其舟七艘，斬首一百三十級③。

○任環、大猷敗倭于鷲豆④湖，俘斬百人。

○副使王崇古敗倭于靖江。

○（秋七月）倭突入歙縣，流刼碃⑤溪等縣，蕪湖縣丞爲賊所殺。犯江寧鎮，指揮朱襄戰死，亡卒二百餘人。

○倭犯南京。

○八月，都御史曹邦輔，圍賊于滸墅關，賊殊死格鬪，殺指揮張大綱，士卒多傷亡。時僉事董邦政、把總婁宇，督沙兵守陶宅，邦輔檄之助勦，一戰，斬首十九級，賊奔吳舍，追盡殲之。文華欲攘其功，至則邦輔巳（已）奏捷矣，啣甚。巳（已）而欲倖剪殘孽，自將四千人，約邦輔會勦，同力進兵。賊盡銳衝文華所統兵，死者千餘人，師大潰。文華益慙憤，乃疏邦輔、邦政避難趨易，僥倖成功，乞加重究。詔：「下邦政于總督逮問。」

○福建巡海副使卜大同卒。同，秀水人。孝友夙著。官刑曹，讞決明允。稍遷湖廣僉事，督下江防。令行朞年，群盜屏息。會海寇弗靖，閩為禍首，同受命巡海，趣駕之任，簡卒伍，謹烽堠，控險要，積糗糧。賊知有備，雖屢寇甌、會、吳、越間，而閩終得無恙。所著有征苗、備倭二集遺稿，游覽圖說行于世。

○胡宗憲誘汪（王）直等投降，許爲奏請，優以官爵。汪（王）直與羅龍文、宗憲皆徽人，相信。

直因以銀十萬兩托龍文餽嚴嵩父子，冀得授以指揮職銜。時浙中三司與巡按御史周斯盛，議得汪（王）直、葉宗滿背華勾夷，謀叛之罪，巳（已）不容誅；王汝賢越關出境，作逆之狀，亦自難掩，通應解獻闕廷，顯戮市曹，以彰國典。但其作孽貽禍，原在海上，汪（王）直、葉宗滿，就彼梟示，王汝賢處絞，各犯妻妾及子，解京，給付功臣家爲奴。嵩父子受賄，欲擬投降宥死，且言聖意欲如此。三法司等執稱：「直等率眾攻破城池，殺傷文武將吏軍民百萬，明是謀反。今作謀叛，巳（已）非正律，豈可又輕？」嵩曰：「旨下再議。」三法司曰：「再議，則用反律，豈可又減叛律乎？」嵩曰：「原着兵部會法司，法司只從兵部議可也。」皆曰：「兵部即議末減，法司亦不敢僉名。」嵩父子咈然不應，竟票旨云：「汪（王）直背華引夷，罪逆深重，着就彼處決。梟示；葉宗滿、王汝賢，既稱歸順報效，饒死，發邊衛充軍。」

○十月，倭始犯福建，犯平陽，殺指揮祈嵩等共八十餘人。屯謝甫，殺指揮閔溶。犯興化府平海，殺千戶丘珍等。犯福清，殺指揮童乾震。

○十一月，讞京城大辟囚，詔決九人。張經、李天寵以失機律不宥。

○游擊曹克新，統川兵邀擊賊于周浦，斬首一百三十餘級。

○總兵俞大猷，又追賊于老鸛嘴，斬二百餘人，奔新場。

○科臣孫濬言：「防倭諸臣，事權不一，致久無成功。」本兵覆奏：「督察主竭忠討賊，覆覈實布聞，總督主徵集官兵，指授方略，巡撫主督理軍務，措置餉銀，總兵主設法教練，身親戰陣，有司保安地方，固守城池。」命下諸臣遵守。

註：

①「楨」，明世宗實錄，卷四一〇，嘉靖三十三年五月庚子朔丁巳條作「禎」，談遷，國榷，卷七，洪武十三年正月癸巳朔條及其他各篇什俱作「貞」。以下同此。

②「鈇」，采九德，倭變事略，卷三作「鐵」。

③「一百三十級」，明世宗實錄，卷四二三，嘉靖三十四年六月甲子朔甲戌條作「一百三十有奇」。

④「豆」，明世宗實錄，卷四二三，嘉靖三十四年六月甲子朔戊寅條作「逗」，廣方言館本明世宗實錄，同卷同年同月同日條作「洹」。

⑤「蹟」，明世宗實錄，卷四二四，嘉靖三十四年七月癸巳朔乙巳條作「績」。

卷三三

○（嘉靖三十五年）正月，科臣梁夢龍劾吏部尙書李默剛褊貪污，假名器以罔利。默疏辯，不問。文華自祀海還，劾默部試選人策題以「漢武征伐四夷，而海內虛耗；唐憲功成淮蔡，而晚業不終」一語意謗訕。上怒，下獄。刑部尙書何鰲擬子罵父律，絞，竟死于獄。

支大綸曰：「李默博雅，有才，負氣，好以愛憎軒輊人。在銓部，大通賄賂。及文華以策問搆嶽（獄），則近于反唇腹誹之法矣，故人遂惜默而罪文華。」

○四月，倭寇溫州，同知黃釧死之。

○倭寇萬餘，趨浙江皂林，游擊宗禮，帥兵九百人禦之于三里橋，三戰皆捷，斬首三百餘，賊首徐海等駭懼，稱爲神兵。會橋陷，軍潰，禮等俱死。論者謂：「兵興以來，稱血戰第一功。」巳（已）而贈禮都督同知，世襲指揮僉事。

○復遣趙文華視師江南。先是，文華既歸，上疑其言不實，每以問嵩，文華大懼，委罪于人，而又訐李默之過以逢上。時浙中倭報甚緊，巡按請遣才望大臣一員督師應援。部巳（已）議沈良材往，而嵩爲文華保全計言于上，遂留良材而遣文華，文華至而東南之民愈困矣。

○五月，倭圍巡按阮鶚于桐鄉，宗憲以計間之，使人賂賊首徐海。其黨陳東、麻葉，漸與海爲貳，引去。海遂計擒東、葉等百餘人以獻。其部眾遁者，我兵追破其舟，斬溺迨（殆）盡。

○六月，倭寇破慈谿城，縉紳被禍甚慘。省祭官杜槐及父文明，率兵追敗于王家團，巳（已），復遇于白沙，一日戰十三合，殺賊三十餘人，斬其一酋，槐亦被創，墜馬死。文明別擊賊于鳴鶴場，斬白眉倭帥一級，從七級，生擒二人。賊驚遁，追之，以兵少陣歿。事聞，贈官，廕子，有司祠祀。

○九月，胡宗憲以計誘徐海居沈庄，且久議和，而文華力主勦，督兵甚嚴。以書遺宗憲，責其逗兵自老，遂集諸路兵圍之數重，縱焚其盧（廬），死者甚眾。後從溺屍中識徐海屍，浙郡遂寧。

○十一月，獻倭俘，文華加少保，宗憲右都御史，各廕一子錦衣千（戶）。

○設狼、福二山守要①水兵萬人，沙船三百艘，命遣參將等官操練備倭。

○（嘉靖三十六年三月）總兵俞大猷，剿盡舟山餘賊。

○（六月）敘胡宗憲擒獲海寇汪（王）直功，加太子太保。

初，蔣洲之再往入倭也，遍歷諸島，披誠勸諭，倭眾唯其言是從。又聞徐海誅，請貢益堅。洲以是年五月歸，稱與直同舟來，洲至而直未至，人疑其詐。巡按周斯盛請罷貢，罪洲。文華在工部，力言洲無他，而禮部會廷議，皆是按臣。乃命罷貢，治洲。洲既逮，陳諭倭始末，及言直以誠來，其未至，必舟阻耳。九月，直至，洎兵定海。初，同洲來，實以颶風損舟也。宗憲乃使人招直。直願見洲，洲方對理，疑觖望不遣。遣千戶夏正，質其舟。直素與正善，恃質，遂詣軍門請罪，具言其與洲戮力狀，乞得靖海中自効。宗憲慰籍（藉）之，使居閒館候命，陰束縛之。既有旨，直梟斬。直義子毛臣聞直死，殺夏正，率其徒叛入舟山。論誅直功，宗憲加宮輔，夏正廕子指揮，蔣洲僅釋罪出獄，竟窮死。

○（嘉靖三十七年）三月，倭寇福建，命浙江巡撫阮鶚往剿之，尋削籍。

鏡宗紀曰：「鶚先督學浙江，適倭遍會省，守臣閭門棄外之民，鶚率生徒啟武陵門納之，全活百萬，故超拜巡撫。時總督胡宗憲黨于世藩，建議撫賊，世藩庇之，而鶚力主剿，乃移鎮閩。閩創立巡撫，兵費稠亂，鶚遇賊于福寧，大戰于連江等處。至福清海口，皆募土著應敵，大破之。而世藩令御史朱儀望劾鶚久徵客兵豢養民間，驕恣淫縱，無復紀律，百姓被害，不可勝言，宜罷斥。章下兵部，世藩復嗾給事中劉佑劾之，乃臨陣逮歸京師。鶚立論不屈，且先有撤客兵蠲賦善後疏，上以鶚屢立奇功，前建剿議，允合睿斷，察其無罪，乃免歸田。然破倭之功，鶚力為多，宗憲攘其成而已。至今浙、福人思慕之。

○四月，漳倭大至，犯浙、福沿海郡邑，陷福清，執知縣葉宗文；劫庫獄，大肆殺擄；攻惠安，殺知縣林咸。

○五月，參將尹鳳等擊福清倭于海口，斬溺甚眾，福、興少寧。

○六月，浙西倭分掠樂清等縣，指揮劉茂，督兵致仕僉事王德等死之。

○十月，命唐順之視師浙、直，與宗憲協剿倭寇。

○（嘉靖三十八年）四月，倭寇攻破福安縣，往來沿海諸郡邑，而廣東流倭在詔安、漳浦者尤夥。南畿廟灣倭合眾來攻，淮安巡撫李遂，督參將曹克新禦之，賊敗溺死者甚眾。捷聞，廕子、陞賞，有差。

○先是，江北兵備劉景韶，以遊擊丘陞等擊原駐白蒲倭，一戰于丁堰，再戰于如臯（皐？）東，三戰于海安，皆捷，共斬首百餘級。及至賊大聚，謀犯揚州，景韶復督陞（陞）等擊敗之，斬首八十級，焚死一百七十人。賊奔入潘家庄，盡銳攻之，復斬首一百二十八級，倭賊喪氣。

○八月，征倭總督胡宗憲與都御史李遂，命劉顯率銳卒殲江北倭于劉家庄。初，江北軍士慮顯攘其成功，嘖有煩言，李都憲檄江北軍悉屬顯節制，遂得奏捷。

○福建巡按樊獻科言：「近歲軍興，募集武勇，四方不賴子弟，每以投兵報效爲名，所至騷擾。今廣、浙、閩俱有海警，宜以三省兵應募者，悉遣還原籍，收爲鄉兵，即以客兵糧餉養贍，不惟客兵免遠調之勞，而各地方且獲鄉兵之利，計無便于此者。」從之。

○先是，倭寇蘇州，城門閉，避倭者聚哭不得入。同知任環，按劍開門，全活萬數。前後擊敗斬俘甚眾。尋擢參政，矢志滅倭。以母喪歸，卒。至是，科臣徐師曾請贈光祿卿，廕子千戶，有司建祠祀之。

○（嘉靖三十九年二月）倭破永寧城，脅指揮王國瑞、鍾幯降之。又破寧德縣，殺參將王夢祺，知縣李堯卿。

按：是年福建倭患最烈，凡興、泉、漳三郡，城外皆為賊藪。倉廥懸罄，田野蒿萊，諸貧民無賴者，咸竄入賊中為謀導，甚且掠行人，發墳冢，量其家貲索贖，持牘往來，恬不為怪。諸將冒功飾敗，賊滿載歸者，指為逐遁，阻風旋者，指為遮擊。攻陷城寨，從容引去。兵備官以剋復為功，上下相蒙，遂成故事。先後巡撫王詢以避難引疾去，而劉燾之貪縱欺誕，給事中馬出圖等，連章論詆，猶得以風土不便調外，則繇賄嚴氏父子云。

○（三月）進胡宗憲尚書，督師剿寇，巡撫亦聽節制，總兵由掖門通謁，庭拜下風。

○（十月）刑科陸鳳儀劾胡宗憲十罪，命繫京即訊，削籍。

○十二月，倭陷興化府④，兵部請調南京都督劉顯率兵福建援之。

○（嘉靖四十二年四月）副總兵戚繼光督浙兵至福建，與總兵劉顯、俞大猷破倭賊于平海衛，海寇悉平。

是戰也，繼光前一日至，賊與顯及大猷對壘且久，頗懈弛，謂繼光遠來疲困，不為備。繼光即以是夜部勒諸士卒，雞鳴蓐食，晨壓賊壘急攻之。賊倉卒大亂，自相蹂踐，遂薙捕之無遺類，此為閩中戰功第一。

○九月，詔罷江南加派兵糧銀兩。

○（嘉靖四十四年）三月，副總兵郭成等擊倭于海中，沉其舟，斬首百餘級，倭患絕。

○九月，巡撫浙江劉畿言：「寧波沿海，港多兵少，防範爲難。市舶一開，島夷嘯聚，禍不可測。」遂寢市舶之議。

註：

①「守要」，守字與要字之間疑有脫漏。

②如據采九德，倭變事略、明實錄、明史及其他相關文獻的記載，蔣洲奉浙江總督胡宗憲之命東渡誘降王直僅有一次，並無再往之實。

③「千戶」，明史，日本傳作「指揮」。

倭陷興化府之顛末已見於本書頁二四一八，故不重錄。

皇明從信錄

明沈國元述，明啓禎間刊本

卷三

萬曆

○（萬曆二十年）五月，命將出師援朝鮮。西夏方兵，而倭大入朝鮮，數告急。朝鮮，即古高麗，與遼接壤，修貢謹。與（輿）地延袤六千里，三都、八道，饒庶，有華風。然承平久，懦不習戰。其王李昖，湎于酒，而倭酋關白平（豐臣）秀吉，起人奴篡立，以梟傑雄六十六州。善用兵。朝鮮釜山，去日本對馬島不遠，向有倭戶流寓，往來互市，通婚媾。因聞朝鮮弛備，于四月間分遣巨酋（小西）行長、（加藤）清正、（宗）義智，妖僧（景轍）玄蘇、宗逸等，擁舟師數百艘，猝陷慶尙道，逼釜山鎭。五月，潛渡臨津，掠開城，分陷豐德諸郡。朝鮮望風潰，王倉卒棄望（王）京，令次子琿攝國事；奔平壤。巳（已），復走義州，願內屬。倭遂渡大同江，繞出平壤西界。是時朝鮮八道幾盡沒，王子就俘。倭旦暮渡鴨綠，則螯且中于遼，請援之使，趾相錯也。廷議以朝鮮屬國，爲我藩籬，必爭之地。遣行人薛藩諭其王匡復，揚言天兵十萬巳（已）擐甲，方檄海外琉球、暹羅諸國擣倭穴，遼鎮先發游擊史儒等偏師防義州。巳（已），遣遼陽副總兵祖承訓統兵三千餘，渡鴨綠（江）援之。

○（七月）十六日，援師至安定，攻平壤。時霖雨，我師不諳地利，馬奔逸，不能止，爲倭擊盡殪，史儒死之，祖承訓僅以身免。報至，朝議震動。海上、登萊、天津、旅順、淮楊（揚），所在添募設防。

○命兵部尙書石星度越江事，倭且疲奔命，募能入倭關說者，于是游客沈惟敬請往宣諭，以數騎走倭營，刺情形歸報，石大惑之。

○以侍郎宋應昌爲經略，員外郎劉黃裳，主事袁黃爲贊畫。石星以沈惟敬可佐緩急，題假游擊，赴軍前請金行間。

○十二月，上憫東征將士寒苦，特發帑金十萬兩犒慰，且重懸賞格。先是，宋應昌抵山海關，士馬、芻糧徵調未集，而大將軍李如松甫平西夏，亦未至軍。因謬借惟敬縻倭西向，前所羽檄徵兵七萬餘，至者半，請置三軍，以副將李如柏將左，張世爵將右，而中軍則統于楊元，急趨遼陽。至是，李將軍始至軍，而惟敬歸自倭，稱行長願退平壤迤西，以大同江爲界。李將軍策倭多詐，天方寒，我師利速戰，遂置惟敬標營，于二十五日誓師渡江。

○逮楊應龍詣重慶對簿，繫論，法當斬，請以二萬金贖。御史張鶴鳴方駁問，會倭大入朝鮮，羽檄徵天下兵，應龍因愬辨，願自將五千兵報効。詔可，釋回播，啓行，尋報罷。巡撫四川都御史王繼光至，嚴提勘結，遂抗不復出。而張時□（徹？）等復詣奏闕下，巡撫王繼光，乃一意主剿。尋得旨，□□功妄殺。

○（萬曆二十一年）正月，平壤大捷。我師于初四日抵肅寧館，倭酋（小西）行長遣將吉兵、霸三郎、餘倭二十一人，同通事張大膳來安定，聲迎沈惟敬，窺虛實。李（如松）將軍檄遊擊李寧生縛之。倭猝起格鬭，止獲吉酋三輩。李將軍按寧申令，一軍股栗（慄）。六日，抵平壤。度地形，東南並臨江，西枕山陡立，而迤北牡丹臺高聳，最要。三倭列拒馬地砲以待。遣南兵試其鋒，佯退。是夜倭襲副將（李）如栢營，擊郤（却）之。李將軍因部勤諸將，諭無割級，攻圍止□東面，屬遊擊吳惟忠攻牡丹峰，陰取西南。以倭易麗兵，令祖承訓等僞效裝潛伏。八日黎明，皷行抵城下，倭砲矢如雨，軍稍郄（却）。李將軍手戮一人，我師氣齊，奮聲震天。倭方輕南面爲麗兵，承訓乃卸裝露明盔甲，倭急分兵拒堵。李將軍巳（已）督楊元等，從小西門先登；李如栢等，隨從大西門入，火藥並發，毒烟蔽空。方戰酣時，吳惟忠中鉛洞胸，血殷踵，猶奮呼督戰。而李將軍坐騎斃于砲，易馬馳，墜塹，鼻端出火。麾兵愈進，我師無不一當百。前隊貿首，後勁巳（已）踵，突舞于堞，倭遂氣奪宵遁，凡得級千二百八十五，殲酋宗逸、平（德川）秀忠①、平鎭信，餘死于火。及從東城跳溺無算，腥聞十里，真奇捷也。參將李寧、查大受等，率精兵三千，前伏江東僻路，復獲級三百六十二，生擒三倭，乘勝追襲。十九日，李如栢遂奪開城，得倭級百六十五。朝鮮郡縣如平安、黃海、京畿、江源四道並復，王歸平壤。惟咸鏡道爲倭酋（加藤）清正拒守，聞開城巳（已）破，則並奔王京。王京爲朝鮮都會，左江源，右黃海，南全羅東，慶尙、咸鏡、忠清爲之犄角，頗據有天險。而我師既連勝，有輕敵心。二十七日，去王京九十里，李將軍引梟騎三千，前往踏勘。至碧蹄館，猝遇倭，圍數重。李將軍督將士殊死戰，從巳至午，一金甲倭前搏，李將軍急，賴指□李有昇以死護，刃數倭，竟中鈎墜，爲倭支解。李如栢、李□等，乃益遮擁夾擊；李如梅箭中金甲倭墜馬。會楊元援兵砍重圍入，倭遂潰，而我精鋭亦多喪。天且雨，近王京，平地俱稻畦，冰解泥深，騎不得騁。倭背岳山，面漢水，連珠布營。城中廣樹飛樓，鳥銃自穴中出，應時斃，我師乃駐開城。（東征考）

○五月，時諜者言：「王京倭二十萬，且聲關白楊（揚）帆入犯。」經略急檄劉綎、陳璘，水、陸濟師。

○上益發帑金二十萬兩佐軍興，李將軍分留李寧、祖承訓等，以萬眾駐開城；命楊元等軍平壤，扼大同江，接餉道。李如栢等軍寶山諸處爲聲援；查大受等軍臨津；而身自東西調度。聞倭將平秀嘉據龍山倉，積粟可數十萬，密令查大受選死士從間道縱火，焚蕩殆盡，倭乏食。（東征考）

○東師議款。初，我師捷平壤，鋒鋭甚；轉戰開城，勢如破竹；全羅道麗兵亦報獲級，不復問款。及碧蹄敗衄，氣大索。久頓師絕域，海氣蒸濕，瘟疫盛作，急圖休息結局。于是惟敬款議始用，而倭芻糧並燼，眾生惡瘡。聞我師發虎蹲等砲，及戰車列江上，聲日長；其酋行長，亦懲平壤之敗，有歸志。惟敬舌端靡靡可聽，因得乘機張翕，而封貢之議自此起。經略既得請于朝，赦不窮追，且得倭報惟敬書，乃益令游擊周弘謨，仝惟敬往，諭倭獻王京，返王子，如約縱歸。倭果于四月十八日棄王京遁，李將軍與經略以翌日入。所餘米尙四萬餘包，蒭（芻）荳稱是。因以大兵臨漢江，尾倭後，計乘間擊惰歸。而倭步步爲營，用分番休迭法以退。別將劉綎帥兵五千，趍尙州鳥嶺。鳥嶺廣亙七十餘里，懸崖鑱削，中通一道如線，灌木叢雜，騎不得成列，倭尙拒險；而別將查大受、祖承訓等，繇間道踰槐山出鳥嶺後。倭大驚，前移釜山浦築居，屯種，爲久戍計。我師乃張疑兵，盼遣劉綎、祖承訓等，屯大丘（邱）忠州，檄調全羅水兵龜船，分布釜山海口。時倭巳（已）去王京漢江以南，千有餘里，朝鮮故土，奄然還定。兵科右給事中侯慶遠謂：「我與倭何讎？爲屬國勤數道之師，以力爭平壤，以權收王京，挈兩都授之，存亡興滅，義聲赫海外矣。全師而歸，所獲實多。」上乃諭朝鮮王還都王京，整師自守。我各鎭兵久疲海外，以次撤歸。經略疏稱：「釜山雖瀕南海，猶朝鮮境，有如倭覘我罷兵，突入再犯，朝鮮不支，前功且棄。考輿圖，朝鮮幅幀東西二千里，南北四千里，從正北長白山發脈，南跨全羅界，向西南止。日本對馬諸島，偏在東南，與釜山對，倭船止抵釜山鎭，不能越全羅至西海。蓋全羅地界，直吐正南迤西，與中朝對峙，而東保薊、遼，與日本隔絕，不通海道者，以有朝鮮也。關白之圖朝鮮，意實在中國，我救朝鮮，非鄉鄰鬪比。朝鮮固，則東保薊、遼並無虞，京師鞏于泰山矣。今日撥兵協守爲第一策，即議撤，宜少需時日，俟倭盡歸，量留防戍（戍）。」

部覆：「南兵暫留分布朝鮮，量簡精兵三千善後，餘盡撤，如前議。」征東考

○六月，沈惟敬歸自釜山，同倭酋小西飛彈守（小西飛驒守，即內藤忠俊）來請款。而倭隨犯咸安、晉州，逼全羅，聲復漢江以南，以王京漢江爲界。李將軍計全羅饒沃，南原府尤其咽喉，乃命李平胡、查大受扼南原，祖承訓、李寧移南陽，劉綎移陝川。巳（已），倭果分犯，我師並有斬獲。兵科都給事中張輔之謂：「倭聚釜山，原徉（佯）退，誘中朝撤兵，圖漸逞，無故請貢，非人情。今猝犯晉州，情形悉露，宜節制征剿。」遼鎮都御史趙耀亦報：「款貢不可輕許。」會七月十九日，倭從釜山移西生浦，送回王子、陪臣，而我師久暴露，一聞撤，勢難久羈。經略乃請留戍全羅、慶尙云：「全、慶二道，在該國極南，慶讓（尙？）稍東，全羅稍西，朝鮮稱曰：『二南』，此必繇之路，爲該國門戶，以眎王京，平壤則堂奧也。兩道守，則朝鮮安，而東保薊、遼舉安，釜山遙接對馬，倭可乘舟復犯，亦宜區處。議留劉綎川兵五千，吳惟忠、駱尙志南兵二千六百，合薊、遼共萬六千人，聽劉綎分布。慶尙之大丘（邱）、慶州，全羅之南原、雲峰諸路，仍咨國王募武健，赴綎訓練。全羅諸道產鐵，宜教演火砲，併及時築壘，濬溝扼險。其世子光海君琿，頗英發，諭令居全、慶間督師。劉綎特加禦倭總兵銜，吳惟忠等並聽調度。各兵計餉，月五萬金。朝鮮瘡痍未復，得量給衣鞋費。更請小西飛乞貢，緩期數月，延至春汛後。留戍巳（已）定，規進止。而本兵謂留兵萬六千，復轉餉非策，劉綎巳（已）備倭副總兵，量加府銜，即部川兵五千，倡該國訓練，各餉稍節縮，責以供辦。或慮行長尙未歸

巢，量益吳惟忠等南北各兵，待行長歸，議撤。遼鎮簡卒三千，統以游擊二員，于鳳凰城、湯站等處防守，聽劉綎調取應援便。」是時石司馬一意主款，議撤兵省餉，而經略以師老無成功，亦願借倭退弛擔，因謬依違其間。然策倭多詐，每陳兵難盡撤狀，陰事款而諱言款局，奏揭前後異同，終無堅決。征東考

○（八月）我師竟渡江歸各鎮，巳（已）得上諭、本兵旨，許封不許貢，經略乃遣沈惟敬復入倭營，促謝表，急圖完局。及部再議，併撤吳惟忠等兵，止留劉綎，益掣肘，遂與李如松並取回，以總督侍郎顧養謙代矣。征東考

○（萬曆二十二年）四月，閣臣王錫爵以病乞歸，疏五上。帝以狡倭未妥，東虜跳梁，遣官宣諭慰留。復謝疏，其略曰：「皇上之所以留臣，爲國事也，臣病中之一息不忘者，亦此國事也。目前國事，莫急于倭、虜，而臣與同官平日計議，亦自有定着。倭非我叛臣，若真心向化，決無絕理，又非我孝子，若分外要求，決無許理。羈縻駕馭，即此兩端而決。若其他盈廷之議，勇至欲歲糜百萬之財，而怯不敢通一介之使，則非臣之所解。至東虜跳梁，雖起于乘虛伺隙，而其實皆繇將不得人，兵不識將。有功者或以浮枉掛議，有罪者或以蒙蔽逭誅，故闒茸之極，馴至于此。若飭其弊而亟反之，可保無肩背之慮。此處倭、虜之大綱，即留臣經年，所守只此數語。至于羽書之絡繹，夷情之細委，必精明強幹者始能審詳，而臣巳（已）足不可移，目無所見，皇上復何所賴于臣哉。」

○（五月）閣臣王錫爵獻忠疏曰：「……一、今天下爭談兵矣，以臣愚見，遼東之患，不必在倭而在虜。倭之患，不必在北而在南。馭之之策，不在款與戰而在備。備之之策，不在添兵而在練兵。年來非不屢經申飭，而將吏未見有着實奉行者。乞行該部立一勤惰賞罰之格，以必行必速爲主。而沿邊沿海地方雖有司官，亦當擇練事知兵者任之，有不效者，作速議更，不可姑息。」

○（八月），議日本封貢。時顧養謙代于寧遠，宋應昌猶刺刺大兵不可輒，總督乃傳檄各兵止火器于朝鮮，而南北將領吳惟忠等，巳（已）先時西還，前請款倭將小西飛（驒守）留廣寧叩謁，爲言請封。及抵遼陽，微聞關酋表文且至，始主遵旨撤兵，止草諭文，縱所俘倭吉兵歸諭行長，并遣游擊周弘謨往，疏得倭情甚悉。上嘉養謙力主撤兵，多膽略。巳（已），石司馬星因朝鮮餉不給，并議撤劉綎兵，而總督疏請封、貢並許云。沈惟敬初入倭，即言封貢，倭以是退王京，還王子，屏跡胥命，後因中朝無意許貢，遷就以報本兵。在我不宜中變，示倭無信，即經略應昌，嘗有終始講貢之說，貢道宜定寧波，關白宜封爲日本王。請擇才力武臣爲使，以惟敬從。諭行長部倭盡歸，與封貢如約。上命九卿科道會議。先是，惟敬歸自倭營，即有和親之說，詭云：「和好親密。」儀制郎中何喬遠等，忿請罷封。至是，給事中林材參督臣朋欺；御史唐一鵬參李如松開封釁；而遼鎮都御史韓取善疏倭情未定，請封、貢並絕。石司馬亦張皇，恐關白不能就羈縻。會九月朝鮮疏請許貢保國，上始切責群臣阻撓封貢，本兵不能主持。追褫御史郭實等，詔小西飛（驒守）入朝決計。時改總督侍郎孫鑛新受事，差伴抵京。石司馬優遇如王公，小西飛（驛守）等殊揚揚，過關不下。既集多官面譯，要以三事：一、勒倭盡歸巢。一、既封不與貢。一、誓毋犯朝鮮。並無異意以聞。上復諭于左闕詳定，語加周複。大略主請封如石司馬旨，時甲午十二月二十日也。上乃定封議，命臨淮勳裔李宗城充正使，副以都指揮楊方亨，同沈惟敬往。以上出征東考

註：

①「殲…平秀忠」，此平秀忠應是指德川秀忠而言，秀忠為江戶幕府第二任將軍，故他於朝鮮，云云，與事實有出入。

卷五

○萬曆二十三年正月，議日本封事。時禮部議日本原有王，未諗存亡；關白或另擬二字，或即以所居島封之；（小西）行長以下，量授指揮銜，賞賚有差。上竟准日本王號，給金印。行長授都督僉事，巳（已），總督傳諭行長，語枝梧。且日本王見住山城，有文祿三年曆可證。與小西飛（驛守）稱國王爲（織田）信長所弒互異，乃與遼鎭都御史李化龍疏六可疑五可慮。謂：倭不識漢字，恐中間兩相欺紿，請從禮部量封秀吉順化王，罷遣沈惟敬，增募水兵。而（加藤）清正素不服關白，與行長不相能，可用魯連諭燕將計。時封使巳（已）發，竟不從。偵倭坐營，陳雲鴻報熊川島倭船三十六號，業起行歸巢，石司馬遂信，封事必可成矣。出征東考

○萬曆二十四年正月，先是封貢之使，久稽觀望，訛傳不一。至是，方抵釜山。而沈惟敬又詭云演禮，同行長先渡海，私奉秀吉蟒玉、翌善冠，及地圖、武經。又驅壯馬三百，南戈崖（名護屋，Nagoya）騎從陰獻秀吉，娶阿里馬（有馬，Arima） 女與倭合。宗城故紈袴子，詠親從言倭叵測。四月三日，乘夜易服，棄印勅遁。遼撫鎮馳奏，併報惟敬就縛。上逮問宗城，議戰守。會副使楊方亨受惟敬誡，揭倭情無變，改命科臣往。廷臣交章請罷封。上責規避抗違，下御史曹學程于理，竟以方亨充使，加惟敬神機營銜爲副。惟敬因得舞智揣摩，巧完封局，弄司馬股掌矣。（征東考出）

奏為天道反常人心離異懇乞聖明熟思審處并急罷欺罔誤國大臣以收人心以培養國脈事

工部郎中 岳元聲

臣嘗觀於國家禍亂之作，患在下有至危極亂之象，而上不聞。如使至危極亂之象，輒聞而輒圖之，何至遺宗廟社稷之憂。今有至危極亂之象於此，而陛下晏處深宮，尙不覺悟，其大臣又且泄泄自利，欺罔誤國，抱薪救火，火乃愈熾。然臣所謂至危極亂之象者何也？臣觀天人之際，若影響然。年來見祖陵水灾，巳（已）切根本隱憂，而頃者乾清、坤寧盡灾，震驚兩宮聖母，且延綏之間，所報火光災異，赤地千里，夜半未息，自古未有不召而自至之災，亦未有已出而無應之變，轉移災祥，間不容髮，天心如此，其譴告也。而陛下何可以勿思里巷傳言，更多妖孽，不曰來日大難，則曰禍且不測，但救焚拯溺之意少，而幸災樂禍之說多。臣謂此輩陛下平日又非刑驅勢迫，搖搖之議，故安從生，則以陛下平日宦官宮妾，寡恩少賚，又多行不測之威，斃于鞭朴，其死者之父兄子弟，並有卿心。聚蚊成雷，勢所必至。椎埋屠狗之夫，心非腹議，皆有輕朝廷之心。人心如此其鼎沸也，而陛下何可以勿思在廷之臣，則人各有心，孰非愛樂國家億萬年無疆之業，乃今日連章累牘，所在憂惶，言官言，司屬之臣言，即有懷忠未吐者，亦無不人人私憂過計，有顛越之憂。使天下而果太平無事，廷臣必不忍出此不祥之語以瀆瀆聖聽，以自甘于狂病悖逆之徒。廷議如此其發憤也，而陛下何可以勿思？假使民怨不作，外患不侵，則亦何足為陛下憂？乃倭、虜窺伺，待隙而動，既已有年，仍恐今日之災，宣傳道路，犬羊聞之，愈堅叛謀。長昂方要賞于薊北塞無全鎮，關白且屯兵于釜山，每辱中夏。萬一亡命之徒，如沈惟敬自知必無所逃，或竄入倭虜，明與嚮導，卒然禍逼神京，陛下其何以應？陛下不聞正統年間奉天殿災，是年秋月，虜也先入寇，社稷幾危；世宗肅皇帝方安坐西齋宮，而騎虜長驅，忽巳（已）薄城下？臣固竊謂陛下今日有兵連禍結之憂，而何可以勿思？今天下民力竭矣，水旱災荒之眾，疾痛哀苦，呼號于陛下，議蠲議賑，旦暮懸望。民間脂膏既窮，倉庫積貯又竭，乾清宮、坤寧宮，修造不貲之費，大小臣工，動以物力為憂。有如今日陛下不時傳奉，興作大起，累數千金，而始得一柱，累數百金，而始得一石，竭天下之力，竣土木之觀。臣恐官方弊于奔命，且無死所；百姓無所措手足，有相率叛去耳。陛下不聞永樂十九年奉天三殿灾，其時物力猶盛，祖宗祗畏天刑，猶不遽營造，遲之數年，正統間方議修復，以恤民窮而回天意，陛下能一倣而行之乎？不然者，就出藉沒爐熄之金，發爲興作料價之資，以休養百姓，收拾人心，計無踰此。臣固竊謂陛下今日有瘠民歛怨之憂，而何可以勿思，假使政府輔理得人，本兵擔當有寄，則亦何足爲陛下憂。元撫趙志皐首膺燮理陰陽之任，乃陛下罪巳（己）之諭方下，而志皐門庭壽期耋之慶者如市。皐獨何心，欣然受之？意豈不曰：人壽幾何，我老不及見，國家多難，眼前修省局面，付之條陳，一紙而足也。而子孫娛老之計，獨當多得金錢，奈何可急解去。然則元輔自謀身家不暇，奚暇爲陛下謀社稷乎。至于近日論辨封事一疏，盲瞽于本兵之迷惑，推托于陛下之獨斷，不謂志皐敢于欺誤國事，一至于此。臣竊謂陛下今日宰輔有欺罔誤國之憂，而何可以勿思？本兵石星，人人知其廷臣第一奸佞，盤據巳（已）非朝夕。獨剛愎于東倭封事，自陳一力擔當，以故在廷諸臣明知而明欺，以聽其僥倖于萬一。今事情至此，敗露巳（已）極，一如索朝鮮陪臣，是倭奴敢行稱亂，臣妾朝鮮，再索朝鮮地圖，是倭奴敢行稱亂，割地朝鮮。行長方起蓋樓房，何以欺誑陛下曰柵營盡毀；清正方屯田佈種，何以欺誑陛下曰一倭不留？且據惟敬所報三班倭奴渡海名次，何時揚帆風汛，倭奴大小船三百隻，何年又向日本而南，石星事倭奴以幣皮，則中國段（緞）疋，筐箱絡繹鴨綠之江而不絕。石星事倭奴以犬馬，則中國戰馬，挑選至三百匹，惟敬同舟而齎之以獻。正使李宗城，近日奏報消息，惟敬一字不相聞。皇皇天使，與鬼爲鄰。他如和親結好，惟敬諸媟褻中國之語，有不忍聞之皇上者，辱國損威，真可痛哭。且日本歲君，關白既廢之後，巳（已）立其子，稱爲文祿三年，強欲奪其名號而與之關白，是石星代關白爲莽操也。朝鮮方恪守君臣禮，強欲索陪臣以奉關白，是石星代朝鮮爲伯嚭也。石星自謂用沈惟敬密謀設計以媚倭奴，竟不謂倭奴用沈惟敬通中國虛實消息，而石星猶自支吾轉換欺誑聖明，兼以裝成圈套，籠絡志皐，志皐墮其術中，並起而彌縫其說。嗟嗟，石星何其忍于毒國一至于此。惟是平生內倚霍文炳以爲心，外托沈惟敬以爲命，而奉奄寺張成之令，若其父兄而不敢違耳。即今里巷民謠，布滿人耳曰：「天上有火星，地下有石星。除了石星，斷了禍根。」庸夫販語，誠爲的論。仍恐石星不罷，彌縫之計不破，必至大壞。極弊萬分，無一可爲。石星惟有首鼠逃竄，而國家受石星之禍，有千百于今日，甑巳（已）破矣，何嗟之及矣。臣竊謂陛下今日本兵有欺罔誤國家之憂，而何可以勿思，大臣既召災禍，小臣又托空言，倭、虜詐玩如彼，天心警戒如此，舉至危極亂之象，畢聚今日而陛下所轉危而安，反亂爲治者，惟在陛下思祖宗櫛風沐雨之天下，不忍令中外窺伺，必毅然臨朝勤政，當機果斷，與天下更始之一念。陛下勿謂何傷，其禍將長；勿謂無害，其禍將大。書曰：「天難諶命不易，敬之敬之，天惟顯思。」陛下一念而不思，或貽社稷之憂，陛下一日不思，或以至千百年之思。左右人心未安，則陛下無務鞭朴以離眾心；輦轂人心未安，則陛下無務株連以驚眾心，陛下思宗廟社稷，肯貽天下以不安哉？臣心可剖，臣言非欺，臣無任激切戰慄待命之至。

○時倭報危急，本兵惑于惟敬所紿，爲一切彌縫計，于是元聲再上疏曰：

臣聞勢之急者不能安言，心之痛者不能綏聲。今國勢急矣，臣心痛矣，從來社稷不測之禍，存亡之變，耳不及聰，目不及瞬，左手得之，右手失之，大命傾危，懸於呼吸。今日關白領兵，親到南柯崖（名護屋）來，拘留冊使李宗城。宗城逃死，沈惟敬生，則倭奴奸細，死則辱國亡鬼，惟敬死則死耳，夫復何論。惟是朝鮮危，則遼左危，遼左危，則京師危，社稷有萬分危急於此，而陛下晏處深宮，尙不覺悟，乃竟以國與本兵嘗試，聽石星賣國。文奸不一，決戰守機宜，是沈惟敬愚石星，石星愚陛下。陛下以石星自愚，以危社稷。倭奴旦晚薄城下，拱手而揖與祖宗之天下，此時即有百賈生痛哭流涕，陛下惻然改政，何益於社稷九牛之一毛，臣故不暇爲石星哀而爲陛下危，爲祖宗社稷危。宗廟社稷之安危，全在陛下急出臨朝，親勅廷議，嚴決戰守，振揚神武之一舉。蓋該部不以此時悔罪改圖，猶然馬上差人偵探的確，而科臣徐成楚，既爲本兵作說客，寬切責，而請給以希卸肩，自非陛下大奮乾斷，何以定此大計？前事巳（已）誤，今日豈容再誤；今日巳（已）悔，後日豈容再悔？臣憤痛塡胸，急切不能盡吐，冀便宸覽省動，故不敢以長言進。伏維聖明速賜留意。

○水部論東事疏凡兩上，不報，于是復痛陳社稷第一危機。

懇乞聖斷急削奸臣以圖太平事

臣嘗觀于自古宗廟社稷之奠安，完全賴於聖主當幾之一怒，而敵國外患之侮亂，禍起於奸臣臨陣而議和，如吳之伯嚭，宋之秦檜，真爲千古之炯鑒。豈料我朝二百年來，復有賣國奸臣，昏迷不變。如石星其人者，陛下何不赫然震怒，乃尚可與此人共謀宗廟社稷安危耶？臣不痛哭流涕爲陛下言，臣不病狂且焦死與石星等耳。石星擔當關白封事，專一欺罔，壅蔽聖聰，貽禍社稷，臣故不忍陛下聰明聖智，甘爲賣國奸臣所終誤，而輕易其宗廟社稷之慮，故敢略述其欺罔顛末。如關白初亂，禍逼朝鮮，征兵，請餉，百無一濟，辱國損威，禍有萬端。初遣祖承訓，全軍覆沒，一辱也。再遣李如松，碧蹄師潰，二辱也。三壞於宋應昌，密謀受和，三辱也。石星遺國之大羞也，陛下何不赫然震怒，乃尚可與此人共謀宗廟社稷安危耶？惟是三辱，不羞，遂生四恥：小西飛（小西飛驛守）過關不下，恥一。石星卑詞厚贈，恥二。沈維敬主盟赴約，恥三。李宗城寅夜逃死，恥四。此四恥也，又石星遺中國之大羞也，陛下何不赫然震怒，乃尚可與此人共謀宗廟社稷安危耶？豈惟四恥，兼有五恨：石星用腹心劉肖海搆（購）買蟒衣、金幣賫送關白者無算，市賈通行，一可恨。亡命沈惟敬，挑選戰馬三百餘疋賫送關白，渡海不返，二可恨。用密謀，楊方亨挽寫軍情，至與撫按揭報，互有異同，欺蔽顯然，三可恨。撤劉鋌①甲兵，自決我軍節制，四可恨。諸龍光死，南兵殺王保且復用，五可恨。此五可恨也，石星遺中國之大羞也，陛下何不赫然震怒，乃尚可與此人共謀宗廟社稷安危耶？惟是五恨不戒，且有五難。五難者何？即近日李宗城所揭報要求七事，臣聞其五，未聞其二者也。彼倭奴且以金幣要我，我必不能飽犬羊無厭之欲，一難；彼倭奴且以割地朝鮮要我，我不救援，而棄以與狄，唇亡齒寒之憂，我必不能免，二難；彼倭奴且以貢要我，我必不許，彼將借不許貢爲兵端，三難；彼倭奴且以市要我，我必不許，彼將借不許市爲兵端，四難；彼倭奴且以和親要我，我必不許，彼將借不許和爲兵端，五難。此五難也，又石星貽中國之大羞也，陛下又何不赫然震怒，乃尙可與此人共謀宗廟社稷安危耶？惟是五難不備，必有五危，有如倭奴長驅朝鮮。朝鮮自度不支，旦暮稱降，則藩籬危；有如倭奴逞兵鴨綠，窺伺遼左，攻我無備，則屛翰危；有如倭奴席捲直沽，飄泊天津，震動畿輔，則肘腋危；有如倭奴東寇登萊，阨塞要害，伺我糧道，則咽喉危；有如倭奴烏舉城下，所向蠻毒，束手失策，則社稷危；此五危也，即誅戮石星，悔且無及矣，陛下何不赫然震怒，乃尙可與此人共謀宗廟社稷安危耶？長安傳聞，更多駭異，謂關白用通事閩人妻國安，攜金二萬，真珠二囊，珊瑚十七株，賫送石星。石星亦以金幣厚相酬餽。而沈惟敬則併大明一統志賫送關白。且惟敬誘帶長安歌童、舞女數十輩隨行，用媚關白。搖搖之議，布滿長安，豈絕無影嚮（響）？祖宗朝有通倭奸臣胡惟庸，陛下朝有通倭奸臣石星，祖訓凜然，殷鑒不遠。即今舉朝臣工，大小痛恨，靡不欲斷石星之首，懸惟敬之頭。而星方朝進一言以請封，乞遣言官，及奉有明旨矣，又暮進一言以請封，又乞免遣言官，藐朝廷若兒戲，玩臺省於掌股，乃知石星本意原不欲科臣往勘，識彼倭奴變亂虛實，惟恐言官以真實情形報陛下，乃敢爲反覆播弄之詞，明知而明欺，陛下之不察石星奸而愚甚矣。陛下著九卿科道會議戰守，明旨亦公然欺罔，敢於停閣支吾轉換僥倖，爭旦夕之命，貽社稷不拔之憂。堂堂天朝，豈遂乏猛將、謀臣，爲陛下効死力，制關白生命？闕下乃遲疑奄奄腐鼠之石星也。然則石星者，雷霆之所必擊，鬼神之所必祟，義士之所共逐，聖主之所不臣也，陛下又何不赫然震怒，尙可與此人共謀宗廟社稷安危耶？今日之計，惟有哀乞陛下痛念社稷，赫然震怒，亟削奸臣，早罷封事，急議戰守。其戰守機宜，紙上既屬空談，目前又無以應敵，陛下宜即出嚴旨，急調劉綎健卒數千，疾赴遼左，屯兵鴨綠，仍宜遣風力臺省一員，如梅國楨監軍寧夏事例，以防欺蔽，相機進止，觀變動靜，如倭奴入犯朝鮮，則劉綎當提應敵之兵略，併力遼陽，首尾聲援，方爲有制，豈可因祖承訓浪戰，遂爲鑒戒。如倭奴未離巢穴，則劉綎當興問罪之師。號召朝鮮，聲罪致討，原非無名，又豈可止諉罪於紈袴之一李宗城，含垢忍辱而略不知報也。而又急補蕭如薰，安置畿輔，以備緩急。至於近日督撫孫鑛議調南兵數千，仍恐積怨之衆未必效死，而殺軍故將，豈復能將將？則王保者尤宜早爲更置，以防意外倒戈不測之虞。且恐南兵解體，誰復應陛下募出百死一生之力，以掃此猖獗之寇，使倭奴不敢窺遼陽左足乎。臣焦心勞思，莫知所措，痛哭流涕，哀告陛下。一字悟主，何煩多詞。三疏不行，惟有泣血。萬一陛下再不急行臣言，乞勅下九卿科道一併會議，仍乞勅九卿科道，因何停閣明旨，至今不行會議。臣忠憤迫切，毫無嫌厭顧忌，隻語若欺，自甘誅戮？臣無任激切戰慄之至。

疏入，尋奉旨落職歸。

東封之局，本兵欲僥倖于急就，公論大譁。曹侍御業下詔獄，水部以三疏相繼迫持之，司馬遂以小臣阻壞封事之說激聖怒，欲重創以止譁，人人為水部危。旋奉寛旨，與比部朱大復同奪職歸。水部初為國子監丞，疏停選擇宮侍。及在起部，疏停三王並封；疏糾揆席，疏救銓典，諫章纍纍而卓絕古今，照耀簡冊，則尤在乎止並封。□駁東事兩大切要處，一則誼關宗社，一則念切封疆，侃侃正色，凜凜危言，一時嚴君，齋其威權，臣降其志，非水部忠可回天。誠能格物，何以全身名而遠禍害也哉。卒之，朝家陰用其言，後皆一一符驗，至今嘉賴之。萬曆疏鈔忌者不錄其名，水部雖雅負焚草之志，而公道在人，蓬素之士，固有能道其詳而傳其事者，三代之遺，其在茲歟?

○（萬曆二十五年）二月，復議東征。時封事巳（已）壞，而楊方亨詭報去年六月十五從釜山渡海，九月二日于大版（阪）受封，即以四日回和泉州。然倭責朝鮮三子不往謝，留釜山如故，謝表後時不發，方亨徒手歸。至是沈惟敬始投表文，案驗潦草。前折用豐臣圖書，不奉正朔，無人臣禮。而寬奠副總兵馬棟報（加藤）清正業擁二百艘，屯機張營，方亨始直吐顛末，委罪惟敬，并本兵前後手書進御覽。而惟敬辱國，及本兵彌縫罪狀，奉旨勘如律。于是以總督尙書邢玠經略，麻貴從延綏改備倭爲大將軍而經理朝鮮。特勅僉都御史楊鎬，天津亦開府申警備。初，惟敬本一無賴，石司馬誤中其游說，借款息兵，意雖爲國，而堅于持議，遂讎通國之言，藉口省餉，盡撤戍兵，欲倚小人成功，難矣。封使久羈，亦稍稍疑，數遣心腹偵探，復飾詞迷愎，自甘欺罔，至欲媚上以珍珠鵝䍼，防東廠官校漏言，此真老而天奪其魄。惟敬小人，何所不至，令早如遼，督撫言罷遣，而劉綎、吳惟忠等防戍不盡撤，亦何至譸張潰裂也。大臣謀國，惟公與虛，難矣哉。蓋前後凡七年而邢司馬奏殲倭海上。出征東考

○五月九日，麻將軍貴抵遼陽。十八日，望鴨綠東發，所統兵止萬七千人，請濟師。經略疏請募兵川、浙，并調薊、遼、宣、大、山、陝兵。朝鮮閑山水兵一枝稍勁，請益調福建、吳淞水兵。而劉綎督川、漢兵六千七百聽防剿，與麻貴各建牙。麻將軍密報：「候宣、大兵至，乘倭未備，先取釜山。」經略謂：「一取釜山，則（小西）行長擒，（加藤）清正走，此奇著快人，而勢未可乘。」初，擬楊元、吳惟忠分屯全羅之南原，慶尙之大丘（邱）、慶州，大將軍駐王京居中調度，而南原城圮盡，樵芻不繼。慶尙一道，半爲賊據，孤軍難入。乃檄楊元趲餉，整理南原；吳惟忠扼忠州。七月，麻將軍至碧蹄，計至王京去釜山千四百里，而南原、忠州並相去數百里，勢難趨搗。且行長營釜山，清正營西生浦，如破釜山，陸路必由梁山。梁山西北有峻嶺，止容雙馬，路險絕。南有三浪大江，直通金海、竹島二處，皆咽喉地，倭並伏勁兵。水路必由巨濟、加德、安骨三處，亦咽喉。加德、安骨有倭船鱗次，巨濟尙無屯兵，此應先據。恐一過梁山三浪江，倭水陸各一枝，在梁山東西扼險，吾後無應援。再益以機張等兵自東來，益不可當。如破清正，陸路自西而東，則由東萊、機張，自北而南，則由慶州、蔚山。此路東南大海，

西北山嶺稻田，止可用步兵。水路必自東而西，由長鬐、甘浦、開雲，長鬐水兵極單弱，倭所依者水，而水戰不利。正兵須東西各水兵一枝，牽其回顧，陸兵方可衝突。仍一軍屯全南原捍全羅，一軍屯大丘（邱）扼慶尙，一軍屯全慶中如晉忠宜寧爲中堅，然後分向釜山、機張兩陸路水兵東西四面齊發，此正著，而兵糧不齊，難輕動。」疏聞，上諭與經理圖進止。大學士張位等請于開城、平壤開府屯田，西接鴨綠、旅順之師，東爲王京、鳥嶺之援，因山鼓鑄以資軍興。又言：「招南兵不若求南將，傳示朝鮮。」其王虞中朝吞併，乃疏稱朝鮮舊有三都，漢城、開城、平壤也。今並殘破，所居漢城亦荆棘未除。小邦形勢，全、慶二道爲重，慶尙門戶，全羅府藏也，無慶尙則無全羅，無全羅則雖有他道，終無所資以爲根本，斯乃倭所必爭，我所必守。倭若據全羅，則遠之西海一帶，近之珍島、濟州，皆爲窟穴，縱橫無所不通，便風一二日抵鴨綠，即開城、平壤，不足爲固。往在壬辰，倭陸抵平壤，又從水犯全羅，□出西海，幸舟師扼于閑山島。今倭據慶尙左右道，而釜山西生浦爲其巢穴。對馬、釜山間海釜數百里爲其糧道，得于慶尙要害設險，屯積兵餉，時以輕兵相機攻剿，從陸地以蹙其勢，而又以利艦銳卒出沒海上，邀截其後，庶幾有濟。若屯田則地土磽峭，終不如南方。」議遂寢。

〇六月，倭數十艘先後渡海，分泊釜山、加德、安骨等窟，放九如雨殲朝鮮郡守安弘國，巳（已）復往來竹島，漸逼梁山、熊川。初，沈惟敬率營兵二百人出入釜山、宜寧與倭合，揆事不諧，便舉足入倭。經略向切齒，謬爲慰借（藉）。惟敬漸移南原，去釜山七百里，經略即以屬楊元，先假更換，撤其營兵。後惟敬聞上罪石司馬，而倭酋平（柳川）調信益兵進犯，乃爲起宜寧會行長之說，暗欲走倭。調信果以倭五百來迎。楊元聞，即襲執之，惟敬執而倭嚮導始絕。倭巳（已）奪梁山，占三浪，則遂入慶州，侵閑山。

○七月十五夜襲茶川島，統制使元均風靡，遂棄閑山要害。倭駐巨濟。閑山島在朝鮮西海水口，右障南原，爲全羅外藩，一失守，則沿海無備，天津、登萊皆可揚帆。而我水兵止浙三千，甫抵旅順。經略檄且哨且行，赴閑山協守。閑山破，則守王京以西之漢江、大同江扼倭西下，兼防運道。

○八月十二日，倭圍南原，守將楊元，本債帥，無固志。十六夜，倭猝乘城，元驚起帳中，跣足遁。時全州有陳愚衷，忠州有吳惟忠，各扼險，而全州去南原百餘里，勢相犄角。愚衷初至州，無斗糧。及勘十里外山寨中，多貯米、荳、弓、矢，蓋朝鮮苦我兵甚于倭，不欲在州，遠貯山谷者，恐倭至，反爲寇助也。南原告急，愚衷懦不發兵，聞巳（已）破，而州民爭竄，棄城去。麻將軍急遣游擊牛伯英赴援，與愚衷合兵屯公州，倭遂犯全羅，逼王京。王京爲朝鮮八道之中，東隘爲鳥嶺、忠州，西隘爲南原、全州，道相通，自一城失，東西皆倭。我兵單弱，因退守王京，依險漢江。麻將軍日夜造筏通我師，防倭暗襲，而發兵守稷山。朝鮮亦調都體察使李元翼，由鳥嶺出鍾清道遮賊鋒。經理身赴王京，躍馬諭以死守，人心始定。出征東考

○九月，副將解生、游擊牛伯英、頗貴，于稷山水源設伏，各有斬獲。參將彭友德等，亦報追倭

至青山，獲級百十六，軍聲益振。經略乃移郎中董漢儒屯義州，海防使蕭應宫屯平壤。又聲言調南北水陸兵七十萬，旦暮至。福、廣、浙、直水兵直搗日本，倭聞風，遂不敢進。行長奔井邑，離王京六百里；清正踰竹嶺，奔慶尙，離王京亦四百里。

○十一月，經略渡鴨綠，二十九日抵王京，共議進勦。而所調宣、大、延、浙諸勝兵並集，乃分三協：左李如梅，右李芳春、解生，中高策，並以副總兵分將，時監軍爲御史陳效。

○上復賜經略尙方劍，重事權。經略□令麻將軍同經理諭左右協，自忠州鳥嶺向東安趨慶□，專攻清正。恐行長自西來援，令中協兵馬近宜城，東援□協，西扼全羅援倭。又于三協中摘馬兵千五百，同朝鮮各營，由天安、全州、南原而下，大張旗鼓，詐攻順天等處，以□行長。我師陸路粗備，獨水兵屢檄不至。既大聚兵，經略與麻將軍于十二月二十日會慶州。探倭屯蔚山，蔚山之南島山，並不甚高，而城皆依山險，中一江通釜寨，其陸路西由彥陽通釜山。麻將軍專攻蔚山，恐釜倭由彥陽來援，令中協高策、吳維忠等扼梁山，左協董正誼等，赴南原張疑。又遣右協盧繼忠兵二千屯西江口，防水路援。于二十三日從蔚山進攻，游擊擺賽以輕騎誘倭入伏，獲級四百餘，倭盡奔島山，于前連築三寨。翼日，游擊茅國器，統浙兵先登，連破之，獲級六百六十一，倭堅壁不復出。島山眡蔚高，石城新築，堅甚。我師仰攻，多損傷。諸將白倭艱水道，餉難繼，第圍守之，清正可不戰縛也。經理以爲然，分兵圍十日夜，倭至嚙紙充饑。飯先用礮者。倭從隙用礮，發命中，彈皆碎鐵爲之，中多疊雙。瞰我師稍怠，佯約降緩攻。而行長來援，行長亦慮我襲釜營。上選銳倭三千，虛張幟蔽江上。頃之，經理聞報，即倉皇撤兵。倭襲兩協，棄輜重無算。經略乃移各兵回王京，圖再舉。而贊畫主事丁應泰，疏劾經理楊鎬喪師黨欺。上罷鎬，命兵科左給事中徐觀瀾往勘，併勒大學士張位閑住，以位密揭薦鎬，奪情破倭，今乃朋欺僨事故也。出征東考

○萬曆二十六年正月，東征經略以前役缺水兵無功，乃益募江南水兵，講海運，爲持久計。

○二月，別將陳璘以廣兵，劉綎以川兵，鄧子龍以浙直兵，先後至，而天津巡撫都御史萬世德代楊鎬。或語經略，朝鮮地里隔越，山水險阻，兵聚一處，難以成功，不若因地分任，人自爲戰守。經略然其謀，分三協，爲水陸四路，路置大將：中路李如梅，東路麻貴，西路劉綎，水路陳璘，各守信地，相機行剿。時倭盤據朝鮮七年，沿海千餘里，亦分三窟：東路則清正據蔚山，自去冬攻圍益增築，西生機張，在在屯兵，而恃釜山爲根本。西路則行長據粟林曳橋，建堅砦數重，憑順天城與南海營相望，負山襟水，最據扼塞。中路則石曼子據泗川，北恃晉江，南通大海，爲東西聲援。薩摩州兵剽悍稱勁敵，而行長水師，番休濟餉，往來如駛，尤倭繫重。經略懲島山之失，特于三路外置水兵一路，約日並進。而中路李如梅，尋調遼帥，以董一元代。出征東考

○九月二十日，分道進兵。劉綎逼行長營，挑戰奪倭橋，斬級九十二，驅入大城。陳璘舟師協堵，擊燬倭船百餘。麻貴抵蔚山，與清正對壘。據險，割其糧稻，焚溺甚多。董一元進取晉州，拔望晉，乘勝渡江南，連燬永春、昆陽二寨。倭退保泗川老營鏖戰，下之。游擊盧得功沒于陣，

得級九十二。前逼新寨，三面臨江，一面通陸，引海爲濠。海艘泊寨下以千計，築金海、固城爲左右翼，中通東陽倉。

〇十月十一日，董將軍一元，分派馬、步協攻，步兵游擊茅國器、彭信古、葉邦榮三營前攻城，騎兵游擊郝三聘、馬呈文、師道立、柴登科四營後應。步兵游擊藍芳威，攻東北水門，副將祖承訓殿攻圍。自辰至未，彭信古用大槓擊寨門，碎城垜數處。步兵齊至壕，砍護城柵湧入。忽營中槓破，火藥發，烟漲天。倭乘勢衝殺。固城援倭亦至，我師騎兵先潰，遂奔還晉州。經略查參，詔斬馬呈文、郝三聘以徇；彭信古等充爲事官，董一元革官銜，降府職三級，各戴罪立功。而朝議以師久無功，汹汹撤兵。大學士趙志皐請令總督□鎮制虜，以東方事專委新經理萬世德，量留兵將分布。上令府部九卿科道集議。兵科都給事中張輔之，御史干永清等疏爭，乃一意進剿。會福建都御史金學曾報平（豐臣）秀吉七月九日死，各酋業有歸意，我師因水陸乘勢夾擊，捷音日至。

〇十一月十七日五鼓，清正發舟先遁，麻將軍貴遂入島山，西浦劉將軍綎，因倭詐降，夜半攻其不意，遂奪曳橋，獲級百六十。石曼子引舟師救行長，遇陳將軍璘半洋邀戰，行長乘小艇，倭泊露梁尙數百艘，氛甚惡。陳將軍璘統蒼唬船追擊，并焚死石曼子，得級二百二十四，水爲赤。副將鄧子龍、朝鮮統制使李舜臣，衝鋒陣亡，南海蕩平。倭遁錦山，殲焉。（出征東考）

鄧子龍，南昌人。驍勇善戰。領兵征倭，渡鴨綠江，有物觸舟，取視之，乃沉香一段。把玩良久曰：「宛似人頭。」愛護之。每入夢，則香木與首或對，或協而為一。後死于倭，載屍歸，失其元，取香木雕為首，酷肖。子龍善戰，能盡其才，亦一時名將。乃有時僅一偏將，屢為言者所攻，世之不善容才乃爾。沉香其殆憐而先知，願與作伴，作面目乎？異哉！（出彙錄）

○董將軍一元報：據浙兵游擊茅國器稱，參謀史世用，持□理諭文往，有石曼子用事郭國安內應。石曼子遵諭先撤，各奔潰，東西始結局云。捷聞，上發冏金十萬兩犒賞。丁應泰再疏賂倭賣國。上念將士沖冒矢石，特諭優敘，應泰回籍聽勘。東征勘功，改給事中楊應文。（征東考）

○（萬曆二十七年十一月）時倭氛雖靖，尚有留戍之議。征東經略疏稱：「留戍缺餉。」戶部尚書陳渠，議天朝七八年來所費本色百萬，折色四百餘萬，朝鮮辦餉，方可議戍。刑部尚書蕭大亨，議關白死，清、行二酋貳倭未能糾眾再來，惟對馬窮倭，苦難資生，必肆掠。況昔年釜山爲倭戶住、種，似屬必爭。計留萬五千，歲費不下三十萬，應從長計處。」而廷臣議留十三，議撤十七。

倭去王京屯釜山，首尾將五歲，如鷙鳥之匿形，測之者曰：「倭初因糧朝鮮，故輕入不反兵，後朝鮮殘破無見糧。倭雖六十六州，實止及中國一大省，徵輸猝難取給，航海運糧，風不利，倭粟支一年，有進無退。」或曰：「沈惟敬許倭七事，約割忠清、全、慶三道，朝鮮王親往謝。小人辱國，所許至有不忍言者。倭坐獲全算可無戰。」或曰：「倭懲平壤挫銳，借封貢以愚我撤兵，取勝十全。釜山南連對馬，北通全、慶，東有東萊、機張、西生、琳瑯、五浦為之左臂，西有安骨、加德、熊川、森浦、閑山、德橋、金海、竹島、龍堂為之右臂，聯絡犄角，可攻可守。倭因講暫退以愚我，援兵盡撤，乃借釁朝鮮負約，杖箠立定，凡此皆倭得策也。我以樓船橫海之師，四將軍二十六偏裨，費金錢數百萬，竟收功一死關百，天方贊我，倭小醜，何能為，一時文武大吏，幾貪天功矣，差強人意。惟平壤一捷，而卒以封貢敗，豈所謂進銳退速者耶？」或言：「倭入貢，以刀、扇小物規大利，惟申海禁，遵祖訓，絕勿與通。」倭入犯視風，風自東北，則犯大小琉球；風自正北，則犯廣東高肇；風自東北，則犯福建、溫、台；風自正東，則犯浙、直；風自東南，則犯淮、揚、登萊；風自正南，則犯遼陽、天津。若朝鮮折而入于倭，王京之漢江，不三百里入海，可窺江、淮；平壤之大同江，不三百里入海，可窺登萊，義州之鴨綠江。不百里入海，可窺天津。而陸由義州窺遼陽，曾不尺咫。往贊畫劉黃裳疏曰：「遼東一溝外，即虜，一江下，即倭，可寒心哉！可寒心哉！」

外史氏曰：「今稱倭強大與虜敵，然倭以海為穴，棄險併衡上國，于勢不順，而智多出于蠶食，往嚙朝鮮。中朝經略數歲，訖不得要領。或謂關白忌清正世臣，借兵事出之全、慶間，姑翼以弄臣行長，坐是款戰互異，不其然與？琉球受脅，而閩、浙為震動，將憂豈在朝鮮也？余嘗策倭，非有大志，必不越海生心封略，唯窮島素豔我子女、玉帛，而奸氓又潛為勾引，鋌而走險，憂方大耳。海禁萬不可弛，人亦有言急之，適以生變，緩急操縱，消釁未形，在當事善自為謀矣。」（出征東考）

○（萬曆二十八年）八月，撤回留守朝鮮兵。先是，朝鮮王請留水兵三千，止認本色口糧。至是歲，遂得旨盡撤。經理疏善後八事：一、選將。以朝鮮右文，將宜博採。一、練兵。麗人鷙悍，耐寒苦，而長衫大袖，非甲冑制。一、守衝要。朝鮮三面距海，釜山與對馬相望，揚帆半日可至，東入機張、蔚山，西入閑山、唐浦，塗所必經，我登釜山，瞭望如指掌，而巨濟次之，宜各守以重兵。一、修險隘。朝鮮王京，北倚叢山，南環滄海，稱四塞，而忠州左右鳥、竹二嶺，羊腸繞曲，真所謂一夫當關，萬人莫踰。向倭守此防我南渡，而副將吳惟忠孤軍久戍，倭不敢窺，皆得地利也。今營壘遺址尚存，亟加修葺。一、建城池。朝鮮八道，十九無城，以避地爲便，而平壤西北鴨、浿二江，俱南通海，倘倭別遣一旅，佔據平、義，則王京聲援既絕，腹背受攻。一、造器械。倭戰便陸不便海，以船制重大不利攻擊，令准福唬造千百艘爲奇兵，而添造神機百子火箭。一、訪異材。朝鮮俗貴世官，賤世役，如錚錚自負，不宜一切錮之。一、修內治。國家東南臨海，登、旅門戶，鎮江噤喉，應援宜添不宜撤。自此以後，對馬島倭橘智正，稱倭將平〔宗〕調信，島主平〔宗〕義智②，意時刷還所擄請和，蓋對馬地並山岡，不產五穀，向資食米朝鮮，自侵掠後，絕關市，生理薄，百計脅款朝鮮王，請裁天朝，且乞量發水兵協防。不許。出征東考

註：

①「鋋」，明世宗實錄及明史本傳、朝鮮傳、日本傳及後文俱作「鋋」。

②「倭將平調信，島主平義智」，如據日本史乘的記載，調信、義智（一五六八～一六一五）俱為日本安土桃山時代武將，對馬藩藩主。他們姓宗，非姓平。宗義智為調信之子。

吾學編

明鄭曉撰，明隆慶元年海鹽鄭氏原刊本

卷一

皇明大政記

○（洪武二年正月）詔諭四夷君長。

○倭寇山東並海郡縣。

○倭寇南畿並海郡縣。

○（洪武三年）六月，倭寇登萊，轉掠浙、閩並海諸郡。萊州府同知趙秩使日本。

○（洪武四年六月）倭寇膠州。

○（九月）禁征海外諸夷。

○（洪武五年五月）倭寇浙東西並海郡縣。

○八月，倭寇福建。

○（洪武六年三月）都督於顯，總兵出海防倭。

○（秋七月）倭寇登萊。

○（洪武七年）六月，倭寇膠海。

○（八月）靖海侯吳禎，總兵出海捕倭。

○（十二月）日本良懷①及其陪臣各遣人入貢，刦（却）之。

○洪武十三年春正月，殺左丞相胡惟庸、御史大夫陳寧、中丞塗節。罷中書省，更定六部官秩，改大都督府爲中、左、右、前、後五軍都督府。

○夏四月，都督張赫、朱壽，率舟師海運。

○八月，安置日本使僧於川、陝。

○是年，倭屢寇海上郡縣。

○（洪武十四年六月）日本酋良懷（懷良），遣僧貢馬，安置川陝番寺。

○（十一月）倭寇廣東，南雄侯（趙）庸擊破之。

○（洪武十五年夏四月）日本遣人朝貢。

○（洪武十六年）夏四月，倭寇浙東。

○洪武十七年春正月，魏國公達鎮守北平，信國公湯和巡視海道，築山東、江南北、浙東西海上諸城。

○（洪武二十年二月）置兩浙防倭衛所。

○夏四月，江夏侯周德興，福建築城，練兵防倭。

○（洪武二十二年）十二月，倭掠寧海。

○（洪武二十四年九月）倭寇廣東。

○（洪武二十五年）三月，舳艫侯朱壽，率舟師海運。

○（洪武二十六年）三月，倭寇浙東。

○（洪武二十七年）二月，倭寇浙東，都督劉德、商暠，巡視兩浙防倭。

○三月，都督楊文、魏國公徐輝祖、安陸侯吳傑，練兵浙江防倭。

○（洪武二十八年）夏四月，倭寇金州。

○（洪武三十一年）二月，倭寇山東、浙東。

○（建文三年九月）倭寇浙東。

○（永樂二年三月）通政趙居任使日本，令十年一貢。

○（夏四月）倭寇浙東。

○（永樂三年）夏四月，僉都御史俞士吉使日本，封其酋爲日本國王。

○（永樂九年）五月，倭寇浙東。

○（永樂十年春正月）倭寇浙東。

○（永樂十四年）秋七月，遣將練兵，海上防倭。

○永樂十五年春正月，倭寇浙東。

○（永樂十七年）六月，遼東總兵都督劉江②，大破倭於望海堝，封江爲廣寧伯。

○（永樂十九年）夏四月，倭寇浙東。

卷五

註：

①「良懷」，良懷之為懷良之誤，參看本書頁二二五七，註③。

②「江」，有關江之原名為「榮」事，請參看本書頁二三〇九，註①。

○（正統四年）夏四月，倭寇浙東。

卷一〇

○（正德六年六月）日本遣我叛人宋素卿來貢。

○（九月）倭寇浙東。

皇明四夷考

皇明四夷考上卷，吾學編第六十七

皇明祖訓曰：四方諸夷皆限山隔海，僻在一隅，得其地，不足以供賦，得其民，不足以供役，若其自不揣量，來擾我邊，則彼爲不祥，彼既不爲中里患，而我興兵輕伐，亦不祥。吾恐後世子孫倚中國富彊，貪一時戰功，無故興兵，致傷人命，愼勿爲也。但胡戎與西北邊境，互相密邇，累世戰爭，必選將練兵，時謹備之。不征諸夷：東北朝鮮即高麗，其李仁人及子成桂今名旦者，自洪武六年至二十八年，首尾凡弒王氏四王，姑待之。、正東偏北日本雖朝實詐，暗通奸臣胡惟庸，謀爲不軌，故絕之。、正南徧（偏）東大琉球朝貢不時，王子及陪臣之子皆入大學讀書，禮待甚厚。、小琉球不通往來，不曾朝貢。、西南安南三年一貢、真臘朝貢如常濱海。、暹羅朝貢如常濱海。、占城自占城以下諸國，朝時內帶行商，多譎詐，故沮之。自洪武八年沮至十二年，方乃得止。國濱海。、蘇門答剌濱海、西洋濱海、爪哇濱海、彭亨居海中。、百花居海中。、三佛齊居海中。、浡泥居海中。

洪武四年九月，上御奉天門，諭省府臺臣曰：「海外夷國爲患中國者，不得不討，不爲中國患者不可徹（輒）用兵。古人言：『地廣非久安之計，民勞乃易變之源。』隋煬帝妄興師旅，征討琉球，荼毒生民，徒慕虛名，疲中土，載諸史冊，爲後世譏。朕以諸小蠻夷阻越山海，不侵中國，無煩用兵。惟西北胡戎，世爲中國患，不可不謹備。卿等記此言，知朕意！」

日本

日本，古倭奴國，海中諸夷，倭奴最大。西南至海，東北大山，國主世以王爲姓，群臣亦世官。地分五畿七道三島，又有附庸國百餘，拘邪韓最大。其國小者百里，大不過五百里。戶少者千，多止一二萬，皆倭種也。漢滅朝鮮，通使稱王者三十餘國。倭王最雄長者居邪馬臺，即邪摩維。歷漢、魏、晉、宋、隋，皆朝貢，稍習華音。唐咸亨初，惡倭名，更號日本。國朝洪武二年，倭寇山東並海郡縣，又寇淮安。三年，寇山東，轉掠浙東、福建旁海諸郡。是年遣萊州府同知趙秩賜璽書，諭其王良懷（懷良），言倭寇海上。書至日，如臣我，奉表來庭，不臣，則修兵自固。秩至，諭王：中國聖主，責其入貢。王曰：「吾國未嘗不慕中國，顧蒙古戎狄蒞華，以小國視我，乃使趙良弼訹我好語，初不知其覘我國也。既而發舟數千襲我。比至，一時風霆漂覆，幾無遺類，自是不與通者數十年。爾得非良弼後乎？」將刃之。秩徐曰：「聖天子生華，帝華，非蒙古比，我亦非良弼後，爾殺我，禍不旋踵。」王氣沮，禮秩，具物遣僧隨秩奉表稱臣入貢。使未至，又掠溫州。五年，上諭劉基曰：「東夷尚禪教，姑遣明州天寧寺僧（仲猷）祖闡、南京瓦官僧無逸（克勤）開諭之。」良懷（懷良）欲留二僧，力辭。王遣使同二僧入貢。是年，寇海鹽、澉浦、溫州。初令浙江、福建造舟防倭，而倭又寇福建海上諸郡。六年，以於顯爲總兵官，出海巡倭。倭寇登萊。七年，寇膠州。是年，遣僧來貢，無表文，郄（却）之。其臣亦遣僧貢馬、茶、布、刀、扇，上曰：「此私交也」，亦不受，令中書省移文責王。九年，遣僧歸廷用等奉表，貢馬及方物謝罪。賜王及使文綺，有差。巳（已）而上覽表曰：「良懷（懷良）不誠。」詔責之。十二年，來貢，無表，安置使人於陝西番寺。十三年，遣使詔諭，良懷（懷良）遣僧如瑤貢馬，令禮部移書責王數掠我海上，復郄（却）之。諸僧皆安置川、陝番寺。十四年，遣僧入貢，乞還安置諸僧使。上曰：「日本既謝罪，還其使。召至京，宴賞遣歸。」十五年，歸廷用又來貢，於是有林賢之獄。曰：故丞相胡惟庸通日本，蓋祖訓所謂日本雖朝實詐，暗通奸臣胡惟庸，謀爲不軌，故絕之也，是時惟庸死且三年矣。十六年，寇金鄉、平陽。十七年，如瑤又來貢，坐通惟庸，發雲南守禦。是年，信國公（湯）和致仕，居鳳陽。上召至京，諭曰：「日本小夷，屢擾東海，卿雖老，強爲朕行，視要地築城防此賊。」信國公築登萊至浙沿海五十九城，民丁四調一爲戍兵。二十年，置浙東西防倭衛所。是年，遣江夏侯周德興築福建海上十六城，設衛、所、遂（燧）、堠，福建漳、泉人爲兵，戍並海衛所。二十六年，寇金鄉。二十七年二月，遣都督僉事劉德、商暠巡視兩浙防倭。三月，又勅都督楊文，尋又勅魏國公徐輝祖、陸安侯吳傑，練浙江海上兵防倭。二十八年，寇金州。靖難後，太監鄭和等率舟師三萬下西洋。日本遣人來貢，并擒獻犯邊賊二十餘人，即付使人治之。縛置甑中蒸死。永樂二年，使還，遣通政趙居任賜王冠服、文綺、金銀古器、書畫，又給勘合百道，令十年一貢，每貢正、副使等毋過二百人。若貢非期，人船踰數，夾帶刀鎗，並以寇論。居任還，不受王餽，上喜，厚賜之。尋命都御史俞士吉賜王印誥，冊封爲日本國王。詔名其國之鎮山曰「壽安鎮國之山」，上爲文勒石。久之，嗣王道義卒。源道義①嗣，益奸狡，時時令各島人掠我海上。九年，寇盤石。十五年，寇松門、金鄉、平陽。是年，遣禮部員外郎呂淵諭王，還所掠海上人。十六年，遣使謝罪。當是時，數入金（州），蓋都督劉榮總兵守遼東，繕海上堠堡，伏兵伺之。十七年，倭船入王家山島，傳烽沓至。榮率精兵疾馳入望海堝。

賊數千人分乘二十舟直抵馬雄島，進圍望海堝。榮發伏兵出戰，遣奇兵布伏諸山下，斷其歸路。賊奔入櫻桃園。榮合兵圍而攻之，斬首七百四十二，捕生八百五十七。召榮至京，封廣寧伯。自是不敢窺遼東。二十年，寇象山。初，方國珍據溫、台、處，張士誠據寧、紹、杭、嘉、蘇、通、泰諸郡，皆在海上。方、張既降滅，諸賊強豪者悉航海，糾島倭入寇，以故洪武中倭數掠海上。高皇帝既遣使，命將築城、增戍，又命南雄侯趙庸招蛋戶、島人、漁丁賈豎，蓋自淮、浙至閩、廣，幾萬人盡籍爲兵，分十千戶所，於是海上惡少，皆得衣食於縣官。洪武末年，海中方、張諸逋賊，壯者老，老者死，以故旁海郡縣稍得休息。永樂初，西洋之役雖伸威海表，而華人習知海夷金寶之饒，夷人來貢亦知我海道，奸闌出入，華夷相糾，以故寇盜復起，非廣寧之捷禍未巳（已）也。宣德元年遣人來貢②，人、船、刀劍不奉我約束，上諭使臣：「自後貢毋過三舟，使人毋過三百，刀劍毋過三十③，否，不受。七年，遣人來貢如約束。八年，源道義卒④，命太監雷春、少卿潘賜等吊祭，⑤十年，嗣王遣使貢謝。⑥倭自得我勘合，方物、戎器滿載而來，遇官兵，矯云入貢。貢即不如期，守臣幸無事，輒請俯順夷情。主客者爲畫可條奏，即復許貢，云不爲例。嗣後再至，亦復如之。我無備，即肆出殺掠，滿載而歸。宣德末年，海防益備，賊不得間，貢稍如約，遂許夷至京師宴賞、市易，飽恣其欲。巳（已）而備禦漸疎。正統四年，寇大嵩，入桃渚，官庾民舍，焚刼一空。驅掠少壯，發掘冢墓，束嬰孩竿柱上，沃之沸湯，視其啼號，拍手笑樂。捕得孕婦，忖度男女，刳視中否爲勝負飲酒，荒淫穢惡，至有不可言者。積骸如陵，流血成川，城野蕭條，過者隕涕。於是朝廷下詔備倭，命重帥守要地，增城堡，謹斥堠，修戰艦，合兵分番屯駐海上，寇盜稍息。七年，來貢。⑦十一年，寇海寧、乍浦。成化初，忽至寧波，知我有備，矯稱進貢，守臣爲請於朝，且欲遣之至京。楊文懿公、守陳貽書、張主客力言其不可許。二十年，遣〔子樸〕周瑋等來貢。弘治八年，〔堯夫〕壽蓂來貢。正德六年，宋素卿、源永壽來貢，求祀孔子儀注，不許。鄞人朱澄，告言素卿本澄從子，叛附夷人。守臣以聞。主客以素卿正使，釋之，令諭王效順無侵邊。八年，〔了庵〕桂悟等來貢。嘉靖元⑧年，王源義植⑨無道，國人不服，諸道爭貢。大內藝⑩興遣僧宗設〔謙道〕，細川高〔國〕遣僧〔鸞岡〕瑞佐及素卿先後至寧波。故事：凡番貢至者，閱貨、宴席，並以先後爲序。時瑞佐後至，素卿奸狡，通市舶太監〔賴恩〕，餽寶，賄萬計。太監令先閱瑞佐貨，宴又令坐宗設上。宗設席間與瑞佐忿爭，相讎殺。太監又以素卿，故陰助佐，授之兵器，殺總督備倭都指揮劉錦，大掠寧波旁海鄉鎮。素卿坐叛論死，宗設、瑞佐皆釋還。給事中夏言，上言禍起於市舶，禮部遂請罷市舶，而不知所當罷者市舶太監，非市舶也。夷中百貨，皆中國不可缺者，夷必欲售，中國必欲得之，以故祖訓雖絕日本，而三市舶司不廢。市舶初設在太倉黃渡，尋以近京師改設於福建、浙江、廣東。七年罷，未幾，復設。蓋東夷有馬市，西夷有茶市，江南海夷有市舶，所以通華夷之情，遷有無之貨，收徵稅之利，減戍守之費。又以禁海賈，抑奸商，使利權在上。罷市舶而利孔在下，奸豪外交內詗，海上無寧日矣。番貨至，輒賖奸商，久之，奸商欺負，多者萬金，少不下千金，轉展不肯償，乃投貴官家，久之，貴官家又欺負不肯償，貪戾甚於奸商。番人泊近島，遣人坐索，久之，竟不肯償。番人乏食，出沒海上爲盜。貴官家欲其亟去，輒以危言撼官府云：「番人據近島殺掠人，奈何不出一兵，備倭當如是？」及官府出兵，輒賫糧、漏師，好語啗番人，利他日貨至，且復賒我。如是者久之，番人大恨諸貴官家，言：「我貨本倭王物，爾價不我償，我何以復倭王？不掠爾金，殺爾，倭王必殺我。」盤據海洋不肯去。近年寵賂公行，上下相蒙，官邪政亂。小民迫於貪酷，苦於徭賦，困於饑寒，相率入海從之。凶徒、逸囚、罷吏、黠僧，及衣冠失職、書生不得志群、不逞者皆爲之奸細，爲之鄉導，人情忿恨，不可堪忍。弱者圖飽煖旦夕，強者奮臂欲洩其怒，於是王忤瘋（五峰）、徐必欺（碧溪，即徐銓）、毛醢瘋（海峰，即毛烈）之徒，皆我華人，金冠龍袍，稱王海島，攻城略（掠）邑，刼庫，縱囚；遇文武發憤斫殺，即伏地叩頭乞餘生，不聽，而其妻子、宗族、田廬、金穀，公然富厚，莫敢誰何，浙東大壞。二十五年⑪，以朱紈爲浙江巡撫都御史，兼領興、福、漳、泉，治兵捕賊。紈清諒方勁，任怨任勞，嚴戢閩、浙諸貴官家。嘗言：「去外夷之盜易，去中國之盜難；去中國之盜易，去中國衣冠之盜難。」上章鐫暴貴官通番二三渠魁，於是聲勢相倚者大譁，切齒詆誣，惑亂視聽，改紈爲巡視。未幾，言官論劾，又遣言官即訊，甘心煅煉，必欲殺紈。紈憤悶卒。紈所任福建有功海道副使柯喬、都指揮盧鏜，殺賊有功，皆論死，繫按察司獄。於是華夷群盜，唾手肆起，益無忌憚。三十一年，殘黃岩，掠定海，浙東騷動。遣都御史王忬巡視兩浙，兼領漳、泉、興、福四郡。以都指揮俞大猷、湯克寬爲浙、閩參將剿賊。

顧兵政久弛，將士耗鈍，水寨戰艦，所在廢壞。忬經略未幾，群賊總至，柵寨列港，外約諸島，內招亡命，勢益猖獗。三十二年，大猷冒險出洋，焚蕩巢穴。首賊逸去，群偷流散，乘風奔突，倏忽千里，溫、台、寧、紹、杭、嘉、蘇、松、楊（揚）、淮十郡，並受其害。（湯）克寬統領步兵，往來海壖，護城捕賊，斬獲亦多。忬不肯隱敗、冒功，擒治奸豪，破解支黨。大猷、克寬兩參將皆知（智）勇可任，徒以江南人素軟，賊未登岸，望風奔潰。文武大吏，未能以軍法繩下，而有司往往以軍法脅持富人，巧索橫歛，指一科百，師行城守，餉犒百物，類多乾沒，十不給一。廉謹之士又謂南人善謗，低頭束手，不敢動一錢。於是公私坐困，戰守無策。始釋柯喬，起盧鏜，而賊船聯翩滿海，破昌國、臨山、霩衢、乍浦、青村、南匯、吳松（淞）江諸衛所，圍海鹽、太倉、嘉定，入上海，略華亭、海寧、平湖、餘姚、定海諸州縣，焚刼、殺戰、污辱，慘於正統時矣。而通番奸豪又言忬、大猷搗巢非計，且搖動忬，忬薦鏜，起爲閩參將，代克寬。克寬以副總兵將屯金山。閩人故忌鏜，劾鏜凶險不可用。南京言官又復薦鏜。三十三年，遂犯江北，海門、如皋、通州，皆被殺掠。是時復用盧鏜爲參將，而以俞大猷爲浙直總兵。未幾，工部（右）侍郎趙文華以海賊猖獗請禱海神，遂遣文華行禱，公私勞費不貲，皆歸囊橐。比忬改大同，巡撫徐州兵備李天寵代忬，南兵尚書張經提督浙、閩、江南北軍務，有王江涇之捷，文華素忌經、天寵，遂奏經、天寵，逮詔獄，論死西市。而以浙江巡按胡宗憲代天寵，南戶部侍郎楊宜代經。自後賊益熾，縱橫出入二十六郡。文華還朝。未幾，又出監督諸軍，搜括官庫、富豪金寶、書畫數百萬計。交通蒙蔽，以敗爲功，以功爲罪，雖有沈庄、梁庄之戰，竟莫救荼毒之慘。兩浙、江淮、閩、廣，所在徵兵、集餉，提編均徭，加派稅糧，截留漕粟，扣除京帑，請給醝課，迫脅富民，釋脫凶惡，濫授官職，浪費無經，其爲軍旅之用，纔十之一。征發漢、土官兵，川、湖、貴、廣、山東西、河南北，靡不受害。臨賊，驅之不前，賊退，遣之不去，散爲盜賊，行者，居者，咸受其害。於是外寇未寧，而內憂益甚矣。宗憲計擒賊首王直，浙西、江東稍得安靖。浙東溫、台，江北淮、揚，閩中嶺表，尤被其毒。巳（已）而俞大猷被中傷，盧鏜代之，賴朝廷聖明，大猷得不死。江北巡撫李遂有廟灣之捷，入南兵部爲侍郎，唐順之代遂。福建巡撫王詢數有功，畏讒引疾去，代者劉燾。宗憲以擒直功陞右都御史加太子太保，敍子錦衣千戶。先是，文華陞工部尙書，以論吏部尙書李默，即加太子太保，又以征倭功加少保，子廕錦衣千戶。不數月，文華削籍，千戶謫戍榆林。自壬子倭奴入黃岩，迄今十年，閩、浙、江南北、廣東，人皆從倭奴。大抵賊中皆華人，倭奴直十之一二。久之，奸頑者嗜利，貧窶者避徭賦，往往喜賊至，而貪殘之吏又從而驅之，封疆之臣輒請添官，當事者不敢阻，於是添設都御史三人，總兵一人，副總兵二人，參將十三人，兵備副使十一人，諸將校近百人。田賦倍於常科，徵徭溢於甲式矣。其俗男子魁頭斷髮，黠面文身；婦人被（披）髮屈紒。皆跣足，間用屨。其喜盜，輕生，好殺，天性然也。物產金、銀、琥珀、水晶、硫黃、水銀、銅錢、白珠、青玉、蘇木、胡椒、細絹、花布、螺蛔（鈿）、漆器、扇、犀、象、刀劍、鎧甲、馬，交市華人。喜得童男女、錦綺、絲綿、磁、針。

註：

①「義」，源道義卒後由世子義持嗣幕府將軍職位，故此「道義」，應為「義持」之誤。

②「宣德」，應為「永樂」之誤。

③「十」，明實錄與明史日本傳俱作「千」。

④「八年源道義卒」，如據日本史乘的記載，源道義即室町幕府第三任將軍足利義滿卒於應永十五年（永樂六年，一四〇八），年五十一。

⑤「命太監雷春、少卿潘賜等弔祭」，如據日本釋瑞溪周鳳輯善鄰國寶記應永十五年所錄「大明書」，明成祖所遣弔唁使節為中官周全。又如據明太宗實錄、明史日本傳、善鄰國寶記、伊藤松，鄰交徵書等的記載，鴻臚寺少卿潘賜的使日在永樂二年，中官雷春之前往日本則在宣德八年。

⑥「十年嗣王遣使貢謝」，如據明太宗實錄，卷一〇〇，永樂八年四月丁酉朔甲辰條，及明史，日本傳的記載，日本嗣王即室町幕府第四任將軍足利義持之遣堅中圭密，至中國致謝明廷之遣使祭弔乃父義滿之喪，係在永樂八年四月而非宣德十年。

⑦「七年來貢」，正統七年無遣使朝貢之實。

⑧「元」，鄭舜功，日本一鑑、鄭若曾，籌海圖編、明世宗實錄、明史日本傳，及日本史乘俱作「二」年。

⑨「植」，日本史乘俱作「稙」。

⑩「藝」與，日本史乘俱作「義」。

⑪「五」，明世宗實錄，卷三二四，嘉靖二十六年六月庚辰朔癸卯條、明史，卷二〇五，朱紈傳、卷三二二，日本傳，及朱紈，甓餘雜集，俱作「六」。

國權

清談遷撰，北京，中華書局本

卷三

○（洪武二年正月丙申朔）是月，倭掠山東海上。

○（八月癸亥朔）乙亥，倭寇淮安，鎮撫吳祐等擊敗之。

卷四

○（洪武三年六月戊午朔）是月，倭寇山東，浙、福沿海被其患，福州衛軍大敗之，擒三百餘人。

○（洪武四年十二月庚辰朔丙戌）命吳王左相靖海侯吳禎籍溫、台、慶元方氏遺兵及蘭秀山流民，凡十一萬一千七百五十人，分戍各衛，仍禁瀕海民不得私出海。

卷五

○（洪武五年五月丁未朔）丁卯，倭寇海鹽之澉浦。

○（八月乙亥朔）甲申，詔浙江、福建海上造舟六百六十艘，禦倭。

○(丙申)倭寇福寧，大焚掠。

○(洪武六年三月癸卯朔)甲子，詔廣洋衛指揮於顯爲總兵官，橫海衛指揮使朱壽爲副總兵官①，出海巡倭。

○(七月庚子朔)辛亥，倭寇即墨諸城萊陽，濱海爲擾，詔各衛分逐之。

○(洪武七年正月丁卯朔)甲戌，靖海侯吳禎爲總兵官，都督僉事於顯爲副總兵，領舟師巡海。

○(六月乙未朔)日本國王良懷②遣僧來貢。時良懷有持明之亂，爭立。③僧齎陪臣書，不表，上卻之。已，志布志島津越後守臣氏久亦遣僧上表，貢方物，以私忱，卻之。

○(戊午)日本國歸所掠百有九人，詔各還里。

○乙卯，日本僧七十一人遊至京，令居天界寺。

○(七月甲子朔)壬申，倭寇膠州，官軍擊敗之。

○甲戌，倭寇海州，百戶何達擊斬二十四人。

○壬午，倭寇大任海，百戶許章擊敗之，追戰死。

註：

①「副總兵官」，明太祖實錄，卷八〇，洪武六年三月癸卯朔甲子條作「副總兵」。

②「良懷」為「懷良」之誤，請參看本書頁二二五七，註③。以下同此。

日本在其鎌倉（一一八五～一三三三）、室町（一三三六～一五七三）時代，因皇位、所領土地之繼承問題而分為持明、大覺寺兩個皇統。前者因系出後深草天皇之皇統之持明院稱為仙洞而有此稱呼。此一皇統與後深草天皇之弟龜山天皇之皇統大覺寺互爭皇位。這兩個皇統因互爭皇位所造成的對立問題，與鎌倉幕府的政策糾纏在一起，結果，成立兩皇統迭立的協議。此一協議遂成為該國南北朝內亂的因素之一。其由室町幕府之創立者足利尊氏所支持之持明院皇統稱北朝，大覺寺皇統為南朝。迄至一三九二年，經室町幕府第三任將軍足利義滿（源道義）之調停，由北朝的後小松天皇統合南朝，以迄於今。

卷六

○（洪武八年二月辛卯朔）癸巳，外夷山川附祭各省山川之次，如廣西附祭安南、占城、真臘、暹羅、瑣里，廣東附祭三佛齊、爪哇，福建附祭日本、琉球、渤泥，遼東附祭高麗，陝西附祭朵甘、烏思藏，罷京城之祭。

○（洪武九年四月甲申朔）日本國王良懷（懷良）遣僧上表入貢，且謝罪。上以表未誠，詔諭之。

○（五月甲寅朔）壬午，日本人貶海貢馬二，卻之。

○（洪武十年五月戊寅朔）丁亥，靖海侯吳禎，督浙江諸衛舟師，仍海運遼東。

○（洪武十一年三月癸酉朔己丑）都督僉事王誠、陳桓爲浙江都指揮使。

卷七

○（洪武十二年閏五月丙申朔）丁未，日本國王良懷（懷良）入貢。

○（洪武十三年正月癸巳朔）甲午，御史中丞塗節，告左丞相胡惟庸與御史大夫陳寧等謀逆，上親臨鞫。初，惟庸得上意，竊肆威福，橫甚。封事稍嫌，匿不奏，四方餽遺亡算。家人爲奸利事，道關，榜辱關吏，吏奏之。上怒，殺家人，切責丞相，謝不知，乃已。又以中書違慢，數詰問所由，惟庸懼，乃計曰：「主上魚肉勳舊臣，何有我耶，死等耳，寧先發，毋爲人束死。」惟庸兄女妻李善長弟存義子祐，相表裏爲重。其定遠故里第井忽生石筍，水溢數尺。三世塚皆夜有光怪燭天，而數以事見督，遂誘吉安侯陸仲亨、平涼侯費聚，使出招士馬爲外應。間與存義謀，令微諷善長。善長驚曰：「爾言何爲者，寧欲族我耶？」居旬日，惟庸復謂存義，苟事成，盡捐淮西地王太師。善長心動，乃歎息起曰：「吾老矣，惟爾等所爲。」惟庸乃遣元臣封績致書漠北請兵，又使指揮林賢通倭使，俾載精兵千人僞貢，及期會府中，掩執上，度可取取之，不可則掠武庫兵入海。惟庸因僞稱第中甘露降，請上臨幸。許之。會西華門內使雲奇走告變，當蹕勒上馬言狀，氣鬱舌駃不能宣。上恚甚。左右撾箠亂下，奇臂將折，猶奮指惟庸第。上悟，登西皇城樓而眺，顧見丞相第中壯士伏甲屛間數匝，亟發禁兵擒之，而後召奇，氣絕矣。贈奇內官左少監。

王世貞曰：「攷贈司禮監太監雲奇碑，奇以內使守西華門，時胡丞相居第距門甚邇，而欲謀逆，詭稱所居井湧醴泉，邀上幸而伏甲以待，奇偵知之。亟走當蹕道勒上馬言狀，氣鬱舌駃不能宣。上恚甚。左右撾箠亂下，奇臂將折，猶奮指逆臣第。上悟，登西皇城樓而眺，顧見丞相第中壯士裹甲伏屏間數匝，亟發禁兵捕擒之，而後召奇，氣絕矣。詔贈奇內官監左少監。而國史則謂惟庸以驕恣漸露，不自安，而會故所居定遠里第井忽生石筍，水湧起數尺，三世塚火光燭天，遂為瑞，有非分之覬。右丞相汪廣洋以巽懦不能持正外謫，益自疑。而其子嘗走馬衢道中，誤踐人死。上怒，欲抵償。請納馬贖罪，不許。于是搆李善長諸將陸仲亨、費聚，御史大夫陳寧、中丞涂節同謀逆。節恐事露，奏發之。尚書商暠，時謫為省吏，亦發之。上臨鞫皆驗，惟庸與陳寧皆磔死。史之紀茲事詳矣，第不及醴泉出，要上臨而伏甲謀為逆也。雲奇發惟庸逆謀，功甚大，而史逸之。且又以府第醴泉溢，為故里第石筍發，井湧起數尺，何牴牾若此。第上既登城樓覩伏甲，掩捕之得反狀矣，而又何假于涂節之告變也。豈節以事發始首，故不免于死耶？」

○戊戌，誅左承相定遠胡惟庸、御史大夫茶陵陳寧，夷三族，盡誅其僚黨，凡萬五千人；以涂節不早告，亦棄市。惟庸初事上，爲元帥府奏差，轉宣使。丁酉授寧國主簿，晉知縣吉安通判。歷胡廣按察僉事，漸大用。陳寧，元末鎮江小吏，來金陵，代軍帥草奏稱旨，因薦用。通經有治才，嘗守蘇州，燒鐵烙人肌，入拜御史大夫，益嚴酷，雖詔責不改。子孟麟數諫，寧杖之死。上怒其不情。寧懼，遂同逆。惟庸誅後，指揮林賢以倭兵四百餘人與僧如瑤來獻巨燭，中藏火藥、兵器，事洩磔賢。倭兵戍雲南，降詔切責日本云。

談遷曰：「胡承相猥才竊柄，睥睨名器，見禽之走訴，則已伏甲。據涂節猶在謀議間，大抵雲奇為不妄也。第英主隆興，手剪群雄，如竈上掃除，事且大定。而逆黨不數人，藏甲不數百，覬專諸于窟室，冀聶政于東社，自非嬰孺，其敢任之。或曰：『惟庸非叛也，素作威福，怵于汪廣洋之斬首，積疑成獄。既斧鉞不少貸，而緩李善長、陸仲亨、費聚何也，可以知其故矣。』」

○群臣言：「胡惟庸任寧國知縣，賂太師李善長黃金五百，得躐拜太常少卿。惟庸在相多不法，懼上英明欲反。以玉具劍奉善長。善長遣奴操兵四十人從，待日舉事。善長爲國首輔，負大恩，當斬。」上召善長坐，與食，語舊事甚悉。雪涕顧群臣曰：「吾初見太師，長吾十四歲，而謀計多合不爽。累功至貴顯，吾女女太師子，謝諸臣爲我屈宥太師。」「請誅吉安侯陸仲亨。」上曰：「仲亨年十七，父母兄弟俱亡，以一升麥藏草間。朕見而呼之曰：『來！』遂從朕長育，以功封侯。此皆吾微時股肱腹心，其勿問。」并宥平涼侯費聚，遂止誅存義，并赦祐。

○（八月乙未朔丙戌）倭寇海豐。

○（洪武十四年七月甲申朔）戊戌，日本入貢，卻之，令禮部移書責國王良懷（懷良）。

○（洪武十九年十一月癸丑朔）辛酉，日本來貢，卻之。

○（洪武二十年七月戊寅朔）倭患，削台州衛指揮同知陳亮官，戍金齒。

○（十一月丁丑朔戊子）信國公湯和海上還，奉朝請。

○（洪武二十四年五月丁亥朔）乙巳，國子生日本滕祐壽爲觀察使。

○（九月乙酉朔）是月，倭寇雷州，百戶李玉戰死，錄其子爲千戶。

卷一○

○（洪武二十六年四月乙亥朔）己卯，福建鎭海衛千戶黎旻巡海，遇寇先遁，陷百戶韓觀公四十人。旻伏誅。

○（洪武三十一年二月戊寅朔）丁酉，倭寇浙東，詔：「發兵出海追捕。」

卷一三

○（永樂元年八月丙午朔）丁巳，設浙江、福建、廣東市舶提舉司，始命內臣齊喜提督廣東市舶。

○（十月乙巳朔乙卯）日本國王源道義①入貢。

○（十二月甲戌朔丁丑）福建俘海寇至京，法當死，上宥之，戍邊。

○（永樂二年十月己巳朔）壬申，日本國王源道義入貢。

○（永樂三年二月丁卯朔丁丑）巡按福建監察御史洪堪言十事：曰設義塚。曰祀唐觀察使常兗。曰存卹孤獨。曰按察司錄囚，遇番異必親鞫。曰防倭軍戶，不得再充垛集。曰驛夫預支廩費，免困迫。曰小訟付里老。曰申明鄉飲酒禮。曰各鄉申明亭集諭國法。曰修築塘堰圩岸，備旱澇。上皆納之。

○（十一月癸巳朔）辛丑，日本國王源道義入貢，並獻前倭寇邊者。上嘉之，遣鴻臚寺少卿潘賜，內官王進賜王九章冕服、錢鈔、織金文綺、紗、羅、絹三百七十八匹。

註：

①「日本國王源道義」，如據日本史乘的記載，源道義係室町幕府第三任將軍足利義滿（一三五八～一四〇八），道義係義滿皈依佛教以後之法號。

卷一四

○（永樂四年三月丁卯朔丁巳）勅招海島流人。

○（六月己未朔辛未）日本入貢。

○（永樂五年五月甲寅朔）己卯，日本入貢，並獻倭寇道金等，上勅勞之。

○（永樂六年五月乙酉朔）癸丑，日本國王源道義入貢，獻所獲海寇，上厚賜之。

○（十一月乙巳朔）丁卯，日本入貢。

○（十二月甲戌朔甲申）都指揮使李龍，指揮王雄，領兵六千人往沙門島防倭。

○（庚寅）日本國世子源義持①，告父道義之喪。遣中官周全往祭，諡恭獻，復封義持日本國王。

○辛卯，安遠伯柳升充總兵官，平江伯陳瑄副之，率舟師防倭。

○（永樂七年正月甲辰朔）壬子，倭犯東海千戶所。
○（四月癸酉朔丁丑）海盜阮瑤等寇欽州，擊敗之，獲二十七艘。
○（永樂八年四月丁朔）甲辰，日本入貢表謝。
卷一五
○（永樂九年二月壬辰朔甲寅）勅勞日本國王源義持，以屢獲倭寇也。
○（丁巳）倭掠廣東，陷昌化千戶所，千戶王偉等敗沒。上責副總兵都指揮李珪等立功戴罪自贖。

註：
①「日本國王源義持」，如據日本史乘的記載，源義持（一三八六～一四二八）係室町幕府第四任將軍，非日本國王。

○（永樂十三年五月丁酉朔乙丑）倭入金山衛，指揮同知侯端出東門入城，巷戰殲之。
卷一六
○（十二月甲子朔）丁丑，遼東都指揮僉事徐剛捕倭而怯，戍邊。
○（永樂十五年八月甲申朔）壬寅，勅山東、福建等都司備倭。
○九月癸丑朔，乙卯，都指揮谷祥、張翥，往直隸、浙江、福建捕海盜。

○（十月癸未朔）乙酉，刑部員外郎呂淵等使日本。時擒倭多日本人，特勅責日本國王源義持。

○（永樂十六年正月壬子朔甲戌）誅浙江按察僉事石魯。魯，巡松門衛，適倭薄城，乘醉遁，城陷。

○（四月辛巳朔）乙巳，行人呂淵還自日本，國王源義持上表謝罪。

○（五月庚戌朔）癸丑，倭百艘七千餘人攻金山衛城，拒却之。

○（六月庚辰朔）辛丑，勅遼東總兵官都督劉江曰：「倭孽出沒，其固守勿輕出戰。」

卷一七

○（永樂十七年六月甲戌朔）戊子，遼東總兵官中軍左都督劉江，城金州衛之望海堝。俄候卒言：「東洋王家山夜舉火。」江計倭至矣，疾馳入城，伏都指揮錢真、徐剛于山下詰朝。倭二千餘人泊馬雄島，進至堝。江散髮若真武狀，砲舉，伏發，剛步戰，真領騎要其歸路。賊敗，奔櫻桃園，圍殺幾盡。脫者走海，百戶姜隆先焚其舟，無一脫，生擒百十三人，斬千餘級。上聞之，璽書褒諭，召入京。

○（九月癸卯朔）壬子，封劉江廣寧伯，世錄千二百石。江，初仍父名補伍，至是復名榮。

談遷曰：「文皇帝每飯不忘倭，所下尺一，俱數數早計矣。劉榮扼其上游，望海之版築纔就，而飛塵及之矣。帝不自聖，捷書朝上，延竚恐後，立剖其符，酬功之速如此，邊臣有不忭舞競勸者哉！後之人輒推廟算，蔓及樞輔，印刓而未予，其不及先朝遠矣。」

○（十一月辛丑朔）癸卯，廣寧伯劉榮仍總兵官，鎮守遼東。

○（永樂十八年正月庚子朔）乙巳，倭三百餘人掠金鄉、福寧及井門、程溪。

○（永樂十九年正月甲子朔丁卯）備倭都指揮谷祥貪虐，杖斃指揮梁海。事聞，下獄死。

○辛巳，廣東巡海副總兵指揮李珪，值倭于潮州，擊斬五級，俘十五人。

○（永樂二十年閏十二月甲寅朔）是月，倭寇象山，殺縣丞章真，教諭蔡海。

○（永樂二十二年四月丙午朔）是月，倭寇象山，縣丞宋真、教諭蔡海死之。①

註：

①此則文字與前則重複，因宋真、蔡海之死事未見於他書，故其殉職時間難查考。

卷二一

○（宣德四年三月丁未朔戊申）逮福建都指揮僉事洪貴等，以倭攻鎮海衛殺掠。

○（宣德五年八月己巳朔辛巳）倭寇海陽。

卷二二

○（宣德八年）五月癸丑朔甲寅，日本國王源義教①入貢。

○（宣德九年三月戊寅朔庚子）倭二十餘艘寇連江縣。

註：

①「日本國王源義教」，如據日本史乘的記載，源義教（一四九四～一四四一）係該國室町幕府第六任將軍，當時天皇為後花園天皇。

卷一一三

○（宣德十年三月癸酉朔）己卯，罷浙江定海沈家門等水寨守備。時吏周頌言：「國初設衛所，置哨船分汛。永樂間，內官王鎮使日本，奏調海船，立水寨，而船大不便操，且乏城守者，乞改海船作快船，哨港口尤便。」從之。

○（正統元年七月甲午朔）辛酉，琉球、日本入貢。

○（正統二年二月辛酉朔）癸未，巡撫浙江戶部右侍郎王淪等，以松門等衛累被倭寇，乞如洪武例免衛所轉輸，專捍禦，歲令都指揮一人提督。從之。

卷二四

○（正統四年四月戊寅朔）己丑，禁外夷市銅、鐵器。

○五月戊申朔，倭犯桃渚千戶所。

○（正統五年正月甲辰朔）丙寅，造浙江海舟百二十六艘備倭。

○（正統八年五月乙卯朔）辛未，倭寇海寧衛，官軍禦卻之。

○（七月甲寅朔）庚申，誅通倭叛人黃巖周來保，龍溪鍾普福，皆勾倭內犯。倭去，潛留縣境，被執伏誅。

卷一〇八

○（正統十四年十二月丁未朔癸酉）浙江都指揮僉事王謙，總督官軍備倭。

卷一八六

○（景泰三年正月乙未朔壬寅）分福建備倭軍船五哨：烽火門、小埕澳、南日山、浯嶼、西門澳。

卷二一二

○（景泰四年二月戊子朔）甲辰，倭陷福建清瀾巡檢司城。

卷二二六

○十月甲申朔，丙戌，時四夷貢使多至千人，需索凌奪不可禁，禮部請治其使臣、譯者，不聽。

卷二三四

○（十一月癸丑朔）甲寅，日本入貢。

卷二三五

○（景泰五年八月庚辰朔）乙酉，備倭都指揮使翁紹宗為中軍署都督僉事，巡撫南畿戶部右侍郎李敏為尚書，備倭巡撫如故。

卷二四四

○（景泰六年九月甲寅朔）甲子，福建備倭署都指揮僉事王雄，追賊海中被執，釋歸，降秩立效。

卷二五八

○（十一月癸丑朔）甲寅，日本入貢。

卷二六〇

○（天順五年四月辛未朔）癸酉，海寇掠揭陽等縣。

卷三五

○（成化四年五月庚申朔）己巳，日本國王入貢。

○（六月己丑朔）戊戌，日本國譯使林從傑，以寧波衛人陷倭，乞便道省墓，許之。

卷四○

○（成化二十年十一月甲子朔）日本入貢。

卷四二

○（弘治三年五月壬子朔戊午）定四夷館翻譯考選之法。

卷四三

○（弘治九年閏三月戊申朔）丁巳，日本國王源義高①入貢。

○（八月乙亥朔）庚辰，以日本貢使殺人于濟寧，命自後止許五十人入京。

註：

①「日本國王源義高」，日本室町幕府將軍並無名為「義高」者，如據該國史乘的記載，明孝宗弘治九年（一四九五）當時的幕府將軍是足利義澄（在職期間：一四九四年十二月二十七日至一五○八年四月十六日），故此「義高」應是「義澄」之誤，這年的朝貢正使為釋堯夫壽蓂。

○（正德七年二月丙子朔）癸卯，日本國王源義澄貢馬匹、刀、甲。

卷四八

○（嘉靖二年六月庚子朔）甲寅，日本貢使宗設（謙道）至寧波，尋（鸞岡）瑞佐、宋素卿等亦至。故事：宴貢使敍先後，素卿欲淩之。宗設殺瑞佐，素卿走慈谿，宗設縱掠，殺指揮劉錦、袁璡①，蹂躪寧、紹間，奪海舟出海去。

卷五二

註：

①如據明實錄、明史，日本傳的記載，指揮袁璡未被殺，係被擄至日本。

○（嘉靖四年四月庚寅朔）癸卯，叛人宋素卿論死。

○（六月己丑朔己亥）勅諭日本縛送宗設等，歸所掠漢人，否則絕貢。

卷五三

○（嘉靖六年九月乙亥朔）丙戌，巡按浙江御史楊彝言：「日本例十年一貢，來僅百人，船三艘，不持兵。請檄彼貢如故事，否則拒之。」報可。

〇（嘉靖十年二月丙辰朔戊寅）浙江海道僉事姜儀，破擒海盜，賜金幣。　卷五五

〇（嘉靖十八年閏七月丙申朔癸卯）日本國王源義（晴）復來貢，自嘉靖二年宗設等後不至。　卷五七

〇（嘉靖二十三年八月丁卯朔）戊辰，日本貢期十一①年，先是己亥來貢，今又至，非期，卻之。　卷五八

註：

①「十一」，大明會典、明世宗實錄，卷三三七，嘉靖二十七年六月甲辰朔戊申條，及明史，日本傳俱作「十」。以下同此。

〇（嘉靖二十六年四月壬午朔）己酉，日本使臣（策彥）周良等來貢，凡四百餘人，舟四艘。以非期，發（舟山）外海畧山泊一年，候貢。　卷五九

〇（七月庚戌朔）丁巳，巡撫南贛汀漳提督軍務右副都御史朱紈，改浙江兼福興建寧漳泉海道。

〇（十一月戊寅朔）丁酉，日本國王源義請①遣使（策彥）周良等，以六百人②泊海港待貢，明

年。上以先期，下巡撫朱紈議。

○（嘉靖二十七年四月丙午朔）癸酉，給巡撫浙江兼福建海道右副都御史朱紈符幟。初，漢人豔諸番貨，私與市。嘉靖十七年，閩人金子老爲番舶主，據寧波之雙嶼港。後閩人李□□（光頭），歙人許棟繼起，負金錢多不償；則推豪貴聞于官，逐之。番大恨，出沒島嶼，東難之難自此始。朱紈搗雙嶼，盛兵集港口挑之。夜風雨，賊逸，我火攻破之，擒二酋，餘趨浯嶼，副使柯喬、參將盧鏜又破之，獨許棟逸。紈渡海至港，議留屯，衆難其險絕，築塞而返。歙人王直，收許棟之黨，巢烈港；陳思盻亦聚百舫巢橫港。別部王丹，有舫五十，思盻迎入橫港，夜鴆之，奪其舟。部人不平，潛通于直。而烈港出沒，必經橫港，屢邀刼。直伺思盻生辰方宴，襲殺之，由是海上寇悉受直節制。

○朱紈督分巡副使柯喬出海，搗靈官澳，大破之，擒渠帥三，眞夷六十，漳人大恐，往聚觀，偶語籍籍。紈益排根窮治，豪右惡之于朝。

○（六月甲辰朔）戊申，日本貢使（策彥）周良等六百餘人來求貢，朱紈以聞。許如十一年例，送五十人入京，餘留寧波嘉賓館。先是三月，貢使在館，有蜚書，巡撫欲殺使者，可先發殺巡撫。衆洶洶，朱紈堅臥定海鎭之，頗疑推官張德熹，遂以聞。

徐學謨曰：「紈嚴明介潔，遇事頗刻核，匿名書付之一火而已，何據而疑推官。且當賄賂公行之時，內無應援，未有立功名于外者，況閩人滿朝，豈宜過激，紈之不終也以此。」

○七月甲戌朔，巡撫浙江兼福建海道提督軍務右副都御史朱紈改巡視。監察②御史周亮、□科給事中葉鏜，各言其遙制不便，蓋豪右中之也。

○（十二月壬寅朔）戊午，海盜流刼蘇、松，官軍敗之。

○（嘉靖二十八年四月庚子朔戊申）巡視右副都御史朱紈，敗倭于詔安，巡按監察御史楊九澤上捷違例，謫九澤。

○庚戌，巡視浙江右副都御史朱紈俘海盜九十六人，斬之。巡按監察③御史陳九德劾其專殺。罷紈，命兵科給事中杜汝禎即訊。紈窮治豪右如□□僉事④林希元等，諸貴臣相呴紈不休，卒解任。

○壬戌，福建備倭都指揮俞大猷，以習水改駐欽、廉。

○（七月戊辰朔壬申）緝捕閩、浙通倭豪猾。

徐日久曰：「海上之事初起，內地奸商王直、徐海等，常闌中國財物，與番客市易，皆主餘姚謝氏，久留之。謝氏頗抑勒其直，諸奸索之急，謝氏度負多不能償，則以言恐之曰：『吾將首汝于官。』既恨且懼，乃糾合徒黨，夜刼謝氏，火其宅，殺男女數人，大掠而去。縣官倉皇申報，云倭賊入寇。巡撫朱紈下令捕賊甚急，又令並海居民有素與番人通者，皆得自首及相告言。于是人人洶洶，轉為告引，或誣良善。而諸奸畏官搜捕，亦遂勾引島夷及海中諸盜，所在刼掠，乘汛登岸，動以倭寇為名，其實真倭無幾。承平日久，人不知兵，賊至即鳥獸散，室廬為空。

官兵禦之，望風奔潰。蔓延及閩海、浙、直之間，調兵增餉，海內騷動。朝廷為旰食者六七年，至竭東南之力，僅得勝之，蓋患之從起者微矣。」

註：

①「請」，日本史乘俱作「晴」。

②「六百人」，此六百人與前舉己酉條之「四百餘人」不符。如據日本史乘的記載，「六百人」應為「四百餘人」之誤，以下同此。

③「巡按監察」，明史日本傳作「巡按」。

④「□□僉事」，朱紈甓餘雜集，卷二，嘉靖二十六年十二月二十六日閱視海防事疏作「考察閒住僉事」。

卷六〇

○（嘉靖三十一年正月甲申朔辛丑）海盜蕭顯以二百餘人犯松江吳淞所，泊宋家港。崇明兵屯浦東岸，戰敗，顯遂逼上海東門，僉事董邦政拒之，二月戊午始解去。邦政遣縣丞劉東陽兵追之，敗死；兵備僉事任環再擊卻之。

○（二月癸丑朔壬午）倭突定海關，奪舟，關人擊卻之。王直移金塘之烈港，去定海水程七十里而近，奸徒日附，夷航孔棘。

○（三月癸未朔）己酉，倭九十餘人登松江南門焚掠，千戶童元戰死。

○（壬子）松江各賊期黃浦出海，會大風雨，覆焉。復登岸，分據周浦、下沙、新場、川沙。陳東、蕭顯、徐海分據柘林作犄角，襲南匯所，哨官李府戰死。浹旬，把總婁宇練壯勇伺賊零刼，剿殺之，賊遂畏婁宇兵。

○（四月癸丑朔）丁巳，倭五百餘人步自上海，偪松江東門。癸亥，倭續至八百人。

○丙子，海盜自舟山、象山登陸，流刼台、溫、寧、紹，攻陷城寨，殺掠亡算。先是，海盜番人多，倭少。歙人王直，任俠好施與，跳身販暹羅、日本諸國，從渠帥許棟司出納，漸行貨于倭，引其人至。直又計殺別部陳思盼，自是海盜俱受直節制。凡中國之虣民、罷吏、衣冠亡行生，擅而附之。招徐海、陳東、葉明、辛五郎爲將領，揚言宣力本朝，指所殘破云。某島寇也，以殺思盼功，叩關告捷，求通市，勿許，乃引倭據定海之烈港，並海郡縣交聳。攻仙遊寨，殺百戶秦彪。已，寇溫州，破黃巖。巡按御史林應箕告急，遂議復巡撫都御史，提督浙、福，各設參將領戍。

○（五月壬午朔）倭七百餘人薄松江城，礮中二酋死，土兵斃一酋。賊退入白龍潭寺流刼。時巢柘林，分趨太倉、崑山。

○壬寅，倭陷黃巖，殺署縣知事武暐，七日而遁。

○（六月壬子朔）庚辰，倭陷霏衢城。

○（七月辛巳朔）壬寅，巡撫山東右僉都御史王忬改提督軍務，巡視浙江兼福、興、漳、泉，許便宜從事。并設浙直參將，以瓊崖參軍署都指揮僉事俞大猷爲溫、台、寧、紹參將，中都留守司指揮僉事湯克寬爲福、興、漳、泉參將。

○（八月辛亥朔）丙子，福建參將湯克寬，請募徐邳盜爲兵，許之。

○（九月庚辰朔丙申）柘林倭攻青村所城旬日，千戶陳元恩射死一酋，乃退；仍分駐川沙、柘林。

○（十月庚戌朔）丁巳，倭又攻青村所，指揮徐承宗，千戶葉緒出擊之，中伏，失亡二百人。

○（十一月己卯朔辛丑）總兵湯克寬敗于朱涇。初相持，自卯至酉，克寬以謁直指離所部，遂大潰。

○（十二月己酉朔）癸丑，夜，倭乘雪襲陷青村所。

○（丁丑）上海縣地震，生白毛。高橋鎭民家雞作人言曰：「燒香望和尙，一事兩勾當。」明年，倭禱羊山，登岸刼殺。

○（嘉靖三十二年二月戊申朔）丙寅，倭犯溫州，參將湯克寬擊之，俘斬四十餘人，餘多溺。

○（甲戌）倭泊松江之五團，殺金山衞百戶，遂沿海掠，至杭州。

○（三月丁丑朔）戊寅，倭三十六人登青村所焦墩，百戶王河禦之，鋒未交而潰，河被殺；寇銳甚，莫敢拒。月餘，往金山衞。至乍浦，遇浙兵，擒剿之。

○乙酉，倭二百餘人自金山犯海鹽，去之。

○（閏三月丁未朔丁巳）前福建巡海副使柯喬，坐擅斬海盜削籍。

○甲戌，海盜王直糾倭，連舟百餘，犯浙直濱海郡縣。蕭顯自浙登松江寶山恣掠。

○乙亥，陷昌國衛。五日，參將俞大猷攻走之。尹鳳以閩兵邀于北茭洋，擊斬八百級。

○（四月丙子朔）倭二百餘人焚海鹽南門，知縣莆田鄭茂拒之，五日乃解。

○乙酉，杭州衛指揮陳善道、吳懋宣擊倭于赭山，敗死。又陷昌國衛，殺百戶陳表。觀海衛指揮張羅追之崎頭洋，斬五十級。參將俞大猷搗倭巢于烈港，不利，倭亦尋遁。

○丙戌，浙江舟師破賊于松門港。

○（戊子）倭攻太倉，不克。有失舟倭四十人，突至平湖乍浦所，掠海鹽、海寧，敗官兵，殺把總馬呈圖、指揮宋煉、滿朝，踰旬遁。

○癸巳，倭破上海。初，松江通判劉本學，以五百人戰十九保連賓華橋，大敗，死傷甚眾；上海知縣俞顯卿遁，遂破，掠于市，去而復至。

○丁酉，倭破吳淞南匯所城，分掠江陰。

○庚子，倭掠海州。時乘風揚帆，倏急千里，莫測其向。

○壬寅，倭破臨山衛，乘勝西犯。松陽知縣羅拱辰督民兵禦之，賊浮海走。參將俞大猷邀擊，斬六十九級。

○甲辰，倭破福寧之崇嶼所。
○松江倭出海。
○（五月丙午朔）己酉，倭圍海鹽，不克。
○壬子，松江兵值倭高昌渡，失利。未幾，倭千餘從太平寺入市，市人潰，大掠，趨焚漕艘。
○癸丑，倭復破上海。
○甲寅，又倭百餘人掠海鹽、海寧。
○丁巳，倭復約海口、周浦兩道，寇松江。鎭海衛指揮武尙文，建平縣丞宋鰲調至，戰敗死，邑里爲墟。
○壬戌，倭陷乍浦所，知縣羅拱辰來援。倭流刼奉化、寧海，參將湯克寬追敗之獨山，賊半爇死，餘遁于海。
○壬申，倭復至上海，鎭撫吳賢戰于上海之黃泥浜，自後浦東沿海二百里，新舊倭無虛日。延及蘇州太倉、吳淞千戶所、金山衛。
○辛未，夜，倭復破上海。
○（六月丙子朔庚寅）倭復寇嘉興、海鹽、澉浦、乍浦，又寇蘇州、崑山、太倉、崇明，聚散不常，徧于川陸，而柘林爲巢矣。參將湯克寬，以邳州兵於葉謝港擊斬五十餘級。
○壬寅，倭泊上海北宮，前指揮黎鵬舉，鎭撫胡賢禦之，賢戰死。倭焚縣治。始議築城，設海防道。六合知縣董邦政爲按察僉事，而倭寇吳淞、嘉定、青村、南匯、金山。邦政，信陽人，以廉、勇聞。

○（七月乙巳朔甲子）改王忬提督軍務兼巡撫浙江并福、興、漳、泉，其應天、鳳陽、山東、遼東巡撫都御史，俱兼理海防。松陽知縣羅拱辰、六合知縣董邦政，各添註浙江按察僉事，俱率民兵禦倭。

○（九月甲辰朔辛未）倭百餘人掠華亭，掠金山衛。先是六月，倭東遁，江南稍寧。崇明南沙有流倭三百人，舟壞不能去。總兵官湯克寬，兵備僉事任環列兵守之，久不克，又告警。

○（十月甲戌朔）己卯，總兵官湯克寬，以徐、邳兵擊南沙倭，失利，亡卒四百餘人。

○戊子，湯克寬擊倭于寶山，追敗之，斬七十三級，俘十四人。

○（壬辰）倭三百餘人突犯上海、太倉，至常熟，知縣王鈇禦卻之。

○壬寅，流倭登興化南日舊寨流刼，殺千戶王亘卿。把總指揮張棟以舟師擊之，走獨山，知府董士弘圍而殲之。

○時倭警，真夷十三，我奸民十七。

○（十一月癸卯朔）乙巳，倭復犯上海，至嘉定。

○（十二月癸酉朔）甲申，蠲蘇、松、常、鎭逋賦及改派蠲停各項。

○（嘉靖三十三年正月壬寅朔）己未，海盜蕭顯以七艘二百人突入吳淞所，時崇明兵戰于黃浦，不利，賊薄城，僉事董邦政以神槍禦卻之。二月六日，解圍去。邦政遣縣丞劉東陽兵躡之，潰死。參將盧鏜以二千人追至嘉定境，焚其舟，斬百餘賊。陳義詐降，入上海，跡露被誅，顯乃遁。

○戊辰，倭自太倉潰圍出海，轉掠蘇、松。

○（二月壬申朔丁酉）倭患，械繫應天巡撫彭黯，下南京法司，削籍。黯，時進南京工部尚書。

○（己亥）參將盧鏜敗倭于史家濱，焚其舟無遺。

○（三月辛丑朔）甲辰，南京兵部右侍郎屠大山爲兵部右侍郎兼僉都御史，總理糧儲，提督軍務兼巡撫應天。

○（庚申）蘇松諸倭會黃浦出海。

○（辛酉）南沙倭續至二千餘人，分掠崑山、蘇、松。參將湯克寬戰採陶港，斬百八十級。

○乙丑，大風雷，倭舟多覆海，復登陸南掠上海，百里內俱虛。葉麻屯周浦寺，屢敗官軍，蓋不識地理中伏。其北趨通、泰等州、縣。流掠青、徐，山東大震。倭入如皐之掘港，主簿閻士奇以鄉兵擊于曹家莊，敗之。

○（庚午）都司劉恩星①、指揮張四維，以舟師追倭于三岳山，斬二十級。尋合指揮潘亨追剿，擒三十餘人。倭自赭山渡江至曹娥，涉三江瀝海，直走定海之王家團，復據普陀山，焚刼海鹽、龍王塘、乍浦、長沙灣、嘉興、嘉善。參將盧鏜與把總潘鼎邀擊于石墩洋，斬二百餘級。參將俞大猷剿普陀山倭，半登，賊突戰，失亡三百餘人。海賊蕭顯敗于慈溪①。

○（四月辛未朔乙亥）倭自海鹽趨嘉興，參將盧鏜戰于孟家堰，喪卒千有四百七十五人，指揮李元律，千戶薛綱、宋應灝等死之。乘勝據海寧石墩山，都指揮周應禎擊之，亦敗沒。

○（戊寅）倭陷嘉善，廣西百戶賴榮華死之。

○（辛巳）倭攻嘉興城，兵巡副使陳宗夔禦卻之；分犯平湖、海寧。

○（壬午）倭薄通州城，揚州衛千戶洪岱、文昌齡，泰州所千戶王烈來援通州，至三里橋，敗沒。參將解明道守通州，卻之。有鄉人曹鼎，勇甚，屢殺倭，功第一，竟戰死。倭屯掘港恣掠，守備楊縉先後失利。

○（乙酉）倭夜陷崇明，殺知縣唐一岑。贈光祿寺丞，予祠廕。

○（戊戌）海盜王直巢柘林，連絡二百里，一趨太倉，一趨崑山。

○（五月庚子朔）壬寅，倭自崇明薄蘇州，大掠。

○丁未，倭陷崇德縣，大掠而去。

○丁巳，倭患，南京兵部尚書張經兼右副都御史，總督浙、直、山東、兩廣、福建軍務，便宜從事。

○庚申，倭攻如皋，不克，主簿閻士奇敗之東陳鎮。已，薄城，值潁州兵，擊敗之。

○（辛酉）增泰興把總，防守周家橋。

○甲子，命福建道御史溫景葵，兵部主事張四知，募兵山東禦倭。

○乙丑，議招海盜王直。兵科給事中王國楨言非策。兵部以直本徽人，同徐惟學、李大用入海，已悔之。嘗捕寇自贖，有司不急收之，遂貽大患。臣等欲倣岳飛之收楊么黨黃佐故事，即降直無害。上信國楨言，令張經一意剿賊，彼脅從宥之，戎首不赦。

談遷曰：「招盜，非策也，半東南之盜而盡之，殲于何日？古人宥脅從，誅渠魁，權固有在。王直亡命海中，其機智足用。久困波濤島嶼間，悔罪顧未有路耳。然盜為我用，必我之控縱出尋常籠絡之外，始足以絕其邪心，制其死命。朝廷徒下尺一，付之齷齪庸臣，適開侮弄之資。本兵聶貞襄欲以岳飛之收黃佐望于王直，吾謂先得岳飛其人，不患無黃佐也。」

○（六月庚午朔）甲申，倭轉掠吳江、嘉興，都指揮夏光敗于王江涇，死之。時海盜鄭宗興、何八②、徐銓、方武等分掠閩、粵，尙未破城邑；惟浙、直間杭、嘉、湖、寧、紹、台、溫、蘇、松、常無非賊，而柘林最劇。

○壬辰，改王忬右副都御史，巡撫山西，督理軍務；徐州兵備副使李天寵爲右僉都御史，巡撫浙江及福、興、漳、泉，提督軍務。

○（七月己亥朔）番賊糾倭入寇，廣東官軍擊敗之。

○丙午，倭自蘇州掠嘉善，轉趨松江出海，參將俞大猷敗之吳淞所，斬百十三級，擒七人。

○乙卯，倭遁，出金山洋，指揮任錦邀擊之童礁，斬三十八，擒十三人。

○乙丑，張經徵田州、歸順、南丹、東蘭、那地狼兵五千人禦倭。

○（八月己巳朔）辛巳，已故崇明知縣唐一岑，贈光祿寺丞。岑，廣西人，貢士。

○癸未，柘林倭攻嘉定，募兵參將李逢時、許國，以山東茅兵六千人戰新涇橋，敗之。賊退據羅店鎮，追及之，擒斬八十餘人。

○庚寅，起周琉右僉都御史，總理糧儲，提督軍務兼巡撫應天。

○山東兵追倭至採淘港，乘勝深入，賊僅數舟，蒙絮被，射之不動。忽葦中十六人橫刀躍出，我兵大潰，殺溺千餘人。初，新涇之捷，李逢時功最，許國媿之，乃別從間道進，欲分其功。會大雨，指揮劉勇，千戶孫升、胡應麟，鎮撫李繼孜等先敗沒，諸軍繼之，倉卒不整，遂大敗。

○（九月己亥朔）乙卯，倭七十餘人犯海門，兵備副使張景賢殲之。

○癸亥，倭患，罷浙江貢鮮。

○（十月戊辰朔）壬申，械前應天巡撫兵部右侍郎屠大山，參將許國、李逢時，副總兵官解明道至京，大山削籍，國等論死，以禦倭失事也。

○乙亥，倭犯海門健跳所松門關，薄于靈門，台州知府宋治與把總劉堂，太平知縣方軺擊破之。

○戊寅，海盜犯潮州柘林，指揮黑孟陽以舟師殲之。

○辛巳，改張經右都御史兼兵部右侍郎，專總督軍務討賊，解兵部事。

○（癸未）浙倭續至萬餘人，分掠樂清、黃巖、東陽、永康。
○壬辰，倭三千餘人自金山突掠西海口。
○（十一月戊戌朔）甲寅，倭犯松江青村所，官兵禦之，不克。
○壬戌，柘林倭分掠嘉、湖。
○（甲子）倭二百餘人登海門港，趨台州仙居、新昌、嵊縣，屯于紹興柯橋村，署海道副使陳應魁，參將俞大猷，率會稽典史吳成器擊破之。
○（十二月丁卯朔戊寅）詔前貴州總兵沈希儀，松潘副總兵何卿，各率將屬聽張經剿倭。
○辛巳，浙江領兵僉事羅拱辰，改寧、紹、台兵備，專駐紹興。
○庚寅，倭陷青村所。
○（嘉靖三十四年正月丁酉朔）柘林倭犯乍浦、海寧，攻陷崇德，復攻德清，殺把總梁鶚，指揮周奎、孫智，百戶陸陵、周應辰、副理問、陶一貫。
○倭警，南京左府豐潤伯曹松專督孝陵防護；南京中府僉書署都督僉事萬表總兵，提督漕運，鎮淮安。
○（二月丙寅朔）庚辰，工部右侍郎趙文華上備倭七事，首祀海神。
○（辛巳）趙文華至松江，上得勝江祭海文曰：「起東方逋逃，猖狂戕我華人，傷我稼穡。自丑逾寅。今己卯歲，天子震怒，遣祀有勅，有文龍章，有禮秩秩，有鬼有神，神不可測。期祐王師，元功是即，殄彼腥羶，神功有賴，海宇肅清，神德維大。」

張鼎曰：「國家軍興之際，當省事而省官，夫遣一使而郡邑不暇治，顧且力疲于供帳。廩餉不暇給，又且財盡于逢迎。官評顛倒是非，將士莫必其命，此際寧堪再擾也？慎之哉，己辛可鑒也。」

○（癸未）倭百餘人自桐鄉回青村所，把總金漢，千戶陳元恩，斬四十餘級。明日，出南匯所，參將婁宇盡殲之。

○（三月丙申朔壬寅）倭五千餘人登上海，董邦政戰浦東陸氏園，不利。有紅衣賊躍馬舞刀甚銳，防兵陳銳斬之，賊懼退。邦政立拜瑞（？）千戶。

○（甲寅）蘇松兵備僉事任環，督參將解明道等，以舟師敗倭于南沙野茅洪，斬百八級。

○四月乙丑朔戊辰，廣西田州土官婦瓦氏，率土、狼兵應調，至蘇州。瓦氏，岑彭妾也。整暇善兵。總督張經以分屬俞大猷等殺賊。奏聞，詔賞瓦氏及其孫岑、大壽、大祿。

○俞大猷以狼兵擊倭于曹涇，敗績，喪二千餘人。賊初畏狼兵，稍戢，至是復肆掠。

○乙亥，倭登通州餘東場、海門東夾港，流刼狼山、利河、呂四、餘西。

○丙子，江北倭突入通州西門。

○辛巳，巡按浙江監察御史胡宗憲，請移檄日本國詰叛夷，許之。

○癸未，永順宣慰司官舍彭翼南、保靖宣慰使彭藎臣，各兵三千人，致仕宣慰司使彭明輔等兵二千人，俱至松江。

○定破倭賞格。

○柘林賊過金山衛，總兵官俞大猷，遊擊白泫，以田州兵擊之，敗績，賊遂犯浙江。

○（乙酉）倭犯鹽城。

○（戊子）三丈浦倭賊分掠常熟、江陰村鎮，兵備任環以保靖土兵及知縣王鈇，指揮孔燾合破之，斬百五十餘級，賊奔江陰。

○（己丑）倭掠常熟西境。

○辛卯，川沙窪倭出海，官軍燬其巢。遊擊白泫邀于戚家墩，斬三十七級。

○癸巳，淮揚海防參政張景賢，敗倭于狼山。

○柘林新倭攻金山衛，禦卻之。再至，俞大猷擊之，斬三百人。

○（五月甲午朔）柘林倭四千餘人，流掠李塔滙、張莊、小崑山，趨泖湖而北，保靖宣慰使彭藎臣追之，抵蘇州六涇壩，突犯嘉興。總督張經以參將盧鏜往。保靖宣慰使彭藎臣戰石塘灣，敗之。走王江涇，急擊，又大敗之，斬千九百八十餘級；奔溺甚衆。自倭患來，東南戰功爲最。

○戊戌，川沙窪倭賊流刼周浦、泗涇、北簳山，兵備僉事董邦政、游擊周籓追擊，死之。賊屯石塘橋，刼崑山、石浦。

○（甲辰）倭自山東日照流刼東安衛，至淮安、贛榆；又倭突登呂四場，副使李政擊斬四十五級，殲之。

○乙巳，新倭千餘人突犯蘇州青村所，攻城不克，自焚其舟流刧。時新倭大至，南沙、烏口、浪港皆登掠，合犯蘇州婁門。南京都督周予③德來援而敗，鎮撫孫憲臣死之。賊分部，一自齊門歷滸墅，一自胥門木瀆歷橫塘，蔓于常熟、江陰、無錫，出入太湖，無禦者。

○己酉，逮總督浙直軍務右侍郎張經及參將湯克寬，以侍郎趙文華劾其失機玩寇也。初，田州東蘭、南丹、歸順等狼兵六千人至，輕進嗜利，聞倭有財貨，亟欲取之。居民苦倭，朝夕冀倖一戰。文華至嘉興，屢檄經戰，經曰：「賊狡且眾，狼兵勇而易潰，倘失利，遠近駭聽。俟保靖、永順土兵合攻之。」文華言再四，終不聽。文華挾內援，頤指經，經以大臣自重出。文華劾經，謂其才足辦也，特家閩避賊仇，故嚄唶縱賊耳。上問嚴嵩，對具如文華言，并罪克寬。方文華上章時，永順、保靖兵至，即有石塘灣之捷。文華云：「徵兵四集，未有進期。」蓋經秘密，文華、胡宗憲輩輕佻淺，不輕與言耳。今戰勝，嵩言文華、宗憲合謀，督兵擐甲致捷，經聞乃至，殊失實。狼、土④兵服經威名，經被逮，解體，由是倭患日熾，狼、土兵驛騷不堪矣。時日旁若數黑日，光相盪旬日，識者憂在東南大臣，果驗。

○應天巡撫右僉都御史周珫，總督浙、直、福建軍務。

談遷曰：「張經受脤，節制半天下，顧不滅賊朝食，擁兵持重，圖萬全之策，誠不欲浪戰，付國事于一擲也。或言經駐江南，供張僭侈，食器俱白金，非主憂臣辱之念。夫人臣圖事揆策，期于至當，敗固罪也，勝亦罪之，耽耽焉惟中山之篋是徇，安所展其足哉！」

○柘林倭出海遁。

○乙卯，初，倭攻三山所，參將劉朝恩力守，發矢如雨不一中。知其幻，投以犬首，旋射斃其帥，賊遁，趨陸涇壩。蘇松兵備任環，總兵俞大猷等進攻陸涇壩，斬賊二百七十餘級，焚三十餘艘，賊奔潰。

○丁巳，浙江按察使曹邦輔爲右僉都御史，提督軍務，巡撫應天。

○倭自蘇還攻常熟，知縣東陽王鈇拒卻之，移三里橋。邑守制江西左參政錢泮，率民兵同追之上滄港，敗沒。鈇，乙未進士。贈鈇太僕寺少卿，泮，光祿寺卿，各廕錦衣衛百戶，賜祠。泮村居，倭碎其父柩，忿甚，治兵。鈇家京師不能還，留家常熟。

黃魯曾曰：「錢公手刃三賊，與縣令同遇害，公固死于考者也。其如縣令夙以厥考鈇星之夢，自偉其生。適逢卉服之事，乃先擐堅舞利，日耀其勇，不知兵家之要，匪在技藝，故公終為所悞。若守崑山之祝，守嘉定之殷，守太倉之熊，但乘保勿戰而已。公如之，則何以至于巑硃耶。」

嚴訥曰：「王公之生，為正德甲戌四月十四日，蓋父母各夢墜蒼野中，故公命名鈇而號曰蒼野。今即公死考之，豈亦數之前定者與？」

○辛酉，倭六百人刼湖州南潯，至王江涇，總兵俞大猷，參將宋禮夾擊之，賊遁，斬二百五級。

○（癸亥）倭八百餘人自松江趨蘇州，參將周藩，把總婁宇，追至唐行鎮，中伏，藩赴水死，兵民失千計。

○（六月甲子朔）庚午，倭百餘人登上虞爵溪所，突犯會稽蒿埠，奪民居樓房據之，知府劉錫，千戶徐子懿圍之。賊潛逸，邑御史錢鯨値之蟶浦，見殺。自西興流刼杭州，西歷於潛、昌化。

○（甲戌）三丈浦倭出海，總兵官俞大猷擊斬百三十餘級，沉七艘。賊走三板沙。

○徐階上言：「將校主戰而守令主守，將校北輒用軍興法而守令亡恙。及城潰矣，復坐將校死而僅佐降守令，是文武異刑而法不一也。民進止視守令，不視將帥。今兵一而民百，奈何以戰守併責將帥？將校履肝肺以死，文吏待口舌以制，難以責其振矣。守令勤則餉儲具，守令果則哨探嚴，守令警則間不容，守令仁則兵必力，臣以爲重責守令可也。」

○（丙子）倭犯江陰蔡涇閘，分眾犯唐頭，知縣錢錞統狼、民兵逐之，至九里山，敗沒。錞，字鳴叔，顯陵衛人。讀書過目不忘。嘉靖庚戌進士。壬子知江陰。性剛果敢任。時倭亂，亟請繕城。明年癸丑，城成。甲寅四月，倭至，錞以兵逆之斜橋，三戰卻之。倭退屯定山，而歲祲多盜，誅其魁而散其黨。乙卯，柘林倭來，錞拒之，石撞矢盡，繼以瓦石。錞被創猶鬪，賊遂遁。錞意其復至，屯莘墅。果復至，斬九級。久之，殺傷略相當。常熟倭三千人大至，攻城，城守固，賊移營蔡涇，距城九里。錞城上望焚燄，閔之，乃背城決死戰。時狼兵與所募士僅千人，臨敵，狼兵先潰。錞自以所從卒鬪，中伏死，年三十一。事聞，贈光祿寺少卿，廕錦衣百戶，立祠江上。錞無子，弟銖襲秩。初倭至，鄉民奔入城萬計，兵使王崇古不納，錞獨挺身任之，躍馬出戰。

○戊寅，浙江倭還侵吳江，兵備參政任環，總兵官俞大猷，敗之鶯脰湖、平望，斬七十九級，擒五人。

○庚辰，三板倭出洋，任環、俞大猷擊之馬蹟山，斬九十三級，擒五十七人。是日，有流倭舟壞，有五十七人匿嘉定民家，爇而盡之。

○壬午，總督浙直福建右僉都御史周珫，巡撫浙江右僉都御史李天寵，削籍。趙文華劾之，上又聞珫疾甚，天寵嗜酒廢事，故斥。

○南京戶部右侍郎楊宜，改兵部右侍郎兼右僉都御史，總督浙、直、福建軍務；巡按浙江御史胡宗憲爲右僉都御史，巡撫浙江。

○癸未，督察侍郎趙文華，上蘇松失事罪狀，下按臣覈實。

○蔡涇倭至夏港，副使王崇古擊之，走靖江，斬四十餘級，匿民家，殲之。

○辛卯，倭三百餘自南潯突至松江之葉謝，總兵湯克寬，都指揮同知文奎、守備解明道戰浦中，倭死三十餘人。東岸倭渡水來戰，俱溺于浦。

○（七月癸巳朔）戊戌，改湖廣按察副使孫宏軾，起山東按察副使劉燾，並補浙江剿倭。

○乙巳，蕭山蒿埠倭西逃至淳安，財（才）六十七人，官兵急擊之，自濠嶺盤山入歙之黃柏源，吏卒俱潰。過涇縣，知縣丘時庸戰敗。趨南陵，縣丞莫逞又戰敗，遂入縣城。于是建陽衛指揮繆印，當塗縣丞郭映郊，蕪湖縣丞陳一道、太平府知事郭樟，各承檄以兵來援。值南陵東門，射之，賊悉手接其矢，諸軍駭潰，一道獨力戰，死之。

○（戊申）裁金山備倭都司，設參將，蘇松一，常鎮一。

○壬子，增應天兵備副使，駐勾容、溧陽、廣德。

○癸丑，南溼、許浦、白茆港諸倭皆出海，總兵俞大猷敗之茶山、馬蹟山，斬六十七級，擒四十三人。江陰蔡港倭出洋而敗，又大風沉二十餘艘，仍登掠。而倭巢周浦。松江知府方廉，使諜毒其井，賊死千人。

○丙辰，南陵倭至蕪湖，義兵擊之，斬十級，擒二人。趨太平，操江右副都御史史褒善禦之，敗績。東犯江寧鎮，指揮朱襄、蔣陞禦之，襄戰死，失亡三百餘人。賊趨應天大安德門，其酋擁蓋策馬沿外城窺我。會獲其奸諜，趨秣陵關。

○丁巳，逮前浙江巡撫右僉都御史李天寵。

○蘇松兵備參政任環，廕一子衛副千戶。太倉知州熊桴，添註蘇州同知。

○張經、湯克寬逮至，下獄，論死。

○（八月癸亥朔）甲子，整飭蘇松兵備參政任環聞喪，詔奪情剿倭。

○辛未，柘林倭出海，參將盧鏜等追殺六十八人。時賊大疫，總督楊宜，浙江提督胡宗憲，分道設伏，賊迫而遁。遭颶風溺，官兵逐之，復回柘林。尚百九十八艘，欲往川沙。嘉定縣丞張潮，及上海兵殲之柘林。倭焚舟示無去意，僅存十二艘于沙外，于是追及金山海洋，盡犂其舟，脫者定海兵遏之。

○甲戊溧水倭復趨徽州，還至東壩，由溧水而東，爲老人所紿，引至太湖之木瀆鎮，至滸墅。巡撫曹邦輔與副使王崇古，僉政董邦政等，恐其合柘林之寇，乃分地，崇古等爲正兵，知府林懋舉，知縣唐世耀，屯吳林廟爲援；又分奇兵左右哨，度賊走太湖，募水師。賊至吳林廟，斬二十七人，餘走陽山。

張鼎曰：「倭變起而緦緦講海防矣，說者謂防于海，安，防于陸，危。而防海有二：出海會哨，毋使入港，是為禦海洋。沿塘拒守，毋使登陸，是為禦海岸。兩者防漸近，禍漸偪矣。徽人不戒，而令賊蹈瑕以登，陣于原，勢且蹙于城，諜而守，何暇犄而角，我輟其藩，故坐自困也。吳淞扼蘇、松之喉，吳淞而南為川沙，又南為南匯。自南匯而西為青村，又西為柘林，又西為金山，相去各六十里耳。聲援通而首尾應，而金山聯乍浦通于浙。何大壑先生有言曰：『今日之海防，但能復祖宗之舊制，即一言而功過半矣。竊怪高皇帝時，未嘗倭夷犯界也，而何其備周且密若是。豈非聖人至誠，前知百世亡弊者耶？』」

○（壬辰）滸墅倭走陽山，迤至靈岩奪舟，見湖濱水師，未渡，匿橫涇田中。武生張大剛，捫其所殺人肉未寒，曰：「賊必伏。」令眾大呼，賊驚出，悉擒之。大剛手刃數人，被創死。倭初六十七人，自紹興歷浙、直，轉戰千里，至是盡殪。

○（九月癸巳朔乙未）督察侍郎趙文華，大集浙、直兵攻倭陶宅港，華亭，敗績，指揮邵昇、姚泓、千戶劉勳死之。文華恥不與滸墅之捷，欲殲陶宅倭見功，竟喪卒千餘人。

○（戊戌）留蘇、松、常、鎮御史周如斗再歲。

○戊申，倭二百餘人，據舟山之謝浦；又倭數百登海門，刼仙居、黃巖。官軍追之，走奉化及鄞江橋，出四明山，據紹興龕山，胡宗憲率盧鏜處州兵擊斬之。

○（甲寅）右僉都御史史褒善，兵備副使劉燾，各攻陶宅倭，倭迎敵，皆潰，燾與私卒以射免。

○（十月壬戌朔癸亥）陶宅倭走周浦，官兵圍之柘林；倭出海，復還據川沙窪。

○（丙子）趙文華會浙直兵合剿陶宅倭，敗績，總兵俞大猷、劉顯，僉事董邦政、陳于左，總兵盧鏜以浙兵、僧兵陣于南，期明日卯刻並進。兩總兵藐賊不滿千，計先期進。曹邦輔留青村所，大猷、顯率千戶陳元恩等而前，賊未渡。僉事董邦政怒千戶劉良後至，命截其耳。俄頃兵潰，邦政隔河亦遁。大猷獨進，中伏，又大敗，失千人。明日，盧鏜至，賊詭我裝掩殺，又大敗。蓋兩總兵先期違制，乃授計于賊，惜哉。初，文華以滸墅之功，曹邦輔先上捷，恚之，乃委敗邦輔、邦政，劾之，復嗾楊宜排邦政，即訊。

○丁丑，曹邦輔攻周浦倭，敗績，奔溺數百人。

○（壬午）勒總兵何卿、李希儀閒住。卿、希儀將川、廣兵剿倭無功，巡撫直隸御史周如斗劾之。

何喬遠曰：「沈希儀治罙阻之蠻則工，禦江南平地之倭則拙，豈才各有所宜耶，抑所將各有所牽制也。廉頗曰：『我思用趙人。』信矣。」

○庚寅，殺總督浙直兩廣福建右副都御史張經，巡撫浙江右僉都御史李天寵、兵部員外郎楊繼盛。上無意殺繼盛，附諸邊臣論上，遂不免。經嘗有功，天寵亦亡罪，趙文華、胡宗憲搆陷之，天下益惡嚴氏。制敕房辦事工部右侍郎談相，并死西市。張經死時，上方震怒，莫敢言其功，萬曆中其孫懋爵訟冤，復其官，謚襄愍；繼盛隆慶中贈太常寺少卿，謚忠愍。

林烴曰：「昔林文恪先生言：『嚴、趙用事時，苟非其黨也，其或以修或不修擠之者，可勝道哉。張司馬負其才，汲汲然自躍大治，必為鏌鋣，亡身之日，雖有智勇，將焉所效？』嗚呼！哲哉先生之言也，自古權臣在內，大將未有能成功于外者。張司馬受大廷之薦，急于建功，固與全軀保妻子之臣談不同日矣，然皮之不存，毛將安傅？惜其不講遠害之術也。予過檇李，問司馬陳兵故壘，尚為感愴不能去云。」

吳瑞登曰：「張經何嘗玩寇殃民？李天寵亦何嘗失律喪師？當刑者百人，而所決九人，三良與焉，豈非天下人心之所共憤乎？」

張鼒曰：「故老傳張尚書督兵海上，不肯出一兵擊賊，時方太守廉製米糕分給官兵，呈樣督府，文武官列帳下，尚書別無指蹤，第云好糕好糕而已，此其文致太過。予考福州志，載少司空新城方公嘗言：『吾守松江，張總制所不禮也，然其用兵，御將帥，備要害，實所長云。』王江涇之捷，或以為胡宗憲，然星馳入蘇州，分遣諸將，卒用所調永、保諸狼、土兵犄角而麼之，斬首幾及二千，伊誰力也？果若趙文華徼倖一搗巢，以新集之兵嘗試，東南事堪再誤哉！文華貪黷，固不足論。或云：『胡少保時為御史，附文華而傾李天寵，蹊田奪牛，即他日殲徐海，擒王直，功固不可泯滅，而竟以糜軍興金錢，論死詔獄，夫報復各有數也。』」

○辛卯，倭二百餘人登樂清，流刼瑞安、平陽，守備都指揮劉隆戰死。掠黃巖、仙居，至楓樹嶺、慈谿。領兵主簿畢清，義士杜文明見殺。歷餘姚、上虞，渡曹娥江，犯會稽。

○胡宗憲遣游擊將軍曹克新，副使任環搗川沙倭巢，敗之，餘黨走清水窪。

○（十一月壬辰朔）提督操江右僉都御史史褒善為南京大理寺卿，給事中楊巍言其脫倭寇，得美遷，遂還原任。

○乙未，倭二百人犯莆田鎮海、鎮東等衛，千戶戴洪、高懷德、張鑾並戰死。

○辛丑，倭二千餘人登川沙匯，合舊倭流刦。

○壬寅，許江南暫用客兵。

○乙巳，減兩浙鹽課。

○壬子，倭登海鹽秦駐山肆掠，指揮使徐行健等殲之。

○戊午，倭犯平陽，殺指揮祁嵩，百戶劉愍。又倭犯舟山，追屯謝浦，參將盧鏜禦之，不克，指揮閔溶死之。

○（庚申）倭犯興化平海衛，正千戶丘珍，副千戶楊一茂戰死。已，犯福清泉州衛，指揮童乾⑤

直搗其壘，斬十餘賊而死。

○閏十一月壬戌朔，癸亥，按察僉事焦希程，以川兵趨周浦，戒懼而攻之，賊走川沙窪，游擊曹克新邀斬百三十餘人。四川、山東兵連擊之，賊出海。副總兵俞大猷，兵備副使王崇古，追斬百七十餘級，擒四十七人，餘賊奔上海浦東。

○癸酉，川兵游擊曹克新，追倭嘉定之高橋，斬三十八級。俄西陽兵先潰，諸軍遂敗。越二日再戰，斬七十餘級。酉陽兵又自潰，賊乘之，我大敗，千戶李燦，百戶郭彥昇死之，官軍奪氣。時客兵恣睢，督撫不能馭，每戰自為進退。兵既敗，即大譟奪舟，徑歸蘇州。

○（壬午）倭自會稽東關走龕山，典史吳成器等殲之，斬百二十餘級。又，象山倭過四明山，攻上虞蕭山，壁于錢清。巡撫胡宗憲，督兵備副使許東望等，統麻陽土兵擊斬五百餘級，盡擒之。餘孽自諸暨出東陽、臨海，至太平蒲岐巡檢司，得舟而遁。

○（十二月辛卯朔）己亥，敍禦倭功罪，逮應天巡撫右僉都御史曹邦輔，以趙文華忌之，并及僉事董邦政，把總婁宇，盡沒滸墅之功。

張鼐曰：「當時論東南討賊功為第一，捷書奏不及楊宜，而趙文華又恚己不與，遂嗾宜論公，并婁參將，董僉事，廷議勿是也。後以夾剿陶宅兵潰，劾公不協力。明年，竟誣奏逮戍，一時嗟歎。所謂功罪顛置，憂寧獨在倭哉！」

○己酉，酉陽兵赴浙、直，道刼，九江鎮撫典禮阻之，被殺。

○甲寅，台州倭走嵊縣，容美兵復敗之。

○（嘉靖三十五年正月辛酉朔）倭自福寧向溫州，同知福安黃釧戰于水北洲，中伏，軍潰。同官欲遁，釧怒曰：「吾黨寧効卒伍耶？」竟死之。贈右參議，廕子，立祠。

○癸亥，福建倭入浙江，合錢塘倭，前留守王倫，容美土司田九霄等，扼之曹娥江，不克渡，走三江民舍，連斬二百級，追滅之黃家山。

○壬午，陳東巢新場，殺參將尙允紹于呂四場，喪四百餘人。

○（己丑）總督浙直侍郎楊宜乞調邊兵、河南兵剿倭。部覆：「選練鄕兵，止調河南。」

○新場倭趨紹興，巡撫胡宗憲馳救，値之江橋，夾河而軍。宗憲望見曰：「是賊弱，吾且試之。」馬上揮幟，賊聚視。宗憲笑曰：「易與耳。」渡河襲之。賊走後梅民家，火攻之幾盡。

○（二月庚寅朔）己亥，罷總督浙直福建兵部右侍郎楊宜。御使邵惟中論其闇淺，非應變才。宜懲張經之敗，曲事趙文華。趙文華正月入朝，薦胡宗憲代宜。會惟中疏上，特罷之。

○壬寅，南京戶部右侍郎王誥爲兵部左侍郎兼右僉都御史，總督浙、直、福建軍務。

○（戊午）罷王誥，進胡宗憲兵部左侍郎兼左僉都御史，總督浙、直、福建軍務；湖廣按察使張景賢爲右僉都御使，巡撫應天。

○徐海復巢柘林，陳東自新場合之。

○三月庚申朔壬戌，故陣亡參將尙允紹，贈都督僉事，廕千戶。

○丙子，命俞大猷充總兵官，鎭守浙、直，盧鏜充副總兵，協守。
○復副總兵董邦政原職，蘇松海防僉事；錄□□教授韓宗福，通判羅拱辰等。
○辛巳，禮部覆宣諭日本，寢之。先是，巡撫胡宗憲募鄞縣諸生蔣洲、陳可願充市舶司官，往招日本。可願至五島，值毛烈及夷商松柴門、善妙等七百餘人，言國亂，王與相皆死，諸島不相攝，須徧諭之。乘舟進馬墓港自言，直抵倭，遍諭豐前、馬肥、前平、飛蘭諸島，悉已禁掠。然其詞無稽，不足憑也。
○（丙戌）倭大至乍浦，流刼松江、嘉興，據蔡廟堡。
○參政任環，參將喬基等擊賊蔡廟堡，七遇，皆敗之。而新倭自南匯登犯，任環及參將婁宇，把總王應祥遞敗之，董邦政又敗之。賊入吳淞江，俞大猷設伏海口，斬三百五十級，沉十三艘。
○（四月己丑朔甲午）陳可願還國，言王直、毛烈及薩摩洲倭乞通貢互市，得殺賊自効，遂留蔣洲傳諭諸島。胡宗憲以聞。禮部覆令宗憲等檄王直等，俾剿舟山賊，果爾，許之。
○（丁酉）逮四川游擊將軍曹克新下法司，以川兵敗後逃盡故也。
○己亥，倭二十餘艘登觀海衛，攻陷慈谿，殺邑人副使王鎔，知府錢渙等，知縣柳東伯遁。
○（辛丑）新倭三千餘人犯鎭江、瓜洲、儀真，焚漕粟三萬四千餘石。攻揚州，殺同知朱裒，都指揮張恆，千戶羅天爵、曾沂，鹽賈善射者卻之。而徐海、陳東各擁萬人，佯攻乍浦。時川、湖諸兵俱罷，獨容美、河朔兵五千人在，巡撫阮鶚夜半趨乍浦，胡宗憲屯塘棲，相犄角。

○（癸卯）倭攻江陰幾殆，主簿曲阜曹廷慧以火器卻之。

○甲辰，江北倭流刼圌山，無爲州同知隆德齊恩迎戰，斬百餘級。恩長子尙文、叔仲實，弟寶榮，姪愼、寅、友良、大卿，孫童，俱從軍。次子嵩，年十八，驍勇善戰，獨前進，追至安港，伏發，恩等與其家丁錢鳳等二十一人力戰死之，獨嵩、愼、寅三人得脫。恩祖敏，浦江主簿，死寇難。恩廕入太學，授鴻臚寺鳴贊，進宰河曲，遷今官。賊乘勝至金山，殺鎭江千戶沈宗玉、王世忠于江中。千戶戚繼爵等戍狼山，遇倭死之。揚州衛千戶洪岱、文昌齡帥師至通州，敗沒。

○（丙午）倭復入慈谿。時兩浙俱被倭，而浙東焚掠慈谿⑥獨慘，餘姚次之。浙西柘林、乍浦、烏鎭、皂林間皆爲賊巢，前後至者二萬餘賊。

○庚戌，倭犯直隸西庵沈莊清水窪，總兵官俞大猷，蘇松海防僉事董邦政，擊斬三百五十餘級，賊遁陶山。

○辛亥，賊自乍浦趨杭州，阮鶚以河朔兵及于皂林。賊鼓噪而前，銳甚。皇急入保桐鄉。佐擊將軍宗禮，義官霍貫道，率九百人禦之于崇德三里橋，張左右翼，三戰俱捷，斬三百餘級，賊首徐海等皆辟易，稱爲神兵。會絕嚮導，不得善地，頗饑疲。詰旦，賊輕其孤壘，縱擊我，我戰益力。會火藥絕，橋陷軍潰，禮與貫道及鎭撫侯槐、何衡俱死之。賊乘勝圍桐鄉，不克。鶚蠟書請師五，宗憲不報，自此相隙。禮，大興人，驍勇敢戰，所部皆壯士，用寡敵衆，雖陷敗，兵興以來，血戰第一。徐海等氣奪，未幾，遂就撫。贈禮都督同知，謚忠壯，廕指揮僉事，貫道贈光祿寺丞。

○（丁巳）胡宗憲得詔，移諭日本，知盜權在王直、徐海，可以賂遺設利降也。因使使潛諷直，直遣養子毛烈款定海關謝。直，歙人。少落魄任俠，亡入海，頗尚信，有盜道，夷主亦愛服之。宗直嘗要我防海將討五島，我將饋粟百石。直大詬，投之海。宗憲以鄉人，輦其母爲書招之。宗憲計直與徐海唇齒也，因遣諜說海曰：「直已款關，朝廷赦之矣，汝獨無意乎？且新總督推心置人腹，不乘此時解甲謝過，更復何待？」海遣使宗憲，厚遇之如直。使歸以報海。明日復來，待如初。凡數復而海意始堅。薩摩王弟書記陳東，心疑海有他端。海遣酋私語桐鄉守兵曰：「吾已款督府矣，城東門，陳黨也，其善備之！」是夕，海道崇德而西，陳東攻桐鄉益銳，盛爲樓櫓撞竿，知縣金燕力禦之，撞竿幾壞城。一男子爲綿索，竿至，挽而上，鋸之。又煮鐵汁灌城下，不敢逼，圍解。宗憲說海縛其書記葉麻明⑦，又詐爲葉麻明書與陳東，令舉兵殺海，而悞致之海所。海讀之涕下，謀縛東自効。而阮鶚自圍中急，與宗憲相猜，異論始起。

○（五月戊午朔）敘王江涇功，保靖宣慰使彭藎臣，永順宣慰官舍彭翼南，俱進昭毅將軍，餘有差。

○倭五十餘艘自吳淞所犯上海，圍之，署縣通判劉本學力拒十七日，不克。賊夜梯西南堞，且登。役者楊鈿乘女牆大呼，賊擊之，鈿墜城外壓梯上，賊亦墜。官軍群擊，賊退涉濠。適潮至，溺六十七人，皆刀甲真倭也，賊即南去閔行。

○倭犯瓜州，鹽役百人擊走之。倭夜犯揚州，同知朱裒，高郵衛經歷晏銳，率千戶賈勇子恩出戰，敗死。贈裒左參議，廕子入太學。

○（壬戌）兵部右侍郎沈良才兼右僉都御史，提督浙江軍務禦倭；郎中郭仁，員外郎王遴，從軍贊畫。

○乙丑，太子太保工部尚書趙文華，兼右副都御史，提督浙、直軍務。時沈良才命下，上復諭嚴嵩，令文華以南事對。嵩知詞窮且見譴，令文華自以意請視師。嵩復言良才不任，江南引領徯文華久矣，上乃改文華。文華薦副留守朱仁，守備朱廕，戶部郎中陳惟舉，工部郎中陳茂禮，雷州知府盧孝達，漳州通判黃元恭，俱從軍。

○（庚午）操江（右僉都）都御史史褒善奪俸。

○（甲戌）再調永順、保靖土兵六千人于浙江。

○乙亥，慈谿倭入海，泊魚山，毛烈助官軍追擊之，斬百八十級。

○丁丑，徐海歸我俘二百人，陳東自桐鄉退屯乍浦。閔行倭自斜塘趨蘇州，吳江兵邀之，乃轉掠蘇州西關，焚刼七日解去。

○丙戌，蘇松海防僉事董邦政，降蘇州同知。

○六月戊子朔，操江右僉都御史史褒善，以避賊免官。

○壬辰，倭寇潮州。

○（甲午）上海倭還浦出海，犯浙東，薄仙居。知縣姚本崇，戒戍卒，如賊不犯城去之，鳴鐘三；賊且去，聞鐘聲，疑兵出。遂攻城陷之，屯四十餘日。知府譚綸率兵逐之。

○桐鄉倭由千墩東出朱涇，泊呂港四掠。

○丙申，蘇松倭出黃浦，新安衛百戶帥印擊倭于青村得勝港，死之。倭將入海，我飛艦逐之，無生還者，董邦政擒倭四十餘人。

○（癸卯）倭圍江陰甚亟，人無固志，知縣某惴惴。或勸主簿曹廷慧自爲計，廷慧叱之，手斫家人一耳，又欲刃其子，眾遂定。索薪貫火擲城外，又灌鐵汁，乘風發火藥，倭始退。

○（辛亥）吳淞江賊萬人欲西合徐海，胡宗憲遣諜說海，禦之朱涇，夜遁。俞大猷伏舟師邀之，溺且盡。海懼，以飛魚冠諸寶貨輸宗憲，遣其弟洪入質，我亦厚遺之。海麾下麻葉明數阻海，謂幣重而言甘，勿可聽。宗憲乃遣羅龍文諷海誘縛麻葉明獻幕府，于是海部曲之心益離。

○（七月丁巳朔）錄倭犯兩浙前後官軍死事者，故溫州同知黃釧，贈浙江右參議，海寧衛指揮使徐行健，贈都指揮使，餘各有差，立祠死所祀之。

○（戊寅）胡宗憲以簪珥遺徐海侍女綠珠，令日夜說海，縛陳東以報朝廷。東，蓋薩摩王弟書記，海重王弟，不能也。宗憲出麻葉明囚中，令詐爲書于東，反兵賊殺海，故不遺東，陰泄之海，海且感。而趙文華方治兵擊海，宗憲佯曰：「彼且俘獻陳東，何戰爲？」海果賂王弟，詐請東代掌書記，即俘以獻，于是海勢日孤。又誘乍浦賊出巢，官兵乘之，斬三百餘級。海自念數有功，又信羅龍文誘，約八月二日入謁督府于平湖。海先期以數百人冑而入城，宗憲、文華與阮鶚坐堂上，海等叩罪。海欲再款宗憲而未之識，諜目示之。海復謝宗憲，宗憲下堂摩其首曰：「若既內款，期朝廷且赦若，愼勿再疑。」海既出，知官兵大集二十萬，陰收陳東餘黨。宗憲遣童華往解之曰：「官兵防東黨耳，非有他也。」海請居東沈莊，陳東黨居西沈莊。又令東詐爲書遺其黨曰：「海約官兵夾剿汝矣。」東黨果疑相攻，海降，遣裨將辛五郎歸島。宗憲密令俞大猷等分海道要衝，責盧鏜擒五郎。計誘之金塘之麓，後獻俘。

○（八月丁亥朔辛亥）官軍進攻東沈莊，徐海急，沉河死，斬首千二百級，浙、直寇平。海，故杭之虎跑寺僧，叔碧溪，雄海上，稱天差平海大將軍，其黨陳東輔之。

茅坤曰：「海以一緇衣起島上，五年之間，百戰百勝，朝廷徧徵海內諸名將，與之喋血吳越諸州縣間，未聞有俘其偏卒者。方且擁兵數萬人，分五道入，湛舟以戰，示無復還意。當是時，其氣飄忽奮迅，固已欲吞江南矣，何其猛也。已而困于胡公區區之餌，卒之糾纏狼狽以自剪而死，若封羊豕然，豈非所謂人固屈于慾也乎，善哉！友人唐司諫嘗曰：『始，賊盛兵圍桐鄉時，假令胡公持觖觖，不量彼己而鼓兵以戰，一蹶而僨，東南事去矣。今且堅忍紓徐以收之，兵法曰：『利而誘之，亂而取之，』若胡公者，可謂合兵變者也。』」

馮時可曰：「初作難，發于元罷海漕，青、徐運卒，探知地利，逆節萌起，故禍中遼左、山東。及張士誠、方谷⑦珍分據東南海上，而餘孽竄島中，兩浙、淮揚驛騷矣。嘉靖中葉，患益浸廣，天下傳奉剿寇，鼎沸波蕩，無異故實，以王直、徐海二酋使然。彼皆豪舉，困于州邑之跆藉跅弛（弛），邑鬱無以耗其雄心，獨怪當事者，奈何不令之爪牙邊鄙，而驅之耳目外夷也。宋臣鄭剛中錄諸豪以資捍守，而高帝盡籍海上惡少為伍長。嗟呼！深慮哉！」談遷曰：「倭之患東南，非倭也，東南人自為之也，如王直、徐海，開禍浙、直數年，頭顱枕藉，孫恩、盧循有嘉焉。胡宗憲以戰國捭闔之術，百計而始一中之，魚雖潛不能捨其芳餌，兔雖狡不能出其重羅，非宗憲之智，而徒以兵力相勝，堂堂之陣，正正之師，浙、直其安所抵哉。」

○（十月丙戌朔）辛卯，錄倭寇揚州死事諸臣，故揚州同知朱裒參議，廕子學伊國子生，餘各有差。

○壬辰，浙江布政司經歷吳成器有父喪，胡宗憲言其功，奪情，進紹興府通判。

○慈谿故省祭官杜槐，贈光祿寺丞，廕子入監；父文明，贈府經歷，並立祠。

○庚子，許蘇松兵備參政兼副使任環終喪。

○乙卯，倭陷詔安。

○（十一月丙辰朔）庚午，朝鮮歸倭寇被俘者三十餘人，賜國王李峘金幣。

○錄平海功，進提督尚書趙文華少保，廕錦衣千戶；總督侍郎胡宗憲爲右都御史兼兵部右侍郎；巡撫阮鶚右副都御史，餘陞賞有差。

○初，部議告廟獻俘肆赦，不許，蓋自古謂赦者小人之幸，而君子之不幸也。張孚敬當國，屢以徐學謨曰：「國史以文華素稱小人，又為嵩所薦，其視師貪狠之跡，幾描寫殆盡矣。顧文華以貪狠故，督撫諸臣皆畏之如虎，不敢不効命恐後，始間立戰功。至于僇張經而用胡宗憲，卒收全績，似難掩其詭遇獲禽之功，不可概以平生而盡抹殺之也。」

為言，故上猶憶之。

○（十二月丙戌朔己亥）永順、保靖土兵還，道掠。諭：今後督撫官團練鄉兵，勿得輕調。

○乙巳，夜大雪，總兵俞大猷襲舟山倭，殲之，斬百四十餘級，餘焚溺爲盡。

○（丁未）增狼山、福山舟師萬人。

註：

①「溪」，本書其他各條俱作「谿」。

②「何八」，籌海圖編，卷八，寇踪分合始末圖譜作「何亞八」。

③「予」，明世宗實錄，卷四二二，嘉靖三十四年五月甲午朔乙巳條作「于」。

④「士」，上舉明世宗實錄，同卷同年同月癸丑條作「土」。

⑤「童乾」，上舉明世宗實錄，卷四二八，同年十一月壬申朔庚申條作「童乾震」。

⑥「谿」，明實錄、明史，地理志、日本傳，采九德，倭變事略等俱作「谿」。

⑦「麻葉明」，曾，采九德，倭變事略作「葉麻」，鄭若曾，籌海圖編，卷八，寇踪分合始末圖譜作「葉

明」，明史，卷三二二，日本傳則作麻葉。

⑧「谷」，明史，卷三二二，日本傳作「國」。

卷六二

○（嘉靖三十六年正月乙卯朔）丁卯，巡撫浙江右副都御史阮鶚改巡撫福建，其浙江巡撫事，胡宗憲兼理。

○（甲申）倭數千人登福建之三沙，徧掠海上。至寧德，殺備倭都指揮劉炌等。

○（三月甲寅朔癸未）倭千餘人合三沙倭刼福州洪塘，焚戰船百餘。

○（四月甲申朔甲午）倭七十餘人犯如皋掘港，登岸焚刼，官軍殲之于白蒲鎮。

○（戊戌）倭五十餘人登衢山，浙江海道副使王詢誘縛之。

○庚子，江北倭大至，二千餘人寇通州海門，應天百戶俞憲章死之。

○（壬寅）倭攻通州不克，西犯如皋、泰興。是日，又倭七艘登金沙。

○（己酉）倭突揚州廟灣港，盧鏜追沉其五舟，斬四十餘級。出安東，復依船爲巢。池河守禦劉顯擊破之，斬百餘級，餘黨遁去。

○浙倭犯樂清、瑞安、臨海，台州知府譚綸，同知毛德京，參將戚繼光等禦之，並失利。

○（辛亥）浙江等省仍歲解軍器。

○五月癸丑朔，倭掠揚州，官兵潰。

○（辛未）揚州倭犯天長，都指揮沃田，把總丘君寵禦之，敗沒。入縣城，已，又陷盱眙，突攻泗州，不克。

○壬申，寶應倭泛舟東鄉，自鹽城入廟灣，出海遁。

○（丁丑）泗州倭陷青河，侵淮安。

○辛巳，倭陷安東。

○（六月壬午朔甲午）兵部右侍郎江東兼右僉都御史，提督山西、保定、河間兵剿倭；樓口游擊丘陞，參將徐獄珏，萬全都指揮夏時爲游擊從征。

○辛丑，有折桅倭舟一飄泊海州東陬山，數日，奪舟而去。

○己酉，揚州備倭參將王介，劾兵備副使馬愼貪黷阻撓，奪級；又言奪己所斬賊級爲馬公子功，蓋尙書馬坤子也。愼免官，訊馬公子及介自贖。

○（八月辛巳朔辛丑）工部尙書趙文華免。上急正陽門樓，文華雖慓狡，無應卒才，上不懌。嘗登高西望高甍，問：「誰氏第也？」左右以文華對。「工部木半治其第，何大工爲？」上稍聞其江南黷貨殃民，而難嚴嵩，語大工之緩。文華方疾，上遣內監偵之，則酣倨曰：「吾第飲酒耳，何疾？」于是詔左侍郎雷禮，太監袁亨爲植，仍添註工部右侍郎。吏部推署通政事工部左侍郎盧勳，署尙寶事工部左侍郎嚴世蕃。上用勳，文華隨引疾乞假。命還里，改刑部尙書歐陽必進爲工部尚書。

支大綸曰：「帝之好憎言動，文華所稔知者，乃于止封請告，內豎易與耳。而激其怒，素善詼而泄忿言，皆非常情，將氣盈而不能制耶？」

○九月辛亥朔，前工部尚書趙文華削籍。上悉文華罪，言官噤不敢言。子錦衣千戶懌思請假送親，時聖誕祈典停封，遂晦日上之，謂朔日御覽無害也。上怒，責文華引疾欺君，況賊殺無辜，朕大宥之，而其子故冒吉期，不敬。黜文華，戍懌思，因詰禮科失糾，令對狀。都給事中謝江等，右給事中鄭國賓、給事中周殷大、操守經、陳麟、楊乾亨，並引罪，各廷杖削籍。露其江南不法事示嚴嵩，嵩皇恐自謝。

談遷曰：「小人依憑城社，舞其私智，報睚眥而藉寵靈，不騫不崩，莫之或敗也。趙文華父事嚴氏，廉恥道喪，使與分宜同譴，亦冰山之常。乃嚴氏之焰尚炎，而文華且褫服黔首，等于罪隸矣。忤嚴氏而敗，不過沒齒編氓子，備戈殳之列。今以諂嚴氏得之，君子飭身立名，奈何以朝榮而瘁其根本哉！」

○(丁丑)王直、毛烈、葉宗滿等，同夷商千餘人泊岑港，毛烈自詣軍門乞降、求市。胡宗憲令還俟命。

○(十月庚辰朔)丁亥，起李遂右僉都御史，提督軍務兼巡撫鳳陽。

○(丁酉)兩浙稍寧，汰水陸募兵三萬餘人。

○（十一月庚戌朔）乙卯，總督浙直福建右都御史胡宗憲擒海盜王直。前蔣洲、陳可願說直，直聞母、妻亡恙，留洲爲質，令黨葉宗滿、王汝賢、王激同可願報謝。宗憲待之如故交，時時對將吏曰：「直非寇，計無聊耳，見我必且得釋。」直聞，移泊岑港，請開市。宗憲大集兵伏數匝，而身同激起居，露諸將請戰書于几上。激竊視之。宗憲佯醉，夢中語曰：「吾欲若活，故禁不進兵，而若何愚也。」激漏于直，又使其子澄刺血束直，而令諜說直曰：「若且降，以爲都督，置司海上，通互市。」直亦誓自効，還蔣洲，因請王激攝營兵，乃詣幕府。宗憲遣之，直未至。巡按御史周斯盛罪洲妄，逮之。洲對必風阻耳。已，艤定海，誓衆曰：「宜謹備俞大猷。」宗憲乃調大猷金山，易以總兵盧鏜，鏜故與毛烈善。直求見，蔣洲方下獄，以指揮夏正往。直同宗滿、清溪入見。宗憲慰藉之，下按察司獄，奏僇直等正法，或貸死戍海上，係遠人心，俾經營自贖。巡按浙江御史王本固力以爲不可；江南人多言宗憲入其貨，爲貸死。宗憲懼，追所奏，謂直罪不赦，惟上命。而本固復責宗憲擒王激、謝和。于是詔宗憲剿滅。宗憲會舟師守倭舟。倭怨我，移舟山據之，宗憲乃好言豢盜。

徐學謨曰：「倭人內訌，江南人俱罪王直為之謀主，朝廷亦懸不次之賞，冀以擒直。顧芒（茫）然海島中，何所踪跡？而宗憲以同鄉故，既易于用間，而其才智膽略亦自有大過人者。故卒縛直以報天子，功亦偉矣。而言事者阿新輔臣意，誣宗憲黨直勾倭，必欲殺宗憲以悅其所仇，此天下之大冤，而至今無人白之也。萬曆庚寅間，始稍蒙卹典，然報之亦未盡。古云：『功蓋天下者不賞』，以此。」

○（嘉靖三十七年正月庚戌朔）庚申，倭犯潮州之鮀浦，陷蓬州千戶所。

○（二月己卯朔戊戌）胡宗憲分兵六路進岑港，都指揮戴沖霄爲鋒，殺傷頗多。宗憲戒勿取級，蹂屍而戰，賊大敗，奔舟。已，復登陸死戰，我兵稍卻，賊得入營固守。宗憲檄諸將曰：「賊當解久矣，不解者有狀，度春汛及新寇須來援耳，我疎則彼合矣。」亡何，果有數十舫泊普陀山，王激失風溺死。①

○（三月己酉朔甲子）逮提督福建軍務右副都御史阮鶚入京。鶚，狡誕貪縱，借講學獵名，諂事趙文華、胡宗憲，躐撫閩，不措一籌。極意豐殖，所至帷幬盤盂，俱綺錦金寶，歲時賄嚴氏甚厚。昨倭犯福州、南臺、洪塘，不能兵，則以藩庫金數萬及絹數萬匹、金花千枝、牙輿數乘賂之，并遺以巨舟六艘，俾載而去。御史宋儀望悉發其奸，上始怒。

○丙寅，浙江布政司右參政王詢爲右僉都御史，提督軍務兼巡撫福建。

○（丁丑）毛烈率眾合巢于岑港②，恣掠。

○（四月戊寅朔）辛巳，新倭大至，犯台、溫、樂清、臨海、象山及福、泉、興化，海上同時豩掠。

○癸卯，倭千餘攻惠安，知縣林咸力禦之，五晝夜不克。

○（五月戊申朔）倭焚南安。

○甲寅，福建惠安知縣林咸追倭于縣境之鴨山，乘勝追奔，陷賊伏中，死之。

○甲戌，倭自福清出港，參將尹鳳等邀擊之，斬六十八級，擒七人。又追至外洋，斬百餘級，擒十六人，傷溺甚眾。

○（六月丁丑朔）己卯，故台州知事武暐，贈太僕寺丞，廕子尙賓國子生。暐，溧水人。

○（乙酉）提督福建軍務右副都御史阮鶚削籍。鶚賂嚴嵩，爲請于刑部尙書鄭曉，薄其罪。

○丙戌，倭分掠樂清、永嘉，金盤衛指揮劉茂、朱廷鑰，千戶周賓、李爵、劉源禦之白塘港，敗沒。

○賊大掠臨海，前廣東僉事王德率鄉兵戰龍灣，見殺。贈太僕寺少卿，廕一子百戶。

○丙申，倭分寇興化、漳、泉，陷福清、南安。

○（乙巳）胡宗憲逐普陀山倭，走朱家山，岑港賊亦走。宗憲度其必合沈家門，馳詣定海，令夷僧私招之。兩賊猜疑相擊，我乘之，賊大亂，火其巢，走柯梅嶺。宗憲伏卒山下，挑以小艇。賊逐利悉至，伏發，夾擊殆盡。

○（七月丙午朔丙辰）岑港倭未平，奪總兵官俞大猷，參將戚繼光等職級，刻（剋）期平賊。

○（閏七月丙子朔丁丑）台州知府譚綸爲浙江海道副使。

○（丁酉）增福建參將，領五百人巡海。

○（十月甲辰朔辛亥）南京監察御史李瑚，劾胡宗憲誘王直啓寇；巡按浙江御史王本固，南京給事中劉堯誨，劾宗憲老師濫賞。宗憲疏辨（辯）。上知其功，不問。
○（己未）兵部職方郎中唐順之，往浙江視師，同督撫剿賊。
○（十一月甲戌朔丙戌）浙江柯梅倭出海，總兵俞大猷自沈家門引舟師橫擊之，稍有斬獲。賊遁走南澳東奔，而閩、廣之警日至。
○（十二月癸酉朔庚午）前蘇松兵備參政任環卒。環，字應乾，長治人。嘉靖甲辰進士。令廣平沙河，憂去。補滑縣。辛亥，徵入京。其宗人係藩戚，例授蘇州同知。身逐倭，累功，年四十。已，給事中徐師曾訟其功，世潞州衛左所副千戶，贈光祿寺卿。
馮時可曰：「國家北禦虜，南禦倭，惟兵事為皇皇，故士有談穰苴而得橫拜，然身未有歷于疆場者，有歷疆場而得捷，然身未有親鋒銛者，乃獨厲卒伍，衽金革，以與此夷死生也。寢沙宿淖，沐風櫛雨，裹瘡含血，餘皇九上九下于溟海波濤中，屢瀕危殆，而卒殲巨敵，以舒王愾，其勛庸不十百他人哉！」
張鼐曰：「公戰則死勇，喪則死哀，蓋忠孝其天性哉。乃知大節大功，能垂宇宙者，不虧其性也。夫溫嶠、趙苞之不堪為名臣也，從古恨之矣。」
○（嘉靖三十八年正月癸酉朔）戊子，廣東黃岡倭流刼海陽、饒平、潮陽、惠來。
○（辛丑）故永嘉良醫王沛，起義逐倭，戰死柯梅嶺。贈太僕寺丞，立祠。子叔本，廕入監。
○（二月癸卯朔）庚申，廣東倭流突詔安、漳浦。

○（三月癸酉朔）癸巳，倭犯象山之何家礵、金井等處，樹柵自固。海道副使譚綸計曰：「此嘗我也。」令俞大猷率師後繼，身先馳之。諸將以士疲請休。綸曰：「賊易我，宜出不意進兵。」馬岡賊繼至五百人，移兵先擊之，賊敗走。明日，綸擣何家礵，賊殊死戰；我奇兵間出賊後，破之，斬七十二級。賊攻樂清，圍桃渚，綸追之不及，同軍松門衛。入門，度賊夜至，可悉軍通達備巷戰。丁夜，賊千人襲西門縱火，綸擊斬其酋，乃退。綸尾之，度且出全清閘，鑿二舟塞之。賊至，欲起塞舟。綸偃旗，使斬可成詐爲新城老人，遣賊書輸千金，賊乃不起塞舟。明日，綸出南門力戰，擒斬千人，餘賊遁海去。

○（甲午）胡宗憲劾總兵官俞大猷，參將黎鵬舉擊柯梅倭不力釀害。下大猷、鵬舉于巡按御史，逮入京。柯梅之遁，實宗憲意，閩人謂宗憲嫁禍，故委罪大猷自飾。

○己亥，浙直副總兵署都指揮僉事盧鏜爲署都督僉事總兵官，鎭守浙、直。

○（辛丑）倭掠崇明。

○四月壬寅朔，倭數百艘轉掠揚州。賊初利江南豐厚，獨王直知淮、揚多大賈，始浸尋于江北。每至，屬厭而去。巡撫李遂素有略，閱兵通州，聞之，即赴泰州，以副使劉景韶兵扼如皋。

○（丙午）新倭大至，攻福寧，陷福安。教諭績溪程箕，訓導謝君錫，守西門，死之。其長樂、福清俱患倭，閩、廣被擾。

○蘇松參將劉顯爲副總兵，協守浙、直。

○江北倭知如皋有備，趨通州，副總兵鄧城禦之，敗績，指揮使張谷死之，失四百餘人。倭進據白蒲鎮。李遂曰：「賊過如皋，由黃橋、泰興犯瓜、儀，則阻漕，留都動搖；若驅之海安以北，沿海東出，無能爲矣。」盛集兵泰州，賊乃出富安，遂馳淮安。約諸將搗廟灣賊巢。賊分眾一由西亭，一由白蒲丁堰以牽我。遂曰：「丁堰、西亭二賊，景韶足辦矣，必我也當大敵。」一騎而趨淮安。倭犯丁堰，毛兵敗績，千戶李良、呂忠戰沒。

○辛亥，北洋有倭二十餘艘，副總兵盧鏜巡海，急攻之，斬百二十三級，擒一人，倭入三沙不出。

○壬子，南京兵部右侍郎鄭絅改兵部右侍郎兼右僉都御史，提督兩廣軍務。

○甲寅，新倭自福寧、連江、羅源流刼懷安、閩縣，合攻福州，不克，環而守之。是日，參將黎鵬舉，擊倭海中七星山，斬六十七級，擒六十八人。

○（丁巳）胡宗憲薦唐順之文武才，第權輕不足展布，宜超用。復進通政司通政，協贊浙、直軍務。

○江北倭以海道副使劉景韶連敗之于丁堰、如皋、海安，共斬百餘級。至是，聚眾西犯揚州。景韶率游擊丘陞擊斬八十級，焚百七十九人。賊奔潘家莊，盡銳攻之，斬百二十八級。

○庚申，廟灣倭合攻淮安，巡撫李遂率參將曹克新等禦之姚家蕩，破之，斬四百七十八級。奔姚家莊，火攻之，死二百七十餘人。奔陳家莊，追斬七十四級，餘退保廟灣。

○（丙寅）海道副使劉景韶擊倭于印莊，斬四十五級。次日，戰新洲，斬七十八級。奔河口民家，火攻之，斬二百十六級，殲焉，而江北流倭殄矣。惟廟灣倭固守不出，官兵環攻之。
○丁丑，逮江北副總兵鄧城，參將米仁入京。
○五月壬申朔，江北兵攻廟灣倭，斬四十餘級，我兵死傷相當。巡撫李遂，計斷道圍困之。日久乏食，可全克也。右通政唐順之以謂玩寇，自擐甲、持矛進，大敗。順之自知失計，賊未可即破，乃駕言經略三沙倭，南去。
○戊寅，倭圍福州，匝月始解。
○壬午，倭陷永福。
○癸未，福建浯嶼倭經歲，至是遁，復移南澳屋居。
○（己丑）崇明三沙倭踵至，官軍邀擊之，斬百餘級。
○（甲午）廟灣倭久困不出，副使劉景韶逼壘而陣，載葦焚其舟，倭宵遁。
○丙申，福州倭出梅花洋，參將尹鳳等擊斬百有七級，擒九人。
○己亥，福建出海倭，回泊澳頭。
○有倭二十五艘抵朝鮮，國王李峘遣將殲之，獲漢民掠者三百六人。內嚮導陳得等十六人，尋遣禮曹參判尹毅中賀冬至，併致之。
○（六月丁丑朔）丁巳，倭出梅花洋，參將尹鳳追斬百二十餘級于橫山，擒三十二人。
○（七月庚午朔）丙戌，三沙倭突登海門七里港。

○戊子，給事中羅嘉賓，御史龐尙鵬核浙、直邊費，于是胡宗憲被劾，策勵供職諸將各治罪。

○（甲午）海門倭趨揚州，副使劉景韶，參將丘陞，戰于鄧家莊，斬六十九級。走仲家莊，火攻之，斬二百八十餘級。宵遁。

○戊戌，官兵追倭于鍋團，參將丘陞輕騎先進，賊併戰，陞馬蹶被殺。已，我兵大至，賊走。陞，偏頭關入，山西驍將，江北之捷皆其力。屢勝輕战，諸軍無不惜之。

○（八月庚子朔）己未，江北倭自鄧家莊敗後，沿海覓舟不得，我軍急擊之劉家橋、白駒場，俱捷。會雨，走劉家莊就食，我圍之。胡宗憲遣副總兵劉顯以銳卒千餘人來援。江北兵懼奪其功，李遂檄江北兵盡屬之。顯先登陷堅，斬二百十四級。賊走白駒場，又敗之，斬四百餘級，賊殪盡。

○癸亥，巡撫鳳陽右僉都御史李遂爲南京兵部右侍郎。

○九月己巳朔，閱視浙直軍情右通政唐順之爲右僉都御史，巡撫鳳陽。

○（十月戊戌朔）癸亥，浙江按察副使劉景韶爲浙江按察使，仍防淮、揚。

○（十一月戊辰朔丙申）誅王直于寧波，③宥葉宗滿、王汝賢戍邊。直繫獄二年，嚴嵩入其賂，將議釋。廷議謂：「戎首也，誅之！妻子給功臣家。」

談遷曰：「胡宗憲許王直以不死，其後異論洶洶，遂不敢堅請。假宥王直，便宜制海上，則岑港柯梅之師可無經歲，而閩、廣、江北亦不至頓甲苦戰也。文吏持刀筆輕擬人後，疇能以度外行事，自蹈不測哉。王直以母故就死，無惑乎丘富、趙全輩之怙叛也。」

○（十二月戊戌朔庚申）增金山衛游擊將軍。

註：

①「王激失風溺死」，王激即毛烈、毛海峰，王直義子。如據明世宗實錄的記載，引舟山倭至廣東南澳者為毛海峰，故此言失實。

②「毛烈率眾合巢于岑港」，本月戊戌條既言「王激失風溺死」，在此又言其「率眾合巢于岑港」，前後之言不無矛盾。

③「十一月戊辰朔丙申誅王直于寧波」，采九德，倭變事略，卷四所紀王直伏誅之時間與地點為：「十二月二十五日斬於杭州官巷口。」鄭若曾，籌海圖編，卷八，寇踪分合始末圖譜則紀：「三十八年十二月奉詔斬于浙江省市曹。」故此十一月戊辰朔丙申可能為十二月戊戌朔壬戌之誤。

卷六三

○（嘉靖三十九年二月丁酉朔）庚子，福寧桐山倭自前岐突犯泰順莒岡。

○江北倭未平，設狼山水兵把總、曹沂民兵把總，城海安鎮。

○（癸卯）更定浙東信地，台金嚴兵備道參將一，寧紹兵備道參將一，溫處衢兵備道參將一。

○甲辰，敘擒王直功，胡宗憲太子太保左都御史兼兵部右侍郎，總督如故，廕錦衣衛副千戶。總兵盧鏜、俞大猷，參將戚繼光，都指揮戴沖霄等俱准贖。指揮夏正贈都指揮使，廕正千戶。餘陞賞，有差。

○（己未）倭六千餘人流刼潮州。

○四月丙申朔，巡撫鳳陽右僉都御史唐順之卒。順之，字應德，武進人。己丑禮闈第一，成進士。館選，授兵簿主事。壬辰，改編修。庚子，上書削籍，屏居十餘年，力爲矯抗。晚由嚴氏起兵簿主事，不二年至今官。博學練達，文足名家，所著荊川文集、史纂左編、文編、雜編、左氏始末等書行世。

沈德符曰：「唐荊川之學行，亦可謂通天地人三才矣，海內仰之如麟鳳。晚年一出，大不副人望。其撫淮、揚，正值倭難，積勞中暍，盡瘁軍中，終無尺寸之効，天下有殷浩、房琯之疑焉。至以倖臣趙文華所薦議之，則過矣。」

○（五月丙寅朔甲午）倭巢月港，參將王麟擊之海中，擒其數酋，溺賊三千餘，無遺。

○（嘉靖四十年正月壬戌朔戊子）倭犯寧德，知縣番禺李堯卿，與參將王夢麟插血盟眾，有進逃遁之策者，立斬之。攻三日，城陷，皆死之。

○（四月庚寅朔辛亥）初，賊百餘艘入浙海中，官軍適至馬墓河攻，賊惶遽奔陸。把總章延慶設伏舟山，約水兵合擊，賊大敗。又登刼周洋港，胡宗憲曰：「賊分侵以牽我，而我分擊則墮其計，宜併力合勢，先其重大。」賊軍松門，寧海告急。兵備僉事唐堯佐曰：「賊睥睨台州，先發寧海，直以走我兵耳。」乃留一軍海門，令參將戚繼光居中爲應。兵既出，賊果大至。

○癸丑，賊趨新河，唐堯臣（佐？）破之城下，餘黨夜遁。明日，及之溫陵，又破之。而海賊以繼光來，悉遁去。賊他部復偪台州，繼光自桐岩趨台，遇賊花街，破之。又及于瓜陵，皆自沉死。

○己未，圻頭賊焚舟起，擁眾趨台州．戚繼光馳救。誓師曰：「毋掠輜重，毋尙首功，毋輕殺首功，其以前驅者連逐賊，盡而割賊首，畢以獻。獻五百級，予前驅者千金，七百倍之，千又倍之。破賊後，所獲輜重徧賜軍中。若賊未破而爭取財者，罪死。」又立一白幟，凡脅從者空手伏幟下。

○五月庚申朔，參將戚繼光軍于大田，賊退屯大田東。會雨甚，賊由間道徑往仙居。戚繼光曰：「賊出中渡，至白水洋七十里，我兵由徑路至洋五十里。兵法曰：『先處戰地而待敵者逸。』」策馬行四十里，探賊率眾伏上風嶺。次日，兵出頗早，令人各砍一松，執而坐。賊望見，意爲林木。俟其行半，乃齊呼躍出。賊駭走山上，我兵乘之，賊走墮坑塹者不計。餘奔白水洋，居民火攻之，賊且盡。蓋浙兵自譚綸後，多敢力戰深入之士，故累年無倭跡，或時有候者到而希矣。

○（丙戌）勅兩廣、南贛、福建會討饒平賊張璉。璉，故廣東猾胥，盜帑敗入賊。僞刻飛龍傳國之寶投池中，漁出之，眾驚異。大埔盜蕭晚、林朝美等推璉為長，自號飛龍人主，封晚等為王。據詔安、和平，使晚據木窖，林贊據南靖，呂細斷汀漳道，楊舜、羅袍絕永定連城。王伯宣入倭，導倭犯潮、韶，牽我師，粵東大震。

○（七月己丑朔）辛亥，裁蘇松練兵同知，改海防同知，兼水利。

○（九月戊子朔）張璉破南靖縣。

○（甲辰）進胡宗憲少保，戚繼光都督僉事，義烏知縣趙大河為按察僉事，專練土兵。

○（十月丁巳朔）庚午，起守制浙江按察副使譚綸領浙兵，即湖廣討賊，御史段顧言協計用兵。

○（嘉靖四十一年二月乙卯朔壬戌）倭陷福建永寧衛城，脅指揮王國瑞等降之。

○（乙亥）兩廣總督張臬請剿山賊張璉，以狼兵十萬與福建、江西夾剿，臣駐惠、潮，福建游震得駐漳州，南贛巡撫陸穩駐永定。從之。璉，饒平之烏石村人，毆族長死，亡命入窖賊鄭氏、蕭氏黨。璉與蕭氏分部而強，縱掠汀、漳及寧都、連城、瑞金，陷雲霄、鎮海衛、南靖等城。①

○（五月甲申朔丁亥）上憂南寇，南贛巡撫右副都御史陸穩言：「三月中，署平和縣府知事胡期亨，典史談蘊，領鄉兵敗之城下，擒五人，斬三十二級。」總督兩廣都御史張臬亦報程鄉賊王子雲、陳福保等皆就擒。上大悅，歸感玄恩，論諸臣功，有差。

○（壬辰）廣東盜張璉、蕭晚就擒，斬千二百有奇。

○（丙申）改漳州南路參將為副總兵，以楊縉為之，從胡宗憲請也。

○辛亥，周如斗爲右僉都御史，巡撫應天。

○（六月癸丑朔己未）浙江參將戚繼光以七千餘人援閩。倭屯寧德之桂嶼，環水險隘，官軍踰年不一戰。繼光令人塡束葦而進，遂大破之，俘九十餘人，斬二千六百餘級，焚溺亡算。又敗福清牛田寇，追殲之興化。

○庚午，張璉伏誅。兵部擬獻俘，上命即彼地梟之。

○（十月壬子朔）丙辰，福建新倭大至，分兵犯政和。知縣貴溪周尚友堅守四旬，乏援，城陷，與縣丞徐九經皆死之。俱贈太僕寺丞，各廕監。

○（丁巳）論平張璉功，進兩廣總督張臬右都御史，廕監。平江伯陳王謨太子太保，廕錦衣百戶。南贛提督陸穩進兵部右侍郎兼右僉都御史，餘陞賞，有差。

○丁丑，刑科給事中陳瓚言：「近日壟斷之徒，多慕嶺南饒富，得肆漁獵，雖卑而縣尉，亦不惜重金求之，膏血日殫，故有張璉嘯聚之禍。蘇松諸郡吏，于糧長之設，始立空役而索其財，已代逋負而償其賦。在坊長則有上官過客之費，在庫役則有宴饋衙吏之需。視富室爲仇讎，而誅（銖）求百出。用重罰爲常典，而科取不貲，即吳、粵而天下可知也，乞撫按嚴禁。又，廣、閩之盜，流突江右，有城則可守，無城則受僇，乞撫按修築。」從之。

○廣東官兵追獲巨盜林朝曦等。初，朝曦據巢不下，出攻程鄉，知縣徐甫宰嚴兵待之；又主簿梁維棟說散其黨。朝曦奔陰那山，追獲之，朝寇悉平。

○（十一月辛巳朔）丁亥，逮少保總督浙直江福兵部尚書兼右都御史胡宗憲入京，左副都御史趙炳然爲兵部右侍郎兼右僉都御史，巡撫浙江，罷總督浙直不補，南京戶科給事中陸鳳儀劾宗憲欺橫貪淫十大罪也。

張鼎曰：「浙、直中倭六七年，更總督數人，費金錢動巨萬，迄無成功。公奉命授計遣將，或剿之內地，或徼之海外，倭生還者少矣。其擒徐海，誘王直，功尤奇。論者謂其誘賊用變，反間用諜，厚賊妻子而招其來，餌賊女色而蠱其聽，散賊爪牙以孤其勢。至賊黨內亂，而從中滅之。縱橫顛倒，妙算出奇，東南數百年免倭患，皆其再造力也，抑公可謂社稷臣矣。而以橫賞受乾沒名，下獄仰藥死，悲夫。兵死地，間奇術也，非捐數十萬金，亦安能令人走死地而設奇術必中哉！且功不必為財漏卮，何如成功而享太平，貫朽寧可勝校耶。豪杰舉事，固未可為尋常文墨道也。」

○己酉，仲威營副總兵俞大猷爲總兵官，鎭守福建，仍駐仲威營。改福建總兵官守，聽節制。

○倭陷興化，同知黃岡、奚世亮等死之。世亮，丁未進士。寇圍踰月，分城拒守，城陷猶迎戰，身被數創死。先是十月，浙倭登福寧、連江，陷壽寧、政和、寧德等縣；廣倭登福清、長樂，陷玄鐘②所，延及龍巖、松溪、大田、古田。而浙江參將戚繼光與總兵劉顯，既連敗倭，繼光還浙。值倭自福清之東營澳登岸，斬百八十餘級，遂行。而閩倭日至，攻圍興化且匝月，瞯守者之怠，夜梯而上。參將畢高，參政翁時器縋城宵遁；署印同知奚世亮，知縣周尚文，縣丞徐九經、葉德良見殺。賊據城，至明年二月乃敗。劉顯來援，城已陷。薄城而營，伺賊隙。顯有威名，謂旦夕破賊。既久持，時恨其養寇。後贈世亮福建布政司右參政，尙文、久經、德良太僕寺丞，各廕監。

○倭破興化，乘勝以四千餘人攻仙遊西鄉，叛民附之，環城三匝。知縣陳大有曰：「吾誓與此城存亡，敢遁者斬！」賑貧分伍，戎服宿城樓，間出斫其營。創流星飛鉤之制，而賊之竹牌、雲梯轉爲所詘。賊又造呂公車，遣人瘞礨插樁，或暗洞土穴，車至輒摧敗。賊竭攻技，隨方破之，相持五十餘日。戚繼光兵至擊賊，去之。

○（十二月辛亥朔乙亥）胡宗憲逮至，上曰：「宗憲起御史，皆朕擢用，非嵩黨，三星玄瑞，近上玄秘，皆致一手書。任事數年，不聞指摘。近鄒應龍發嵩奸邪，諸臣復彈罷大臣不已。本兵始議獲王直者五等封官，今罪之，後來誰與我任事？其釋令閒住！」

張鼎曰：「自嵩父子怙權，文華挾寵出督江南師，而賄德章矣。尚書經吝嗇軍興費，受緹騎逮誅；督撫邦輔，以不能讓奇功中白簡戍。至胡少保乃醉酒嫚罵，而揮之四千金，謂不予則無以飽其望而生得失，予之則無名，而己有所不甘也，然而猶之賄矣。其于嵩父子，豢之令為我用，亦賄也。嗟呼！大將立功于外，而借賄賂以結權貴之援，豈正法哉。然而少保功高，亦以橫費不免焉，不賄則身危而功不成，賄則幸成功而受惡名以死，疆場之臣難言哉，蓋千古蹈斯弊也。」

談遷曰：「胡宗憲以倜儻非常之才，仗鉞東南，鯨波就恬。值嚴氏柄國，情好稠密，所謂未有權臣在內而大將能立功于外者。言路深論而九重鑒原，真駕馭英雄之良法也。上輩未嘗過郎署，賢于漢文遠矣。」

註：

①有關張璉之來歷，嘉靖四十年五月庚申朔丙戌之記事，與四十一年二月乙卯朔壬戌之記事有出入。

②「鐘」，明世宗實錄，卷五一五，嘉靖四十一年十一月辛巳朔己酉條；明史，卷二一二，戚繼光傳；卷三二二，日本傳俱作「鍾」。

卷六四

○（嘉靖四十二年正月庚辰朔壬辰）參將戚繼光為副總兵，守福寧。

○廣東倭犯惠、潮二府黃岡、大澳等處。

○（二月庚戌朔乙亥）興化倭結巢崎頭城，泉州衛都指揮歐陽深，晉江諸生薛天申剿之，中伏戰死；倭乘勝陷平海衛。贈天申指揮僉事。

○（丙子）戶、兵部侍郎呂時中、葛縉罷，福建巡撫右僉都御史游震得免，後削籍。

○戊寅，福寧倭陷寧德縣，先後凡四陷矣。

○三月己卯朔，庚辰，譚綸為右僉都御史，巡撫福建。

○丁亥，浙江巡撫趙炳然請練義烏土兵，從之。

○（四月戊申朔）丁卯，副總兵戚繼光，總兵劉顯、俞大猷，攻倭于平海衛，大破之，斬二千二百餘級，傷、溺亡算，自是福州以南諸寇悉平。

○八月丁未朔，丙辰，定操江信地。初，南京兵科給事中范宗吳言：「操江都御史專江防，應天、鳳陽二巡撫專海防。後因倭患，以鎭江而下通常狼福等處亦隸之操江，今宜定圌山三江會口屬操江，其下屬二巡撫。」從之。

○（九月丙子朔）丙申，故海寇漳州洪迪珍降，伏誅。迪珍，王直餘黨也。

○乙巳，總督兩廣福建軍務張臬罷。時和平盜李文彪作亂，給事中陳懋官言其招撫養寇，且閩、廣道遠，不便兼轄，遂以吳桂芳爲兵部右侍郎，提督兩廣軍務兼巡撫廣西。

○十月丙午朔，辛亥，狼山副總兵改鎭守總兵官，兼轄江南北，特命劉顯。

○（嘉靖四十三年三月癸卯朔）甲寅，東莞舟師徐水泰等四百人守柘林澳，五月不餉，以指揮韓朝陽，副總兵俞大猷調之戍潮陽海港也，益怒，執朝陽投海寇合向廣州。事聞，潮州知府何寵千戶于英下臺獄，海道副使方逢時，僉事徐甫宰奪俸。

○廣東官軍擊潮州倭寇，敗之。

○（六月辛未朔丙子）設廣東海防僉事。

○辛卯，廣東總兵官俞大猷，副總兵湯克寬，大破倭于海豐。大猷圍守二月餘，賊欲走，克寬伏兵大埔寨，擒斬千二百餘人。自是餘倭無幾，逃山藪間，漸捕盡。
○（九月庚子朔丙午）浙江守臣言：「嘉靖四十年，倭犯龍泉，故巡簡（檢）黃尙正引鄉兵禦敵，追奔見擒，遣其養子進還約爲內應。及期，官軍不至，尙正密入賊帳，斬三渠首，旋被支解。進，聞變悲號，隨亦遇害。乞加贈廕，以勵方來。」贈太僕寺丞，廕子入監。
○（嘉靖四十四年四月丁卯朔戊子）倭犯溫、台，官軍擊敗之塢口竹嶼，逐之海外。
○（七月乙未朔己未）福建巡撫右僉都御史汪道昆，總兵戚繼光，遣都指揮王如龍攻龍頭寨賊，自四月至是月，克之。乃奏革巡簡（檢）司，立寧祥縣于集賢里。
○（八月乙丑朔辛卯）福建把總朱璣，協總王毫，擊南澳賊吳平于海中，陷沒。
○（嘉靖四十五年正月癸巳朔己未）罷惠潮總兵官俞大猷，蓋討吳平無功，命戚繼光兼領。
○（三月壬辰朔己未）浙江巡撫右都御史劉畿爲兵部右侍郎兼右僉都御史，總督浙、直、江西軍務。
○（四月壬戌朔）參將湯克寬，都指揮傅應嘉窮追吳平寇入安南，大破之。初，提督侍郎吳桂芳，檄安南萬寧宣撫司攻之，我舟師夾擊于萬歲山，擒斬三百九十八人。
○（丁丑）裁廣東潮州兵備僉事，併于海防道。
○（十月戊午朔壬戌）復設廣東總兵官，以湯克寬爲之。

○（隆慶元年三月丙辰朔）丙子，鑄日本等國、雲南各宣慰司金牌信符。

○（七月甲寅朔庚申）散浙江募兵，停徵餉。

○是月，海盜陷碣石衛。

○（十月壬午朔乙未）召福建總兵官戚繼光入朝，協理戎政。

○（隆慶二年正月辛亥朔己巳）裁浙兵八千人，省紹興兵備官，歸其事海道副使。

○（五月庚戌朔）辛酉，故廣東按察僉事王德殉倭，廕溫州衛百戶，至是改錦衣衛。

○（六月己卯朔丁未）海盜曾一本寇廣州，殺聽調知縣劉師顏。總督張瀚問計于總兵俞大猷，答曰：「賊所畏閩船、閩兵，宜造舟募兵于閩。」瀚遲之。大猶作拙速解曰：「孫子有言：『吾聞兵于拙速，未聞巧久。』夫此春秋戰國紛爭互併之術，今天下一家，賊子弄兵，命將征討，堂堂正正，十圍五攻，剪絕枝根而後已。苟圖欲速，不顧大計，是倖功也。夫速而徒拙，何取于速，久而能巧，何嫌于久？愚謂今日截殺鵰剿，戰國用兵之師也，速不嫌拙，大舉征剿，戰國用兵之師也，巧不嫌遲。」瀚不能用。

卷六六

○（隆慶三年八月壬寅朔癸丑）敘平曾一本功，進總督劉燾左都御史，巡撫福建涂①澤民，巡撫廣東熊桴並右副都御史，進廣西總兵都督同知俞大猷右都督，福建、廣東總兵都督僉事李錫、郭成並署都督同知，餘陞廕，賜金幣，蓋閩、廣夾攻賊于柘林澳，敗之，走馬耳澳，又敗之，擒一本，斬三千餘級，焚溺三萬人。桴卒軍中，贈兵部左侍郎。

林之盛曰：「熊公在嶺南，其平盜之勛，庶幾韓襄毅矣。然當時之推轂者，江陵也。江陵雖攬權，然識人才，臣畢展其用，熊公之奏績也有以哉！」

○（十月辛丑朔）甲子，故巡撫廣東右副都御史熊桴，敘功贈兵部左侍郎，予祭葬。②

○（十二月己亥朔）辛酉，琉球王尚元歸日本所掠華人。賜金幣。

○（隆慶四年正月己巳朔戊戌）倭陷廣海衛。

○九月丙寅朔，丁卯，復浙江總兵官劉顯署都督僉事。

註：

①「涂」，明史，卷三二二，日本傳作「塗」。

②此則文字與隆慶三年八月壬寅朔癸丑條重複。

○（隆慶五年五月壬戌朔）起汪道昆右副都御史，巡撫湖廣兼贊理軍務。

○（九月庚申朔）辛巳，東莞陳建著皇明通紀，工科給事中李貴和言其傳聞多失真，貽誤將來。命燬之。

○（萬曆二十年五月庚申朔丁卯）朝鮮報倭數百艘犯釜山，勢猭甚。釜山近日本對馬島，通互市，平（豐臣）秀吉遣渠帥（小西）行長、（加藤）清正、僧（景轍）玄蘇、宗逸等襲之；陷慶尙道，渡臨津，掠開城，朝鮮大潰。

○（庚辰）命保定總兵官倪尙忠移天津，領二鎭防倭。

○（七月戊午朔己未）巡撫遼東右副都御史郝杰報倭渡大同江，朝鮮國王李昖走入遼。拒之不仁，納之難處。兵部議令據險要待援，召通國勤王之師。詔從之。昖棄王京走平壤，子臨海君珒、順和君玜被執。倭又發靖康、恭僖二王墓，渡大同而西。昖走義州告急，願內屬。不許。

○庚申，時議經略大臣賫帑撫胡討倭。兵科都給事中許弘綱言其不可：「邊鄙，門庭也，四裔則藩落耳。聞守在四裔，不聞爲四裔守。夫倭未弱于胡也，在胡則欲撫之，在殲之，即立功異域，又臣等所大惑矣。」命下廷議。

○（八月戊子朔壬辰）遼東副總兵祖承訓敗報至，倭入平壤，游擊史儒，把總張國恩、馬世龍等俱傷，官兵失利。

○（甲午）兵部尙書石星，以東西罷于奔命，募人說平（豐臣）秀吉，游客沈惟敬久于燕，從鄰人耳熟倭事，以誑星，充游擊將軍至倭。布衣程鵬舉請發暹羅兵自海道搗其穴，時稱奇策，遣往朝鮮。又，朝議調播州楊應龍兵東救。

于慎行曰：「播夷不奉漢法，阻兵拒命，朝廷遣使即訊，數年不出，此何等情形也，乃欲調其甲士，出入中土，縱使有功，何以善後？至于暹羅小國，僻在海南，日本視之何啻培塿，而欲使擣其國都，是以蟣蠓入鼎也。匪獨如此，縱使播夷恭順，暹羅勝強，亦必不能。何也？由蜀至遼，一經兩海，水土不習，強弱亦異，而暹羅小國，乃在占城之南，琉球之西，且三十餘年不通朝貢，使者佩虎符而往，將安問津？況能發其兵乎。謀國如此，不敗何為？國家福德，天實默祐（佑），非人力也。」

○（丁酉）工部覆薊遼撫按言：「通州、天津二倉積儲數百萬，倭船可達通州，乞修新舊二城。」從之。

○（己亥）朝鮮報燬倭舟百十隻，斬首三百二十級。

○庚子，工部右侍郎宋應昌改兵部右侍郎。

○乙巳，以兵部右侍郎宋應昌爲總督保定薊遼，經略朝鮮。

○（庚戌）鑄經略保定薊遼等處關防。

○兵部主事袁黃、劉黃裳從東征贊畫。

○辛亥，楊克恭獻策召募江南沙船、沙兵。兵部覆：「兵科都給事中許弘綱等言：『添設備倭都督、游擊各一，授克恭署都指揮僉事，充海營中軍官，前往召募。』」

○壬子，許經略宋應昌便宜行事，本部主事袁黃、劉黃裳從行贊畫。發太僕寺金二十萬，治械砲。

○（九月丁巳朔甲子）鑄防海禦倭軍務都督及大同東路管糧同知關防。

○十月丁亥朔，朝鮮陪臣鄭崑貞辭宴，以國王越在草莽，主辱臣死之秋也。禮部請酌給，俾速其歸。許之。

○（辛卯）兵部尙書石星請身討倭，上以運籌，不許。

談遷曰：「甚哉！石司馬之失籌也，島夷螫我屬國，拉焉傾覆。彼告急于我，度不能膜外置之，而急在銀夏，勢不兩顧。且李昖來奔，第擇善地居之，徐觀其會可耳。遼撫郝杰不量見力，亟歸聲援。狡倭數萬眾，如太（泰）山壓卵，而我纔三千人往，委肉虎口，無俟至平壤立糜矣。堂堂天朝，揚威海外，兵少發則不振，多發則不繼，此豈易事，而漫嘗為也。屬國流離，緩之可，急之可，而偏師輕出，亦預其敗。于是移鄉鄰于同室，進介鱗于我仇，運籌之失，始見其端，而猶請纓闕下，浮慕遠略，膠柱鼓瑟之說，不債國何待乎。」

○命參將義烏吳惟忠率南兵三千人，期五日往遼東。遼東兵萬人赴義州，同朝鮮協禦。薊鎮、保定各簡五千人，宣府、大同各八千人，步卒半之，並東征，聽經略調遣。又徵四川劉綎兵。

○辛丑，命沿海防禦，仍聽薊鎮、密雲、永平三道整備，增入勅內。

○己酉，朝鮮報斬倭千二百五十餘級，燬舟百二十艘。

○（十一月丁巳朔）乙亥，鑄管理蘇松常鎮糧儲水利及提督備倭僉書各關防。

○（十二月丁亥朔戊子）經略宋應昌上言：「游擊沈惟敬云：『倭欲歸平壤、王京于天朝，不與朝鮮。』又，義州積粟及遼陽，並可餉軍五萬數月之用。」兵部因令進師。應昌寡方略，其撫山東，行部東萊，徵雞子數萬，謂擲倭舟不耐立。在遼陽，信方士沈君就語，壘幾數丈，登之曰：「三日後天兵十萬滅倭矣。」

○（庚子）兵部購平倭賞格。

○（辛丑）東征兵漸集，兵部罷播州兵不發。

○（壬子）大發兵東援朝鮮。經略宋應昌，左都督總兵官李如松，誓師七萬人，渡大同江。李如柏將左軍，張世傑將右軍，楊元將中軍，軍容甚盛。游擊沈惟敬還自倭，請畫江為界，如松止不遣，遂進師。總戎臺謁櫜鞬叩首，出易冠帶，為加禮。如松以提督，又負功，竟鈞禮。

○（萬曆二十一年正月丙辰朔）甲戌，大兵克平壤。李如松兵至肅寧，倭使名迎沈惟敬，實覘我，命縛之。倭猝起格鬪，止擒二人。如松按游擊李寧申令，一軍股栗（慄）。進次平康，箕子所都也。城据山上，旁多林翳可伏，旦薄城下。倭守小西門，我攻城東南。倭發矢石如雨，軍稍卻，如松手斬先退者以徇。募死士援梯鈎，殺數人，不退。倭悉眾來拒，奇兵間道趨小西門，赤幟出堞上，我軍望之益力。吳惟忠中鉛，血殷踵，奮呼督戰。如松馬中砲，易而進，遂破倭，斬渠帥宗暹、平（德川）秀忠①、平（松浦）鎮信等，斬級千五百有奇。是日，大風雨晝冥，浿水為沸。倭北走大同江，先使人斫江冰，溺死無算。追及開城，又斬數百級。已，阻臨津而陣，倭走王京。

談遷曰：「隋、唐傾天下之力以事高麗，始而銳，終而怯，厥功不揚。李將軍慷慨臨戎，平壤之戰，氣吞狡夷，名都立墮。方乘破竹之勢，謂前無堅壘，碧蹄稍拙，而鼓音衰息，議者多為李將軍惜。然始所摧敗，亦足暴于天下，矯矯虎臣，李將軍固一時之雄也。」

○總督薊遼保定右侍郎郝杰協理京營戎政。

○（丁丑）命經略宋應昌督厲將士，亟攻王京，蓋朝鮮所都也。李如松乘勝略地至碧蹄館，距王京三十里，僅領二十②騎前，倭遮之。彛中矢且盡，一酋急搏如松，指揮李昇力救，裨將楊元援之，圍解，退屯開城。

○（二月丙戌朔）甲午，諭浙直福建廣東沿海防倭，陝西道御史毛壽圖言之也。

○癸卯，倭屯王京，經略宋應昌求濟師，兵部議以南兵戍登萊者援之。

○甲寅，勅勞東征將士曰：「爾等不避艱險，先收平壤，再捷開城，朕甚嘉爾等之功。天時漸熱，賊眾尚多，爾等懸軍深入，急難全勝。饑寒暑露，疾病死傷，勢所不免。朕用是痛心，發千五百金犒賞優䘏。」李如松自碧蹄敗後，氣索，經略宋應昌始遣沈惟敬說倭，同游擊周弘謨往。

○諭戶、兵二部：「以經略宋應昌乞餉，爾戶部發銀，或自山東海道召商貴糴，或就近輸運，務使東征四五萬人可飽半年；兵部催新兵接濟，早平大寇。」

○（三月丙辰朔）錄征倭功，賜李如松、楊元、李如梅等金幣。

○丁丑，勅朝鮮國王拓諭降倭軍民。

○（四月乙酉朔戊戌）倭悔禍求貢。兵科給事中張輔之言：「貢可許四，可議七。」給事中許弘綱、侯廷佩，御史宋興祖各言不可信。章下所司。

○六月甲申朔，兵科給事中侯慶遠言：「勤屬國數道之師，以力爭平壤，以權收王京，挈兩都授之，存亡興滅，義聲赫海內矣。全師而歸，所獲實多。」詔漸撤師。經略宋應昌奏：「釜山雖瀕南海，猶朝鮮境，有如倭矙我罷兵。突入再犯，朝鮮不支，前功盡棄。我救朝鮮，非鄉鄰鬪比，朝鮮固則薊、遼無虞，兵宜協守。即議撤，當少需時日，俟倭盡歸。」命量留防戍。

○己亥，東征兵歸，大譁。

○（七月癸丑朔）辛酉，浙江道御史彭應參言：「倭貢不可許。碧蹄敗績，大將僅以身免，倭何震之有？而云乞哀求貢，不過經略久在異域，陰許之耳。」章下所司。

○壬申，倭還朝鮮王子、陪臣，自釜山移西生浦。

○（九月壬子朔）壬戌，倭求封貢。廷議謂：「經略宋應昌不宜許。」應昌上言：「七月本兵石星令許惟敬偵倭，十月回報。本兵因奏屬臣標下惟敬至山海關，言：『（小西）行長欲貢，約斂兵六旬以待命，屆期請行間使。』惟敬復回云：『行長願退平壤，畫大同江爲界。』臣姑然之，令退師，行長未決。我乘其不備克平壤，此初說也。倭屯王京，合兵二十餘萬，官兵不盈四萬，勢不相當。是以暫息，佯許其成，令惟敬開曉利害，遣二使結旗牌監督其歸，遂出王京，故土盡復，此再說也。又，惟敬諭還朝鮮王子、陪臣，即令言歸，而前遣二使謝用梓、徐一貫回云：『釜山見關白③甚恭謹，行長即送王子、陪臣。』七月二十日，餞馬倭離釜山，惟行長暫住西生浦，而謂臣許其貢，非也。」石星亦奏辨（辯）。諭：「朕以大信受降，豈追既往？可傳諭宋應昌嚴備，勸彼歸島，上表稱臣，永爲屬國。仍免入貢，虞內地勾引生釁。」上是之。

○戊辰，兵部尙書石星言：「宋應昌遣使行間，臣實與謀，今科臣張輔之等，疑書揭之異同，按臣周維翰慨事機之已去，尤在封貢之事。倭本難信，雖退還南京，送回王子，跡似效順，然封號不可假。況行長尙在西生浦，關白未具表文，宜勅經略速諭行長，率眾歸巢，毋得留滯。」上是之。

○庚午，兵部職方司主事曾偉芳言：「倭款亦去，不款亦去；款亦來，不款亦來，蓋關白大眾已還，僅遣小西飛④三十餘人至王京乞貢，行長留待，知我兵未撤，不能以一矢相加遺也明甚。欲歸報關白，捲土重來，則風汛不利，正苦冬寒，故曰不款亦去。沈惟敬前在倭營講購，咸安隨陷，晉州垂拔，而欲恃款冀來年不攻，則速之款者速之來耳，故曰款亦來。爲今日計，宜朝鮮自爲守，弔死問孤，練兵積粟，如李昖不任，令退閒，立光海君琿，又不然，令眾建王族。」章下兵部。

○丙子，勅朝鮮國王李昖曰：「爾國雖介海中，傳祚最久。近者倭奴一入，而王城不守，原野暴骨，廟社爲墟。追思喪敗之因，豈盡適然之數？或偷玩細娛，信惑群小，不恤民命，不修軍實，啓侮誨盜，已非一朝，而臣下未有言者。前車既覆，後車可不戒哉？惠徼福于爾祖，及我師戰勝之威，俾王之君臣父子相保，豈不甚幸？第不知王新從播越之餘，歸見黍離之故宮，燒殘之丘隴，與素服郊迎之士眾，噬臍疾首，何以爲心？改弦易轍，何以爲計？朕之視王，雖稱外藩，然朝聘禮文之外，原無煩王一兵一役。今日之事，止以大義發憤，哀存式微，固非王之責德于朕也。大兵且撤，王今自還國而治之，尺寸之土，朕無與焉。其可更以越國救援爲常事，使爾國恃之而不設備，則處堂厝火，行復自及，猝有他變，朕不能爲謀矣。」

葉向高曰：「隋、唐之際，高麗勁矣，觀其勤萬乘，抗前旌，固東夷之雄也。明興，濡沫仰流，皇風淪被，俎豆詩書，為冠帶之國，聲教遠矣。彼威之而不來，此柔之而愈服，雖招攜有經，亦先聖之遺化也。〔李〕成桂初興，逆取順守，引于今茲，藩封勿替，可謂盛矣。而襲休日久，積弱形成。高皇前言：『徵于左券，神聖之所豫謨。』有國家者，曷可少忽乎哉！」

朱國禎曰：「朝鮮強弱馴暴，先後迴異，然不難于事我明而難于事宋；不難于抗隋、唐而難于抗元、宋之奄奄。即停渡海之使，其柰之何。執禮不廢，料女直如指掌。隋兵黷適以自斃。唐兵驕不能恃久，元以蓋天之勢，切近攻之，數十年不能舉，此豈地利人和之足恃？獨有忠臣為之死抗。所謂國于天地，必有與立，蓋以此也。即倭難，有權慄，李元均、元翼等，各自奮立功，慄欲東奔，志在糾合興復。清正、行長終不得肆。若謂非中國救，必折而入于倭，則元與隋、唐，何以退聽至今，其國依然也。」

○（十月辛巳朔）乙酉，劉綎爲備倭副總兵，署都督僉事，暫留朝鮮。

○（十一月辛亥朔己巳）兵部言：「經略宋應昌于十月二十三日遣沈惟敬諭倭，閱月至海上，又閱月方通日本，又月餘而後知表文至否，則歲終事也。提督李如松報倭眾浮海，有行長兵千餘守候小西飛（驒守）回信亦然，則久戍非宜。即將吳維忠、駱尚志等留守南北，盡撤官兵，仍留劉綎，聽擇地駐札（紮）。」兵科給事中吳文梓言：「撤兵是也，爲善後計則否。今日議貢，明日議封，僅能誘之至西生浦，倘乘虛而入，劉綎數千之師，果可禦強倭乎？」命兵部議之。

○（十二月庚戌朔）命經略李如松還朝，改顧養謙經略。談遷曰：「司馬懿攻公孫淵于遼東，道四千里，計往百日，攻百日，還百日，以六十日爲休息，一年可矣。關白之役，得無類之乎？然而還師之遽也，何遽乎？曰碧蹄雖敗，李將軍僅二十騎，略地中伏，得以身免。意外小挫，全師自如，而果李將軍賈余餘勇，鼓行而前，王京且立下，無如李將軍之餒也。倭棄王京，亦奪于平壤之戰，攻難守易，少易其所難，故卷甲去之。非果中沈惟敬之餌也。殆惟敬括舌如波濤，倭亦且前且卻，趦趄進退，未即回巢，其心豈一日忘朝鮮哉。我師四萬人，聚之則強，散之則弱，宜耀武王京之南，少需歲月，彼知國勢內虛，其叛亦速，後嗾再舉，于勢尤難。惜乎撤兵之早，徒恃細人熒亂天討，是以有異日之棼棼也。」

○（甲子）戶科給事中吳應明言：「東征當少增糧餉，不當請還兵。當屯朝鮮之可黍可稻，務爲耕種，留兵協守開城、王京以固其防，不當散守各路諸嶺以分其勢，而胡爲遽議撤乎？撤兵之議起于如松，宜宣慰如松，務拒倭歸巢，仍諭宋應昌移駐王京。」章下兵部。

○丙子，進宋應昌兵部左侍郎，起李汶右侍郎。

○（萬曆二十二年正月庚辰朔）丙申，廣東道御史唐一鵬論李如松貪功、掩敗、釁禍三罪，因及宋應昌。命廷勘。禮科給事中趙完璧言：「倭託貢以覘我，幸皇上格其說，又託封以嘗我。夫倭嗜利，經略惡利之名託爲貢，貢不行又易爲封，名在此而實在彼也。」

○（二月庚戌朔）辛酉，御史黃一龍言：「宋應昌通倭之失，倭不可封而明甚，而應昌、劉黃裳以爲可，彼徇沈惟敬柯斧之謀耶？既格于輿議，不可收拾，莫若委曲通貢，暫救目前。宜處應昌，爲人臣不忠戒。」章下所司。

○戊寅，禮部郎中何喬遠奏：「朝鮮陪臣金晬等泣言倭夷猖獗，李如松勒朝鮮議和，任倭殺僇六萬餘人，倭語悖慢無禮。沈惟敬通倭，不曰和親，輒曰乞降悔罪。漢人許儀被掠，所寄書主事洪啓俊奢併進覽。」章下兵部。

○（三月己卯朔甲申）朝議多斥封貢。兵部尙書石星奏：「封貢，虛事也，休兵，實利也。我疑海外叵測，表文難辨，或疑催促可異，私親可駭。臣以爲料敵貴審，當機貴斷。今貢市嚴絕，則窺竊無繇，禁約若明，則勾引可杜。故必令小西飛（驒守）入京審訂。倭既退，請遣科道勘實予封，否則罷議。若不論倭之退否，先拒絕失事，非臣之所敢知也。」因擬劉綎還遼東，上是之。

○癸巳，初令經略顧養謙送倭使小西飛（驒守）入朝，議覊留之。禮部謂：「會同館非覊所，又不可以屬夷待，宜在廣寧，命兵部擇焉。」

○乙未，禦倭經略兵部右侍郎兼右都御史宋應昌罷。

談遷曰：「宋經略首啟戎行，任過其量，雖斗筲之才，會有天幸。平壤之復，厥功不細。其後小有利鈍，牽于讆說，介使日勤。著作者不必善成，誠哉是言也。彼島夷無遠志，先棄王京，歸我屬國，王師重甲，得以漸解。然春秋不貴要盟，彼委其屣，我拾其遺。堂堂正正之師，救焚拯溺，終償于沈惟敬之封貢，而發蹤指示者誰也？嗟乎！李將軍敢戰，名聞海外，碧蹄後血不試刃，或經略肘掣之耶？」

○（四月己酉朔）丙子，廷議關白封貢。時傳沈惟敬許和親，餘姚人諸龍光，前客李如松所被慢，遂上急變，列如松罪狀并各私札，投御史唐一鵬，內有征倭戚金上如松帖，陳和親甚詳。一鵬以聞。□科給事中喬胤亦言之，故有是命。訊龍光誰使之，不能得，法司擬杖。上怒，械市死。

沈德符曰：「按：古來北虜與中國和親，惟漢、唐有之，未聞島夷敢萌此念。若云日本願獻，則高麗進其國女子，在祖宗朝自有例，似亦可許。至于公主下降，則納幣賜勅，宴使定期，古一一有故事，軍中安能偽飾以欺外夷？況倭奴狡猾為諸夷第一，非沈惟敬輩所能籠絡，造為此說，皆東征失志遊人，流謗都中，而言路一二無識者，遽登之白簡，至紛紛為諸龍光訟冤，辱朝廷而羞士大夫，真可痛恨。于文定與石司馬私恨，遂記之筆塵，失國體矣。蓋朝鮮、日本與國，其婚姻乃恆事，但訛云天朝也。」

談遷曰：「曹操戒安定太守毋丘興曰：『羌胡欲與中國通，自當遣人來，慎勿遣人往。善人難得，必將教羌胡有所請求，欲以自利。』興至，遣校尉范陵至羌中，陵果教羌自請為屬國都尉。狡焉一關白，彼聞我發兵，當遣使自理，曾不一跡。而本兵遣沈惟敬以先之，犯曹孟德所戒。封貢、和親之說，俱惟敬口，善人難得。以一介行李（旅）屬之，使貪使詐，其誤國無疑也。」

○五月戊寅朔，兵部尚書石星彙朝議奏曰：「或降勅付小西飛（驒守），歸諭關白，盡撤釜山兵，以觀誠僞，則有如羅萬化議；或遣使往諭，必如中國約，乃許倭使齎表請封。及守鴨綠以西，盡責督臣，則有如孫鑛議。或封、貢並絕，自修內備，令朝鮮淬礪圖存，而我遙爲聲援，則有如陳有年、趙參魯議。而衆論之所同，則汲汲于選將練兵，儲器待餉，屯田扼險，皆本計也。」上命顧養謙諭倭衆盡歸，表至，即奏請處分。

○癸未，巡撫福建右僉都御史許孚遠遣海商偵倭，云平（豐臣）秀吉拘諸將妻子，遣攻朝鮮，益淫虐，衆心不附。于是孚遠及巡按御史劉芳譽以聞。且曰：「得智勇奇士密往圖之，王開俱起，元兇可擒。又，遼陽、天津不可不慮。」上是之。

○甲申，先是，朝鮮慶尚道防禦使金應瑞，以斬獲倭功馳報劉綎，綎轉上之，石星併請罷封、貢。

○（六月戊申朔）辛未，崇明縣獲倭舟一，倭三十四人。

○（九月丙子朔）論東征功，進經略宋應昌右都御史，李如松太子太保，增祿百石，贊畫劉黃裳，督餉艾維新，各文、武陞賞，有差。

○（甲申）上問兵部尚書石星封、貢、開市三策。星奏：「罷封、貢，獨許開市，未知東南直利害若何，若待其再至，出兵征之。今設寬奠副總兵，增兵萬人，仍行山東、浙、直、福、廣沿海將士，嚴兵訓練。」上然之。

○丁亥，朝鮮王李昖上表，請封關白以保危邦。上諭兵部曰：「倭使求款，國體自尊，宜暫縻之，修備。」

○（十月乙巳朔）庚申，巡撫遼東右僉都御史李化龍，總督經略孫鑛，議制倭二策：曰遣還，曰許市。兵部言：「奉命封、貢俱絕，彼尚未知，久住釜山，名為候我，實則要挾。但三年客居，兵力已倦。兩將相角，間隙易生。必欲保屬國以固藩籬，宜設一憲臣，專理朝鮮兵備，凡兵餉悉如我法。我仍留一將，行月二糧，就彼設處。倭果願封，立限歸巢，然後酌奏。如觀望懷奸，即放還小西飛（驒守）絕之。」因上防禦事宜：一募浙兵，補三千七百人，調薊鎮、保定客兵六千人，撤川兵。詔下所司。

○丁卯，兵部尚書石星請封倭，略曰：倭之陷朝鮮，利用威，及還王京，歸王子、陪臣，則利用信。皇上慨然許封，敷布詔旨。今倭久住釜山，我之不封，既已失信，彼之請封，又復驟疑。故封後而令盡歸，宜無不得。封前而數為責備，似難必行。宜令小西飛（驒守）入京宗封，約而諭行長即退，以待冊使至而返。蓋既封則朝鮮暫安，得自為戰守，若復設難成之約，則禍中朝鮮，全羅必失，遼左亦何以支；又封後或反覆，臣請自蒞之，不濟則治臣罪。上從之，令小西飛（驛守）入京許封，如仍不退則濟師。

○（十一月乙亥朔）己卯，兵部尚書石星言：「既許封關白，宜令游擊姚洪徵小西飛（驛守）至京，寓朝陽門外朱氏莊，沈惟敬館伴。其朝見、冊封、遣使等儀，並如朝鮮、琉球例。大抵封事責臣，館穀、防護責總協李言恭、李汶。又令陳雲鴻同沈嘉旺往釜山，宣諭平（小西）行長速退候封使。」上從之，仍行總督孫鑛飭備，禁阻撓者。小西飛（驛守），行長書記也。⑤

○（十二月甲辰朔）乙卯，趙志皐請上御門見小西飛（驛守），上謂夷情未審，下兵部議，釜山倭退盡始封，仍審小西飛（驛守）于左闕門。

○丙寅，群臣集左闕門，進小西飛（驛守）詰其兵端。云：「日本曾託朝鮮請封，不遂；又殺日本人，故尋兵。今得封即去。其運糧築室，俱候天使，誓無侵叛。」上諭待回島，朝鮮奏封，即遣封。

○從石星之請，命臨淮侯勳衛府都督僉事李宗城，五軍營右副將署都督僉事楊方亨，各賜一品服，往封平（豐臣）秀吉。

註：

①「平（德川）秀忠」，如據日本史乘的記載，德川秀忠（一七五九～一六三二）係日本江戶幕府第二任將軍，他未曾前往朝鮮作戰，自無在戰場被殺之實。

②「二十」，夏燮，明通鑑，卷六九，神宗澂二十年冬十月壬寅條作「千餘騎」。請參看茗上愚公，萬曆三大征考，倭，上。以下同此。

③「釜山見關白」，如據日本史乘的記載，豐臣秀吉發動大軍侵略朝鮮時，他是在設於肥前名護屋（佐賀縣）的大本營指揮作戰，並未前往釜山，故此一記載失實。

④「小西飛」，如據日本史乘的記載，小西飛即內藤忠俊，教名（Christianname）如安，因他又稱小西飛驒守，所以明朝與朝鮮俱簡稱之為小西飛。

⑤「小西飛行長書記也」，如據日本史乘的記載，小西飛驒守係丹波（京都府）城主，非小西行長之書記。

卷七七

○（萬曆二十三年正月甲戌朔）庚辰，禮部尚書范謙請給平（豐臣）秀吉皮弁冠服、紵絲等項及誥勅、印章。時小西飛（驒守）稱日本已無國王，禮部擬封順化王。有旨：「封平（豐臣）秀吉日本國王。」永樂初，賜日本龜紐金印，小西飛（驒守）云失之，乞更給，從之。

○乙西，授日本豐臣（小西）行長、豐臣（宇喜田）秀家、豐臣（？）長盛、豐臣（？）王？盛、（大谷）吉繼、豐臣（德川）家康、豐臣（毛利）輝元、豐臣（？）秀保各都督僉事。日本禪師僧（景轍）玄蘇給衣帽，小西飛（驒守）授都指揮使。

○（二月甲辰朔）丙午，勅「神機三營添注游擊將軍署都指揮僉事沈惟敬，隨正、副使往封，令暫住遼左，待報方行。爾諭行長等，即整備冊使舟楫等項，仍令釜山倭退，朝鮮奏請，冊使乃前。凡約束三事，調停兩國，俱屬爾責。」

○辛亥，詔封日本平（豐臣）秀吉曰：「朕受天明命，覆幬無私，仁育遐荒，有同宇下。惟爾日本，遠隔鯨濤，昔嘗受爵于先朝，中乃自攜于聲教。爾平（豐臣）秀吉能統其眾，慕義承風，始假道于朝鮮，未能具達。繼歸命于闕下，備見真誠。馳信使以上表章，干屬藩爲之代請，恭順如此，朕心嘉之。茲特遣後軍都督府署都指揮僉事李宗城，五軍營右副將署都督僉事楊方亨，封以日本國王，錫以冠服、金印、誥命。凡爾國大小臣民，悉聽教令，共圖綏寧，長爲中國之藩籬，永奠海邦之黎庶，恪遵朕命，克祚天庥。」

于慎行曰：「國家制禦（馭）四夷，自有正體，封貢之典，職在禮官；征討之法，職在樞府。譬如青鳥司春，玄鳥司閉，各有職掌，不可紊也。累朝相沿，著為成法。如西之哈密，南之交阯，北之順義，皆樞府所有事。而封貢題請，則皆屬之禮部，舊牘俱在，可考覽也。遼左䘏師，司馬欲以封貢啗倭，救失補敗，且欲身任其事，以自為功，亦不思職掌沿革，各有司存。而禮部一二正卿，苟欲避謗辭難，為自免之計，亦不言職掌在本部也，乃使兵部題請，成封貢之議。及事敗勢頹，而禮臣無恙焉，其如職掌之紊何。夫兵臣不知責之在人而任之于己，禮臣明知職之在己而委之于人，皆所謂溺其職者也。公卿、臺諫，亦無一人詳考舊牘而知其責之所在者，使兵臣誤而罹于法，禮臣誤而免于罪，近于七聖皆迷之域矣。士大夫高談虛拱，不親世事，其流弊至于此哉！」

○乙卯，先是，總督薊遼孫鑛，巡撫遼東李化龍上言：「倭情未馴，可疑六，可慮五。倭不識漢文，恐互相欺紿，請如禮部議，量封順化王，停冊使。及沈惟敬增募水兵。（加藤）清正素不服關白①，與（小西）行長不相能，宜如魯仲連諭燕將計。」上以已遣封使，毋停。孫鑛傳諭行長，報語支吾，日本國王見都山城，有天祿三年②曆，與小西飛（驒守）言（織田）信長弑王不合。

○（三月甲戌朔）壬寅，許倭使小西飛（驒守）渡江，俟朝鮮奏至，同冊使往。

○（四月癸卯朔）癸亥，冊使李宗城奏：「四月七日渡鴨綠江至義州，遣沈惟敬諭倭釜山。」

○（五月癸酉朔）神機營坐營陳雲鴻，總督孫鑛，遣官駱一龍抵行長營。行長率諸將迎，倭眾回巢大半，僅留如（若？）千人候天使。兵部以聞。乞命楊方亨前駐居昌，李宗城與小西飛（驒守）等前駐南原，示彼大信。從之。

○（六月壬寅朔）丁卯，福建偵倭把總劉可賢，贊畫姚士榮下臺訊，以攜夷僧入，且受貨也。

○（七月壬申朔丁酉）游擊沈惟敬，報倭焚柵渡海。

○庚子，朝鮮以日本謝恩人舟取道對馬島經我，恐復啓釁，願如總督顧養謙所議，貢道仍出寧波。兵部惟徇沈惟敬，不許。

○九月庚午朔，朝鮮國王李昖奏：「長子臨海君珒陷倭久疾，次子光海君琿收集離散，奉旨駐金慶道③，有功宜嗣。」禮部執不可。至是，復以舉國臣民啓狀上，禮科給事中薛三才駁其非制，即世亂先有功，俟其國定議之。報可。

○己亥，冊使李宗城報：「倭先後去，候受封後始盡。」兵部上冊封事宜：「禁冗役，禁訛言，禁妄報，禁啓釁。」報可。

○（萬曆二十四年正月戊辰朔甲申）吏科給事中張正學言：「昨遼撫李化龍云：『清正未行，或報懼誅阻封，或報留迎冊使。』據沈惟敬云：『擇十二月六日隨冊使渡海。』又云：『若風不利，則擇十六日。』語涉支吾，臣俱未信。」兵部言：「冊使並渡海，至日本南溝崖（名護屋）。平稠信④以二百艘先後至釜山相迎。又，關白傳（加藤）清正回巢請貢，李宗城馳報。」從之。

○（二月戊戌朔）己酉，署兵科事刑科左給事中徐成楚言：「聞關白閉塞海口，不通一楫。或謂行長羈留冊使，要求五事。乞勅沿海兵備，一意主戰。」章下兵部。李宗城報倭情無恙，乞護軍餉，且展限。上許之。

○庚申，經略孫鑛，巡撫李化龍奏：「冊使李宗城等入營兩月餘，卒無定說，可疑一。小西飛（驛守）丁寧約束，悉已面承，今沈惟敬先渡海講款，可疑二。朝鮮、日本，向通使命，今必我使臣挈往，可疑三。乞留宗城等駐釜山，毋輕渡海，或耳目非是，即係彼違，非我失信。」章下兵部。

○（四月丁酉朔）乙卯，兵部報：「沈惟敬于二月四日同行長渡海，與冊使不和，移住南柯崖（名護屋）。而沈惟敬營千總謝隆報關白兵二十萬謀入犯，李宗城於四月三日夜離釜山，因議邊備。」又云：「宗城走慶尙，抵王京，惟敬被執。」巡按山東御史李思孝上之。

○乙丑，冊使楊方亨報：「冊使李宗城雖逃，倭情未改。」兵部乞以所封勅印即授方亨。有旨：「逮李宗城，選科臣同楊方亨往封。」

○（五月丁卯朔）己巳，上欲遣科臣往封，閣議改楊方亨、沈惟敬。上諭內閣曰：「南北諸臣詆封事者十七人，今遣科臣，且封且勘也。」

○（庚午）巡按御史曹學程言：「改封使非是。本兵欺矯，必中狡倭計陷我。據李宗城密揭云：『關白執沈惟敬，脅七事，原不爲封。』夫倭狡甚，得封不已，必求貢，必求市，必求婚，必朝鮮納賦，必割地，必席卷朝鮮，東渡以危薊遼，末責趙志皐。」上怒其轉激，遣科〔臣？〕下學程錦衣獄。

○癸酉，戎政右都御史沈思孝請亟修戰守，博採謀畫，科臣不必遣。

○丙子，會議東事，言調兵、集餉不一。沈思孝獨責石星，謂禮部尙書范謙佐之。謙曰：「訛言遠在數千里，公能知其必壞乎？」思孝曰：「冊使潛逃，損威辱國，釀禍已極，尙附和邪臣誤國乎？」謙失色而退。兵部左侍郎李楨彙衆議上之。上諭：「封事成否亡論，止有戰守，薊遼督撫等官可整師守隘，協練朝鮮。其天津、登萊、浙、直、閩、廣各督、撫、將、吏，通飭守禦。又，薊遼總督即檄朝鮮，厚積芻糧待援。」
于慎行曰：「關白封貢之議，一時臺諫部司上疏力諫，月無虛牘，爭之誠是也。然皆揣摩情形，泛論事理。至于日本沿革，絕不考究，有謂祖訓絕其封貢，二百年來不與相通者，覽之為失笑。日本在洪武初年，雖絕其貢，至永樂以來，即以金印、詔書封其國王。每朝易位，輒賜日字勘合若干號，六年一貢⑤，齎勘合而至，人員、貨物皆有定數。嘉靖二十九⑥年入貢以後，始不來耳，奈何謂二百年不許通貢。又，倭中自有國王，州郡官長，類如朝鮮，可考知，亦不問其顛末，而從一二船酋之言，所指地方、官職，皆似洪荒未經締搆者，尤可笑也。四夷封略，在禮部驗封司，大司馬石公徒欲取効目前，不暇深考，竟不知日本為何國，關白為若何人。盈庭之言，皆如嘽囈，何以為國，可仰屋而竊歎者也。」
○辛巳，兵部報：「關白怨（加藤）清正阻封，今盡撤清正等渡海，責（小西）行長、（寺澤）正成治舟，館穀天使，已焚各營。今惟敬住（名）護屋，爲日本要地，則倭情無變。」命補給誥勅、冠服。
○（閏八月乙丑朔）癸酉，朝鮮國王李昖乞官兵暫屯鴨綠江以西爲聲援，上命戶部裕餉。蓋自李宗城逃後，倭情屢變，一兵不撤。或云沈惟敬被縛。總督李化龍日治兵，欲赴同暹羅觀變。而朝鮮苦大兵，冀封事于萬一也。
○（十一月癸巳朔）甲辰，兵部報：「九月朔，關白受封，九日冊使回至南戈崖（名護屋）。

○（萬曆二十五年正月壬辰朔）丙申，楊方亨還釜山。石星奏：「關白平（豐臣）秀吉迎候使臣如禮，其謝表代爲封上，免入京。第日本責望朝鮮，朝鮮咨報謂情形叵測。今平（小西）行長書稱：已與秀吉講明，聽天朝處分。而沈惟敬揭結局無難，則日本調兵渡海之事雖宜防，不必過爲張皇也。今方亨先回，惟敬暫住釜山，調輯兩國，朝鮮禮文當修，而王子必不可遣，餘倭當撤，而王子必不可索。釜山仍朝鮮，對馬島仍日本。」上以釜山餘兵未撤，非約，兩國互疑，爾部檄日本全信，朝鮮修好，餘如議。

○己酉，朝鮮陪臣鄭期遠等奏倭情，賜衣幣。

○辛酉，署兵科事刑科左給事中徐成楚劾本兵石星及沈一貫雷同欺蔽，趙志臯奏辨（辯）。不報。

○（二月壬戌朔）丙寅，朝議倭情。時朝鮮刑曹判書鄭齊遠乞援，遼東副總兵馬棟報倭將清正正月十四日提二百艘泊朝鮮，駐機張營。

○壬申，議援朝鮮，簡宣、大、薊、遼七千人，募浙兵三千七百人，令朝鮮設海司道官。

○乙亥，張位、沈一貫言：「擇要于平壤、開城間建牙立鎭，西連鴨綠、旅順，東援王京、鳥嶺，勢便則輕兵趨利，否則虎踞以臨之。練兵屯田，用漢法以教其人，通商通工以佐其費。」上然之，命兵部傳檄朝鮮。朝鮮虞我吞併，奏曰：「本國形勢，慶尙爲門戶，全羅府藏也，倭必爭，我必守。倭據全羅，便帆一二日抵鴨綠，即開城、平壤不足爲固。日者壬辰，從陸抵平壤，從水犯全羅，繞出西海，以舟師扼閑山島。今倭據慶尙左右，而釜山、西生浦爲巢。對馬、釜山間，海洋數百里爲餉道，若擇慶尙險要，屯兵積餉，庶幾有濟。若屯田則土堉，終不如南方。」議遂寢。

○兵科左給事中徐成楚請亟罷趙志皐、石星，不報。

○丙子，石星請自往朝鮮諭兩國就盟息兵，不許。

○前延綏總兵官署都督同知麻貴仍原官，爲備倭大將軍總兵官。先薊遼總督孫鑛遣葉靖國往探倭將平（加藤）清正，殺（小西）行長而封之。清正不聽。鑛以清正並無求封意奏上，訐石星。刑部尙書蕭大亨欲代石星位，撓其功。張位在閣，又欲樹功表異，于是科道爭劾星等。朝議：易本兵經理朝鮮，命吏部推上。

○丁丑，署兵科事刑科左給事中徐成楚奏：「倭將豐茂等以六十餘艘復入竹島，合西生浦等倭又五百餘艘，絡繹海上。（加藤）清正深入晉州，則朝鮮存亡不可知。奸臣黨蔽，謂兩國爭禮文，誰信之也？」

○（三月辛卯朔）壬寅，張位等言：「吏部會推遼東參政楊鎬右僉都御史，經理朝鮮。」不報。

○（壬寅）朝鮮國王李昖乞援。

○己酉，楊方亨入朝奏：「臣往副使出京，聽正使李宗城行止，臣駐居昌。從沈惟敬屢訪清正前進，云一入釜山，倭即撤還。臣遂至釜山。未幾，宗城亦入，倭情尙恬。去年正月，惟敬忽云預行演禮，同平（小西）行長渡海。嗣聞惟敬往長（南）戈崖（名護屋），行長往見關白，相隔二三月。宗城惑于謝隆，忽潛出。臣即報部，倭情狡詐，請遣臺省或邊道前勘，可封可止。當事以文臣沮封，改臣正使，惟敬副之。初議釜山倭盡去始往封，已奉兵部札，釜山倭戶各安插得宜。又致書行長，令臣或駐對馬島，或駐南戈崖（名護屋），候領補物件。臣六月十一日渡海，塗館私創，供億亦豐。八月四日，至和泉。平（豐臣）秀吉遣勞。閏八月望日，領補諸物至，行長馳奏秀吉。擇九月二日於大坂受封。惟敬先去教禮，封時拜呼萬歲。次日，至臣寓，言謝禮俱被地震損傷。于四日遣別倭將白惟敬責朝鮮禮文，狡夷饕食，其意可見。當事謂行長可恃，苟完目前，復責臣謝表竟封事。臣思今倭果退，即表遲無害。今倭眾仍集，雖表何益。其表文字跡未恭，丙申紀年，不奉正朔。兵部貽臣書云：「日本原未頒曆，與琉球、朝鮮不同。」又貽書臣謂：「皇上喜金珠、天鵝羢。」惟敬因市猩猩氈、天鵝羢以進，冒稱平（豐臣）秀吉。猩氈出南番，秀吉以鋪地；天鵝羢即廣東剪羢。細事欺罔，大事可見。因上石星密札十三，大旨欲苟完封事，毋壞于督撫。」李宗城亦疏咎本兵。石星奏楊方亨反覆附會，亦上其書揭十五紙，多督臣陰事。命朝臣會訊，奪石星職，總督孫鑛除名。

茅瑞徵曰：「惟敬本一亡賴，石司馬誤中其游說，借款息兵，意雖為國，而堅於持議，遂仇通國之言。藉口省餉，盡撤戍兵，欲倚小人舌端成功，難矣。封使久羈，亦稍稍疑，數遣心腹偵探，復飾詞迷愎，自甘欺罔。至欲媚上以珍珠、鵝羢，防東廠官校漏言，此真老而天奪其魄。惟敬小人，何所不至。令早如遼督撫言罷遣，而劉綎、吳惟忠輩防戍不盡撤，亦何至譸張潰裂也。大臣謀國，惟公與虛，難矣哉！」

○己未，兵部左侍郎邢玠爲兵部尙書兼右副都御史，總督薊、遼、保定軍務兼理糧餉，經略禦倭。

○（九月己丑朔）丁酉，起陳璘副總兵，以廣東五千人援朝鮮。

○（十一月戊子朔）壬寅，邢玠以倭駐釜山，請徵兵十萬，歲餉八十萬石，派朝鮮十萬石。部覆，從之。

註：

①「清正素不服關白」，如據日本文獻史料的記載，清正是秀吉的心腹大將，故此段文字似與事實不符。

②「天祿三年」，天祿三年相當於西元九七二年（北宋開寶五年），疑為文祿三年（一五九四）之誤。

③「金慶道」，按：南、北兩韓俱無此行政區域。「金」，疑為「全」之誤。

④「平稠信」，按：日本武將裏並無此人，這可能「平調信」，亦即為「柳川調信」之誤。

⑤「六年一貢」，按大明會典及其他文獻史料的記載，明朝是限日本十年一貢，船不過三，人員不過三百。

⑥「九」，如據中、日兩國史乘的記載，日本在明代至中國的最後一次貢使策彥周良一行，係在世宗嘉靖二十六年至中國定海，因貢未及期，經浙江巡撫朱紈疏請後在舟山外海的嶴山等候貢期，於二

十八年（一五四九）完成任務後東返。

卷七八

○（萬曆二十六年正月丁亥朔）己丑，楊鎬棄師。初，經略邢玠，遣李右諫通倭將（小西）行長，約勿援（加藤）清正，麻貴遣黃應暘賄清正議款，遽引兵進攻山砦。陳寅賈勇先登，垂拔。鎬密令割級，茅國器以李如梅兵未至，不便首功，遂鳴金收兵。詰朝，如梅至，攻之不拔。朝鮮臣李德馨訛報江上倭大至，鎬倉皇夜遁，諸軍遂潰。倭襲南原，棄輜重亡算。行長縱兵逐北，我軍失亡萬計。鎬、貴走星州，撤兵還王京，會邢玠奏蔚山之捷。

○（乙未）經略禦倭兵部尚書邢玠言：「倭據朝鮮之南海，東西亙八九百里，臣等進剿，彼力不能支，必舟師入內地。故吾所必拔，則防不可不慎。今總兵周于德統水師，如倭內入則剿，如仍據朝鮮，聽臣調用為夾攻之舉。山東總兵李成勳宜率舟師汎長山島，以守登萊之門戶，備旅順之應援。保定總兵暫移住天津，以固內地。」章下兵部。

○李如松為征虜前將軍總兵官，鎮守遼東兼備倭總兵官。言官交論，不報。

○（戊戌）朝鮮閑山失利，亟需舟師，閣議募閩海商船資防剿，從之。

○乙卯，濟寧州設備倭游擊。

○（二月丙辰朔）癸酉，設薊鎮東南濱海副總兵一，游擊二，募三千三百餘人。

○戊寅，副（？）總兵都督僉事陳璘爲禦倭總兵官。

○（四月乙卯朔壬戌）副總兵陳璘以廣兵譁于山海關，命副總兵吳廣同璘領之。

○（丁卯）命李如梅自朝鮮還鎭遼東。

○甲戌，李如梅爲征虜將軍，鎭守遼東兼備倭總兵官，董一元爲禦倭總兵官。

○（五月乙酉朔甲午）定吳廣領水師屬劉綎節制，陳璘領水師赴鴨綠江。

○（六月甲寅朔）丁巳，東征贊畫主事丁應泰奏：「經理楊鎬，總兵麻貴，副將李如梅蔚山之敗，失亡無算，既不以聞，而張位、沈一貫密札與鎬，往來欺蔽。張位有禍福利害與君共之語，一貫有以後大疏須先投揭而後上，以便措手。因列鎬罪二十八，可羞十；李如梅可斬六，可罪十。」上怒，下廷議，遂免楊鎬。令邢玠速赴王京視師，留麻貴、李如梅。遣兵科給事中徐觀瀾同丁應泰勘。張位疏辨（辯）。上謂：「楊鎬乃卿密薦，何朋欺僨事耶？」命冠帶閒住，而寬沈一貫。

伍袁萃曰：「新建雅負重望，及拜相，富平黨方熾，公與之相左。富平罷而毀言日起。時聖衷已定，前星將耀，而群小見冊命久稽，妄生揣摩，朝臣多有附和之者。戴給事包藏禍心之劾，焦修撰既謫外而復入大計，皆新建意也。公雖相業未光，而計安宗社一念，則惓惓獨至焉。」

談遷曰：「新建樹名，在其先牴牾江陵也。洎入政府，有志豎立。東征事特任楊鎬，又故新建令也。素不知兵，私以遠馭，與房琯、劉秩何異。又採礦皇店，並片言啟之，志銳而識短。矯語經濟，亦足羞已。竟坐篚簋削籍，本覆餗之凶，兼載鬼之妄，任事者愼之哉。」

○戊辰，兵科給事中姚文蔚言：「石星、沈惟敬宜亟誅。」下兵部議之。

○汪應蛟爲右僉都御史，經理朝鮮軍務。

○丙子，改萬世德經略朝鮮，汪應蛟巡撫天津，以監軍陳效專任朝鮮紀功，另遣御史巡按遼東。

○（七月甲申朔）壬辰，日本平（豐臣）秀吉死，子秀賴幼，外舅（德川）家康①攝政，止以和泉、河內二島②歸秀賴。

○（九月癸未朔癸卯）邢玠合兵七萬，分三道，以總兵劉綎、董一元、麻貴領之。

○（十月癸丑朔）乙卯，朝鮮告急。初，劉綎進兵偪平（小西）行長，使吳宗道約行長爲好，許以五十人往。綎設伏，令健卒詐爲綎而身行酒，約出帳即放砲圖之。詰朝，行長果至。顧行酒者曰：「此人有福。」綎駭愕，覓壺而出。砲舉伏發。行長躍馬，後騎雁列奪路去。明日，行長遣謝，謂昨登席舉砲，重客也，誤生疑心。行長貽綎巾幗。綎攻城，行長潛出千餘騎犯之。綎失利，亡千人。陳璘在□□亦棄軍遁，溺萬餘人。綎、璘互訐，邢玠不以聞。麻貴至蔚山，望之空壘，趨焉，忽旂幟蔽空，貴策馬而逃，喪兵七千。董一元令茅國器約（寺澤）正成完封局，正成佯聽之，掩殺兵殆盡，流血四十里。兵科給事中徐觀瀾報四路喪敗。命再勘。斬馬呈文、郝三聘以徇，責董一元等自効。始，丁應泰疏入，上直之，書名御屏，沈一貫懼，賄玉熙內官知文溪演東征傳奇熒聽，上怒乃解。

談遷曰：「東師再駕，蓋懲癸巳之轍也。捫焉舉兵，楊鎬逃于前，四路衂于後。蕞爾狡夷，何諸將畏之如虎耶？劉綎非汶汶錄錄者，其賺行長入營，不啻杌上肉，而顧佚之，其疎已甚，宜來巾幗之遺也。癸巳主款，失之觀望，戊戌不戰不款，又兩失之，以視隋、唐立功海外懸矣。兵無常勝，地有常險，于扼要待敵，亦未值其會耶？」

○丙寅，倭將清正從朝鮮遁。

○辛巳，前後軍都督府都督僉事尹鳳卒。鳳，字德祥。鳳陽人。世南京府軍後衛指揮同知。武舉鄉、會皆第一。留守中都，進提督，備倭福建，屢破海盜許朝③。歷後府都督僉事，提督京城巡捕。年七十六。予祭葬。

○十一月壬午朔，初，倭分據三路，聯絡固守，我兵水陸分進。圍西賊，破東賊，而中路之晉山、永春、昆陽三四城俱拔，焚泗川東陽倉，獨臨海新寨未下。

○壬辰，巡撫福建右僉都御史金學曾報平（豐臣）秀吉死，得之舶商，云內難時作，其素與小西飛（驒守）、行長不睦④，必自相圖。乞勅督臣相機進剿，毋爲清正狡謀所惑。時議撤東師，戶科給事中郝敬言其不可。下廷議。

○庚戌，南海錦山倭敗後，各逃匿山谷間。辛亥夜，總兵陳璘提兵深入岩洞，偃旂息鼓。天漸旦，舉砲，倭眾駭走，共追斬千一百餘級。

○（萬曆二十七年二月辛亥朔）朝鮮國王李昖奏：「小邦不幸鄰倭，歲爲邊患。對馬島地近日本，納款往來，始㕍薺浦、釜山浦、監浦，所云三浦倭戶也。正統庚午，殺僉使李友魯，遂絕倭不居，迨近百年。今丁應泰謂令世戶招諸倭同犯，妄也。海東記，正統間，內臣申叔弁⑤往日本通諭，得其國世系、地圖。因其稿附小邦管待事例，以爲異聞。而今捃摭流聞頗過甚。夾江中洲，與小邦義州對市，嘉靖間，奏開碑禁，小邦不曾訟，遼人都司亦不曾立案。臣謹奉天朝，而猥云不奉正朔，通倭朋欺。惡名在身，持此安歸？」奏入，下廷議。

○戊午，議勅慰朝鮮。

○庚申，沈一貫請罷浙江市舶，不報。

○己巳，吏科給事中陳維春劾丁應泰黨倭誤國宜罪。

史臣曰：「初，平（豐臣）秀吉死，子幼國亂。清平等焚營遁歸，官兵乘其後，頗有斬獲。因張其伐，乃應泰既以賂倭詆諸將，維泰（春）又以黨倭詆應泰。嘻！亦甚矣。」

談遷曰：「越國救鄰，自昔所難，況海外乎。東征之役，蒼皇七載，民力殫絕，天牖其衷。平（豐臣）秀吉奪于鬼錄，餘黨旋旆，猶衂我四路之師，蜂蠆之毒未盡鎖也。假其尚在，將我之朽甲敝戈與鯨鯢相終始也，殆乎哉。丁應泰謂五千金賂倭去之，夫果能去倭，區區五千金，猶鄭商弦高之犒秦也，可言亦可諱。大都諸將失之怯，總督失之葸，丁應泰失之戇，而閣部失之迎，故聚訟無已時。至于功從重，罪從輕，誠有如沈一貫所言矣。」

○（甲戌）命征倭總兵劉綎還師，仍鎭四川，時播州楊應龍恣擾故也。

○（三月庚辰朔乙未）命征倭總兵麻貴、陳璘、董一元俱班師；李承勳以原官提督水陸官軍，充防海禦倭總兵官，往朝鮮；周于德移鎭山東備倭總兵官。

○（四月庚戌朔）甲戌，上御午門，俘倭六十一人俱棄市，受賀。

○（閏四月己卯朔）勞東師十四萬金。

○丙戌，詔曰：「朕纘戍鴻緒，統理兆人，海澨山陬，皆吾赤子。苟非元惡，普欲包荒。屬者東夷小醜平（豐臣）秀吉，猥以下隸，敢發難端，竊據畜封，役屬諸島，歲興薦食之志，窺我內附之邦。依（壹）岐、對馬之間，鯨鯢四起，樂浪、玄菟之境，群鏑交加，君臣逋亡，人民離散。馳章告急，請兵往援。朕念朝鮮稱臣世順，適遭困厄，豈宜坐觀？若使弱者不扶，誰其懷德？強者逃罰，誰其畏威？況東方乃肩背之藩，則此賊亦門庭之寇，遏徂定亂，在予一人。于是少命偏師，第加薄伐，平壤一戰，已褫驕魂。而賊負固多端，陽順陰逆，本求伺影，故作乞憐。冊使未還，兇威復煽。朕洞知狡狀，獨斷于心。乃發群國羽林之材，無吝金錢勇爵之賞，必盡卉服，用澄海波。仰賴天地洪休（庥），宗社陰騭，神降之罰。賊隕其魁，而王師水陸並驅，正奇互用。爰分四路，并協一心，焚其芻糧，薄其巢穴，外援悉斷，內計無之。于是同惡就殲，群酋宵遁。舳艫付于烈火，海水沸騰。戈甲積如高山，氛祲淨掃。雖百年窮居之寇，舉一蕩滌無遺。鴻雁來歸，箕子之提封如故。熊羆振旅，漢家之威德播聞。除所獲首功，封爲京觀，乃檻致平秀政等六十一人，棄屍藁街，傳首天下，永垂凶逆之鑒戒，大洩神人之忿心。於戲！我國家仁恩浩蕩，恭順者無困不援，義武奮揚，跳梁者雖強必戮。茲用布告天下，昭示四夷，明余非得已之心，識余不敢赦之意。毋越厥志而干顯罰，各守分義以享太平。凡我文武大小臣工，尙宜潔己愛民，奉公體國，以銷萌釁，以導禎祥。更念彫力殫財，爲日已久，加以休息，正惟此時。諸因東征加派錢量，一切盡令所司除豁，務爲存恤，勿事繁苛。咨爾多方，宜悉朕意！」

茅瑞徵曰：「我與倭相持釜山，前後用兵，大類持重。我以樓船橫海之師，四將軍二十六偏裨，費金錢數百萬，竟收功一死關白。天方贊我，倭小醜何能為？一時文武大吏，幾貪天功矣，差強人意。惟平壤一捷，而卒以封貢敗，豈所謂進銳退速者耶？」

○勅朝鮮國王李昖曰：「比者捷書來聞，憂勞始釋。念王雖還舊物，實同新造。振彫（凋）起敝，爲力倍艱。倭雖遁歸，族類尙在，生心再逞，亦未可知。茲命經略尙書邢玠，振旅旋歸，量留經理都御史萬世德等，分布偏師，爲王戍守。王可咨求軍略，共商善後。臥薪嘗膽，毋忘前恥。蓽路（露）藍縷（襤褸），大作永圖。務財訓農，厚植根本。弔死問孤，以振士卒。尙文雖美事，而專務儒緩，亦非救亂之資。忘戰必危，古之深戒。吾將士雖歸，輓輸非便。行當盡撤，爾可亟圖。」

○（甲午）署都督僉事李文達爲總兵官，鎮守福建。

○（六月戊寅朔）丙午，諭兵部嚴門禁。沈一貫言：「東征川兵內土官多楊應龍之族，恐其兵雜大工軍匠混入也。」

○（八月丁丑朔辛巳）刑科左給事中楊應文勘報斬倭二千二百二十八級。

○癸未，故朝鮮監軍御史陳効廕錦衣衛百戶，世襲。

○（九月丁未朔）乙卯，敘東征功，進邢玠太子太保，世錦衣衛指揮僉事，賜金四鎰，蟒服一；督餉侍郎張養蒙賜金幣，萬世德進右副都御史，各廕子入太學；總兵陳璘舟師殲倭功最，劉綎次之，麻貴功浮于罪，各陞廕賜金幣，有差。董一元復秩，楊俊民贈太子太傅。游擊許國威爲四川總兵官。其陣沒副總兵鄧子龍等贈廕，有差。巡撫順天李頤，總督王世揚功最，加世揚兵部尚書，頤右都御史。汪應蛟、梅國楨、王象乾、劉元霖、李植次之。

○十月丁丑朔，己卯，兵部留張榜以四千人，李承勳以三千六百人，助守朝鮮。

○（萬曆二十八年五月癸卯朔丁卯）復故總督浙江福兵部尚書張經官，廕其孫懋爵入國子監。

○（七月壬寅朔丙午）予故總督兵部尚書張經祭葬，諡襄愍。

註：

①「秀吉死子秀賴幼外舅家康攝政」，如據日本史乘的記載，秀吉死時，其子秀賴年僅六歲。秀吉臨終時曾將秀賴託付德川家康、前田利家、毛利輝元、宇喜田秀家、小早川隆景（死後由上杉景勝繼任）等五大老輔佐。此五大老之職設於秀吉晚年，其職掌原是五奉行的顧問。秀吉死後則家康在伏見城執政，利家則於大阪城輔佐秀賴，故實質上剝奪了五奉行的職權而總覽政務。關原之戰（一六

〇〇）後，五大老之制見廢。又，德川家康非豐臣秀賴之外舅，乃是其妻千姬之祖父。秀賴娶德川秀忠（家康之第三子秀忠，即江戶幕府第二任將軍）之女千姬為妻。秀賴於一六一六年為家康所滅。「和泉河內二島歸秀賴」，和泉、河內俱在現今大阪府，屬近畿地方，故皆非島嶼。秀賴在關原之戰以前的勢力及於日本全國，戰後秀賴的領地竟只剩攝津（兵庫縣）、和泉、河內等地（租額六十萬石），淪成為一介諸侯。

③「許朝」，明世宗實錄，卷五二〇，嘉靖四十二年四月戊申朔庚申條；明史，世宗本紀，二、劉顯傳、俞大猷傳、日本傳；乾隆潮州府志，卷三七等，俱作「許朝光」。

④「其素與小西飛行長不睦」，日本之文獻史料無不睦之相關記載。

⑤「弁」，日、韓文獻俱作「舟」。

卷七九

〇（萬曆二十九年三月己亥朔）庚戌，經理朝鮮右副都御史萬世德爲左副都御史，回院。

〇五月戊戌朔，防海禦倭總兵官署都督僉事李承勳鎮守貴州。

〇（七月丙申朔）戊申，以朝鮮善後功，進趙志皐少師，沈一貫少傅。

〇十二月甲子朔，朝鮮國王李昖奏：「對馬島倭求款。」初，平（豐臣）秀吉死，命大將（德川）家康領東北三十三州，（毛利）輝元領西南三十三州①，共助幼子秀賴。無何，倭將（上杉）景勝叛據關東，家康悉兵攻之。②輝元與（小西）行長乘虛入大阪城，合據家康而敗。家康誅行長等。倭內亂，而對馬島主平（宗）義智及將軍（柳川）調信悉歸朝鮮人乞和，且聲言家康轉餉十八萬石以脅之。朝鮮恐開罪，故以聞。令萬世德議之。

○（萬曆三十年十一月戊午朔）甲申，南京太常寺少卿鄭汝璧為右僉都御史，巡撫延綏，贊理軍務；起右都御史蹇達總督薊遼、保定軍務兼理糧餉，經略禦倭；右僉都御史尹應元巡撫浙江，提督軍務。

註：

①「家康領東北三十三州輝元領西南三十三州」，日本史乘無相關記載。

②「景勝叛據關東」，此當係指發生於一六〇〇年（萬曆二十八年）之關原之戰而言。當時，以德川家康為中心的一派（東軍），與以五奉行之一的石田三成（西軍）為中心的一派，於同年九月十五日在關原（岐阜縣）作戰，然因屬三成派的小早川秀秋陣前倒戈，致西軍敗北，三成、行長等人被處死，秀賴遂淪為一介大名。按：此一戰役為德川家康所挑起。

明通鑑

明夏燮撰，一九九〇年上海古籍出版社刊本

卷二

太祖高皇帝

〇（洪武二年春正月）是月，倭寇山東濱海郡縣。倭，古日本國也，宋以前皆通中國。元興，遣使招之，不至。命將以舟師往征，行至海中，遭暴風而沒，終元世不通。自張氏、方氏之亂，相繼誅降，諸豪亡命入海，往往糾島人入寇。至是轉掠山東濱海州縣。上遣行人楊載詔諭其國。日本王良懷①不奉命，自是遂爲邊患。

註：

①「良懷」，良懷之為「懷良」之誤，及他之非日本國王事，請參看本書頁二三〇七，註①。以下同此。

卷四

○（洪武四年六月）戊申，倭寇溫州。

攷異：明史本紀作膠州。證之日本傳言，是年掠溫州，五年遂寇海鹽、澉浦及福建濱海郡縣。又據潛菴史稿，五年五月寇海鹽，六月，指揮毛驤敗倭寇于溫州。八月，倭寇福寧與浙閩郡縣之語合，蓋紀中「膠」字誤也。

○（洪武五年）九月丁巳，靖海侯吳禎遣送平章高嘉努等于京師。時禎坐事謫定遠衛指揮，尋詔還仍領海運事。

○倭寇福寧州衛，指揮僉事張億討之，中流矢死。

卷五

○攷異：據明史本紀書湯和防倭于十七年之正月，又書和征思州蠻于十八年之四月，是和奉防倭之命不久即還也。若其至浙築衛、設城之是（事）乃十九年征蠻班師之後，以二十年春至浙，其年十一月還。據明史本傳及方正學東甌神道碑皆不著十七年防倭事，疑是時奉詔未行，抑或去而即還，無事可書。蓋其設衛、築城，一切處分皆在二十一年也，今分書之。

○（七年春正月）甲戌，初，上以倭寇出沒無常，詔靖海侯吳禎籍方國珍故所部溫、台、慶元三府軍士，及沿海無田糧之民曾充船戶者凡十一萬一千七百餘人，隸各衛爲軍，時以方氏餘黨多入海剽掠故也。禎既至三郡，多挾私意牽引平民，寧海知縣王士宏力陳其不便。上嘉納其言，立命罷之。踰年，德慶侯廖永忠上言：「倭寇乘風侵掠，來若犇狼，去若驚鳥，非多造海舟未易翦捕，請令廣、江陰、橫海、水軍四衛添造多櫓快船，派將統領。無事則沿海巡徼，以防不虞，有事則大船薄之，快船追之，彼欲爲內寇，不可得也。」上從其言。至是，授禎爲總兵官，都督於顯副之，令帥江陰等四衛之兵出海備倭。

○方茶、馬之開市也，戶部奏言：「海外諸國入貢，許附載方物與中土貿易，因設市舶司，置提舉官以領之。始設于太倉之黃渡，尋罷，復設于甯波、泉州、廣州，以通日本、琉球及占城、暹羅、西洋諸國。以日本叛服不常，獨限以十年之期許通市一次，人不踰二百，舟二艘。①以金葉勘合、表文爲驗，以防詐僞侵軼。尋以海禁日嚴，恐瀕海居民及守備將卒私通取賂，遂并市舶司暫罷之。

○六月，倭寇膠東，百戶許彰追寇于海口，不克，死之。

攷異：明史本紀，是年七月，倭寇登萊。諸書所記或云倭寇膠東，或云倭寇膠州，同一事也。證之日本傳，四年寇溫州，七年寇膠州，即登萊也。寇在六月，官兵敗倭在七月，故潛菴史稿連敘于是年七月下，今分書之。

○（秋七月）壬申，靖海侯吳禎帥沿海各衛兵出海擊倭，追至珍珠大洋，獲其人船，俘送京師。贈百戶許彰官，並恤其家。

○日本王良懷（懷良）以國內爭立搆難，送我使者僧（仲猷）祖闡等歸。是月復遣使來貢方物，無表文，上命卻之。其大臣亦遣僧來貢，上曰：「此私交也，亦卻之。」並令中書省移文詰責。

卷七

○洪武十三年春正月戊戌，胡維庸謀反，及其黨陳甯、涂節等皆伏誅。初，惟庸方任用，大將軍徐達深疾其奸，從容言于上。惟庸銜之，誘達閽者福壽以圖達，爲福壽所發。會劉基死，惟庸益無顧忌。與太師李善長相結，以兄女妻其從子佑，自是勢日熾。惟庸舊宅在定遠，忽井中生石筍，出水數尺，諛者爭言瑞應。又言其祖父三世冢上，夜有光燭天，惟庸益自負，遂有異謀。時吉安侯陸仲亨，平涼侯費聚嘗犯法，上切責之，二人懼。惟庸陰以權利誘之。二人素戇勇，見惟庸用事，因密相往來，漸以不法事轉相告語。陳甯久事上，上以爲才，犯法屢宥之，出知蘇州，以惟庸薦，召爲御史中丞。甯守蘇，號稱酷吏。及居憲臺，益厲威嚴，上嘗責之，不能改。其子孟麟亦數諫甯，怒捶之至死。上深惡之曰：「甯于其子如此，奚有于君父？」甯聞之懼，益與惟庸比。而是時涂節及御史商暠，皆以惟庸薦驟貴。一日，惟庸與甯坐省中閱天下兵馬籍，令都督毛驤取衛士有勇力及亡命者爲心膂；又使太僕寺丞李存義陰說善長。存義者善長之弟，惟庸兄壻李佑父也。善長初不許，而年老不決，輒依違其間。于是惟庸以爲事可就，乃遣明州衛指揮林賢下海招倭與期會，又遣元故臣封績致書稱臣于元嗣君，請兵爲外應，事皆未發。會惟庸子馳馬于市，墜死車下，惟庸殺輓車者。上怒，命償其死。惟庸請以金帛給其家，不許。惟庸懼，乃與陳甯、涂節等謀起事，陰告四方及武臣從己者。値上以占城入貢事將罪惟庸，及在事諸臣。涂節等懼禍，乃先上變告惟庸，而商暠時謫爲中書省吏，亦以惟庸陰事告。上大怒，命群臣更訊。詞連甯、節。廷臣言節本預謀，見事不成，欲以變自脫，遂并誅之。獄詞既具，株連黨與凡萬五千餘人。上以善長功大，與陸仲亨等皆置不問。

攷異：三編質實云：「明史紀事本末正月戊戌：惟庸詭言第中井出醴泉，邀帝臨幸，帝許之。駕出西華門，內使雲奇衝蹕道，勒馬，銜言狀。氣方喘，舌駃，不能達意。帝怒，左右撾捶亂下，右臂將折，猶指賊臣第。上頓悟，登城望惟庸第中藏兵，刀槊林立，亟發羽林掩捕。拷掠具服，遂磔于市。」與明史及實錄不同。實錄正月癸巳朔甲午：「中丞涂節告胡惟庸謀反。」戊戌：「賜惟庸等死。」若然，則正月二日惟庸已被告發，不應戊戌尚有邀帝幸第之事，蓋傳聞異詞云。按據質實所云，則實錄中並無雲奇勒馬言狀之事。惟皇明通紀記此事與紀事本末略同，並云帝聞雲奇已死，深悼之，追贈右少監，賜葬鍾山，令有司春秋祭祀，仍給洒掃戶六人。據此則奇以死事追卹有明文，似非憑空臆造。今乃據三編書之，而坿識其異于此。

○（十二月）日本貢、寇相仍，上屢命中書省移牒責之，九年以後遂不貢。是年復遣使來貢，無表，但持其將軍（足利義滿）奉丞相書，書詞又倨，乃卻其貢，遣使賚詔譙讓。初，胡惟庸之通倭也，倭人遣僧如瑤率兵卒四百餘人，詐稱入貢，且獻巨燭，藏火藥、刀劍其中。既至而惟庸已敗，計不行。然上是時尚不知也，越數年而其事始著。

卷八

○（洪武十七年春正月）壬戌，命信國公湯和巡視沿海諸城防倭。

攷異：據明史本紀書湯和防倭于十七年之正月，又書和征思州蠻于十八年之四月，是和奉防倭之命不久即還也。若其至浙築衛、設城之是（事）乃十九年征蠻班師之後，以二十年春至浙，其年十一月還。據明史本傳及方正學東甌神道碑皆不著十七年防倭事，疑是時奉詔未行，抑或去而即還，無事可書。蓋其設衛、築城，一切處分皆在二十一年也，今分書之。

卷九

○（洪武二十年）夏四月戊子，命江夏侯周德興至福建練兵、築城以防倭寇。上既命湯和至浙，乃謂德興曰：「卿雖老，亦當強爲朕行。」于是德興度福建福、興、漳、泉四郡要害之地，築海上十六城，籍民爲兵，又增置巡檢司四十有五，分隸諸衛。

卷一〇

○（洪武二十三年五月甲午）初，胡惟庸之獄，株連黨與萬餘，群臣請究問李善長及陸仲亨等交通狀。上曰：「朕初起兵時，善長來謁軍門，以爲復見天日。是時朕年二十七，善長年四十一，所言多合朕意，遂掌書計，贊計畫功成，爵以上公，以女與其子。仲亨年十七父母兄弟俱亡，恐爲亂兵掠，持一斗麥藏于草間，朕見之，遂來從朕，以功封侯。此皆吾初起時股肱心膂也，其勿復言。」以故惟庸誅後仍命善長理臺事，而仲亨等亦尋出鎮。十八年，有人告李存義父子實惟庸黨者，詔免死，安置崇明，善長不謝，上銜之。十九年，通倭事覺，上族林賢。

○（洪武二十四年九月）是月，倭寇雷州，百戶李玉，鎮撫陶鼎死之。

○（洪武二十七年）二月，倭寇浙東，命都督楊文、劉德、商暠巡視兩浙。

卷一四

成祖文皇帝

○（永樂元年冬十月）乙巳，上之即位也，遣使詔諭外蕃諸國，日本預焉。日本王源道義遣使表貢方物，至寧波。禮官李至剛奏：「故事。番使入中國，不得私携兵器鬻民，宜勅所司覈其舶，諸違禁者悉籍送京師。」上曰：「外夷修貢，履險蹈危，所費實多，有所齎以助資斧，亦人情，豈可概拘以禁令？至其兵器，亦准時直市之，毋阻向化。」

○乙卯，日本使者至京師，上優遇之，遣官護送還國，並賚道義冠服、龜紐金章，及錦綺紗羅細軟之物。

卷一五

○（永樂三年）是歲，日本復來貢。初，上冊立皇太子，日本遣使來賀。會對馬、臺（壹）岐諸島賊抄掠濱海居民，令使者歸諭其王捕之。王發兵殲焉，縶其魁二十人，以修貢之便俘送至京師。上嘉之，遣鴻臚少卿潘賜偕中官王進賜其九章冕服及錢鈔、錦綺加（？）等，而還其所送之人，令其國自治之。使者至甯波，盡置其人于甑烝殺之。

事聞，坐誅。

○（永樂十六年春正月）甲戌，倭陷松門衛。時浙江按察司僉事石魯不設備，寇薄城下，踰城遁。

○（永樂十七年春六月）戊子，遼東總兵劉江大破倭寇于望海堝。初，江守遼東，以不謹斥堠為海寇所乘，邊軍致敗。上怒，遣人斬江首，既而宥之，使圖後效。江巡視各島，至金州衛金線島西北望海堝上，其地特寬廣，可駐兵防禦。詢之土人，云：「洪武初，都督耿忠曾于此築堡備倭。」去金州城七十餘里，凡寇至，必先經此，實濱海咽吭之地。上疏請于此築城堡，設烽堠，嚴兵以待寇。詔從之。一日，瞭者言：「東南夜舉火有光。」江度寇將至，亟引兵赴堝上。倭至王家山島，乘海艄直逼堝下，登岸魚貫行。一賊貌獰惡，揮兵率眾，勢銳甚。江令犒師秣馬，略不為意。別遣都指揮徐剛伏兵山下，百戶江隆帥壯士潛燒賊船，斷其歸路。自以步卒迎戰，佯卻。賊悉眾赴之，一時旗舉礮發，伏兵盡起，賊大敗，走入空堡中。江開西壁縱之，復分兩翼夾擊，盡覆之，斬首千餘級，禽數百人，無一逸者。倭頻年入寇，至此始受大創，不敢復窺遼東。捷聞，賜勅褒美。

攷異：此據明史本紀，江，即列傳之劉榮也。弇州史乘攷談云：「望海之捷，遼東志以為劉江。水東日記載其事而遺其姓名。考之國史，榮父名江，卒于戍。榮仍父名補伍，累功至右都督。當奏捷之日，尚名江，及封伯，始具其事也。又攷功臣年表，劉榮于是年九月壬子封，是破倭在六月，論封在九月。今分書之，並於封爵下著其更名事。」

○九月壬子，封都督劉榮廣甯伯，榮冒其父江名，曾給事燕邸，從起兵爲前鋒，至是以破倭功論封始更名榮。

○（永樂十八年）夏四月戊午，廣甯伯劉榮卒。榮爲將驍果善戰，馭士卒明紀律，有恩信。于諸夷，凡款塞者綏輯有方。既卒，人悲思之。追贈侯，謚忠武。

卷二一

宣宗章皇帝

○（宣德八年六月）是夏，日本國來貢。初，上念四方蕃國皆來朝，獨朵久不貢，去年命中官柴山使琉球，令其轉諭日本，賜之勅。至是，日本國王源（足利）義教始遣使來。上報之，賚白金、綵幣。

卷二三

英宗睿皇帝前紀

○（正統七年五月）丁亥，倭寇浙東，陷大嵩千戶所，殺官軍百人，掠三百人，糧四千四百餘石，軍器無算。

○六月壬子，遣戶部侍郎焦宏整飭浙江防倭事，兼理蘇、松、福建沿海軍務。

○（八年八月）是月，倭寇浙東。先是，倭犯海甯、樂清，皆登岸偵伺，旋去，留二人在民村乞

食被獲，置極刑，梟其首于海上。至是，復犯桃渚，浙江按察僉事周成擊卻之。卷三〇

憲宗純皇帝

○（成化二年）夏四月，倭寇浙東。卷三一

○（成化四年十二月）是年之夏，日本始遣使來貢，詔：「禮之如制。」使臣自言：「本甯波村民，請便道過省。」許之，並戒使臣至家，毋引中國人入海。其冬，復遣使臣（天與）清啓入貢，傷人于市。有司請治其罪。清啓奏請帶回本國如法論治。上命姑宥之。自是外蕃使臣益無忌憚矣。卷四三

武宗毅皇帝

○（正德五年）是春，日本國王源（足利）義澄，遣使宋素卿來貢，時劉瑾竊枋，納其黃金千兩，賜飛魚服，前所未有也。素卿，本鄞縣朱氏子，名縞。幼習歌唱，倭使見悅之。而縞叔澄負其直，因以縞償。至是，充正使至蘇州。澄與相見，尋以通番事發當死，瑾庇之，謂澄已自首，並獲免。

攷異：事見明史日本傳，書于是年之春，今從之。

○（嘉靖二年閏四月）甲寅，日本貢使宗設（謙道）至甯波，未幾，宋素卿偕（鸞岡）瑞佐復至，互爭真僞。素卿賄市舶太監賴恩，宴時坐素卿于宗設上，船後至者先爲驗發。宗設怒，與鬬，殺瑞佐，焚其舟，追素卿至紹興城下，素卿竄匿他所免。凶黨還甯波，所過焚掠，執指揮袁璡，奪船出海。都指揮劉錦，追至海上，戰沒。事聞，禮部察素卿勘合係宏（弘）治朝，素卿訴稱正德勘合爲宗設等奪去，請勑素卿還國移咨其王，令察勘以聞。素卿者即正德間通夷事覺，以賂劉瑾免究問者也。于是給事中張翀、御史熊蘭言：「素卿罪重不可貸，並治賴恩交通罪。」乃下素卿于獄。

攷異：事見明史外國傳，特書是年五月，據其在甯波爭殺時也。實錄系之六月甲寅，據奏至之月日耳。惟據傳則執殺袁璡、劉錦等似係宗設，故下云奪船出海去。實錄言素卿竄至慈谿，放火大掠，遂有執殺璡、錦之事，與明史小異，今仍據傳書之。

卷五二

○（嘉靖四年十一月）乙亥，浙江市舶提舉司太監賴恩，請換勑諭兼提督海道，遇警得調官軍。得旨，許之。兵部執奏：「太監原無提督沿海職任，成化間太監林槐係出一時創例，尋復更正。今授此以爲故事，不過欲藉爲招權罔利階耳。」給事中鄭自璧亦言：「市舶提舉建于太祖之初年，而提督沿海之勅，乃頒于憲宗之末歲。准行之後，朝廷旋覺其非，即爲釐正。雖以正德年間政體紛更，而市舶一勅不敢輕議請換。何意聖明之世而有貪佞狡詐如恩者，顧可徇其請以壞國法耶？乞收回成命，別選老成以代之。」章下所司。

卷五九

○（嘉靖二十六年六月）丁巳，改巡撫南贛汀漳都御史朱紈巡撫浙江，兼管福建福、興、漳、泉、建甯五府海道。初，日本于嘉靖二十三年來貢①，部臣以其未及期，且無表文，卻之。其人利互市，留海濱不去。而內地奸人利其交易，商富豪貴爭趨之，沿海遂有寇患。先是六月，巡按御史楊九澤言：「浙江甯、紹、台、溫皆濱海，界連福建之福、興、漳、泉諸郡，雖有巡海副使、備倭都指揮，而海寇出入無常，兩地官弁不能通攝，制禦爲難，請如往例特遣巡視重臣盡統海濱諸郡，庶事權一而威令易行。」廷議善之，遂以命紈。

攷異：紀事本末、昭代典則皆系倭寇于二十五年，蓋自二十三年入貢未去也。明史日本傳系楊九澤上書于是年之六月，朱紈傳巡撫浙江在七月，皆據實錄，惟諸書皆云兼福、興、泉、漳等處。證之日本傳，則兼建甯為五府也，今據日本傳增。

○（嘉靖二十七年六月）戊申，日本貢使（策彥）周良等六百餘人駕舟百餘②艘入浙江界，求請詣闕朝貢，巡撫朱紈以聞。禮部議：「舊例，貢以十年爲期，來者不得踰百人，舟毋得過三艘。今舟數、人數皆數倍于前，宜令仍循十八年例起送五十人赴京，餘留嘉賓館量加犒賞，諭令歸國。若互市、防守事宜，宜在紈善處之。」報可。

○秋七月甲戌，詔改巡撫浙閩等處爲巡視，從御史周亮，給事中葉鏜之請也。初，明祖定制，片板不許入海。承平久，奸民闌出入，勾倭人及佛郎機諸國人互市，閩人李光頭，歙人許棟，據甯波之雙嶼爲之主，司其質契，勢家護持之，漳、泉爲多。或與通婚姻，假濟渡爲名，造雙桅大船運載違禁物，將吏不敢詰也。或負其直，棟等即誘之攻剽負直者。脅將吏捕逐之，泄師期令去，期他日償。他日至，負如初。倭大怨恨，益與棟等合。而浙、閩海防久隳，戰船、哨船十存一二，漳、泉巡檢司弓兵，舊額二千九百餘，僅存千人。剽掠輒得志，益無所忌，來者接踵。紈巡海道，採僉事項高及士民言，謂：「不革渡船，則海道不可清；不嚴保甲，則海防不可復。」上疏具列其狀，于是革渡船，嚴保甲，搜捕奸民。閩人資衣食於海，驟失重利，雖士大夫家亦不便也。，欲沮壞之。紈既至，平覆鼎山賊，踰年將進攻雙嶼，使副使柯喬、都指揮盧鏜會兵，由海門進。而倭使（策彥）周良已先期至，紈度不可卻，錄其船，延良入甯波賓館防禦之，計不得行。是年夏四月，鏜遇賊于九山洋，俘日本國人稽天等，許棟亦就禽。棟黨汪（王）直等收餘眾遁，鏜築塞雙嶼而還。番舶後至者不得入，分泊南麂、礵門、青山諸島。勢家既失利，言被禽者皆良民，因脅有司引輕比律。紈上疏請悉以便宜行戮。執法既堅，勢家益懼。會周良安插已定，閩人林懋和爲主客司，宣言宜發回其使，紈力爭之，且曰：「去外國盜易，去中國盜難；去中國瀕海之盜猶易，去中國衣冠之盜尤難。」閩、浙人咸惡之，而閩尤甚。

亮，閩產也，至是與鏜上言：「紈以一人兼攝二省遙駐福建，而倭夷入京者艤舟浙江海口，紈一身奔命，已不能及。今閩、浙設有海道專司，苟得其人，不必更用都御史。」部議竟從之，乃復巡視舊例。自是事權不一，紈遂不得行其志，卒以此得罪。

攷異：朱紈授浙江巡撫在二十六年七月，平覆鼎山賊即在是年。雙嶼之役在二十七年四月，改巡視即在其後。明史紈傳所載年月皆與實錄合，諸書記倭事前後參錯，今悉據明史朱紈、日本兩傳為實錄書之。

○（嘉靖二十八年三月）是春，巡視浙閩朱紈疏言：「臣整頓海防稍有次第，而御史周亮欲侵削臣權，致屬吏莫肯用命。」巳（已），又陳：明國是、正憲體、定紀綱、扼要害、除禍本、重斷決六事，語多憤激，而中朝士大夫先入浙、閩人言，亦有不悅紈者。先是，紈討閩海之賊，連戰三月，大破之。而是時浙人通番出入于甯波定海關，閩人通番出入于漳州浯嶼間。紈以為非嚴禁通番則沿海無甯日，會是年三月，佛郎機國人行刼至詔安，紈遣副使柯喬、都指揮盧鏜捕獲通番渠首李光頭等九十六人。紈以便宜立決之于演武場，具狀聞，語復侵諸豪家。未幾，而劾者踵至矣。

攷異：諸書記倭寇事皆無月日，而其敘改巡視于詔安之役以後，尤誤也。惟明史朱紈本傳書改巡視于去年，捕九十六人于是年，皆與實錄合。實錄據奏報月分參差，而所書詔安之捷，部議謂賊發于二月而奏報于三月，非臨陣之比。據此則明史紈傳書詔安之捷于三月者是也。紈于四月被劾，亦見實錄，今分書之。

○夏四月庚戌，朱紈捷奏至，部臣請下巡按勘覈。御史陳九德劾紈不俟奏覆擅專刑戮，請治紈罪，並逮柯喬、盧鏜下兵部會三法司雜議。僉以紈不俟得旨行刑，及柯喬等率請正法皆不得爲無過，然事難遙度，請遣風力憲臣往按之，乃遣給事中杜汝禎往。會巡按御史陳宗夔、趙廷瑞勘實以聞，並令紈罷職待勘。

○（秋七月）是月，浙江海盜起，寇浙東。初，祖制，設浙江市舶提舉司，中官主之，駐甯波。海舶至則平其直，制馭之權恒在上，及上撤天下塡（鎭）守中官，並市舶司而罷之，而濱海奸人遂專其利。初，猶市商主之，及通番禁嚴，遂移之貴官家，復屢負其直。倭使互市者留海濱，輒喪其資不得返國大恨，而大奸若汪（王）直、徐海、陳東等遂竄其中，以內地不得逞，悉逸海島爲主謀。倭聽指揮，相煽入寇，而海中巨盜亦襲倭服飾、旂號，分艘掠內地。自朱紈至，始稍稍治之。紈既罷，海禁益弛，亂滋甚。時海上承平日久，民不知兵，聞警則竄走一空，終嘉靖之世，遂無甯歲。

攷異：明史本紀、明史稿皆作海賊，蓋是時倭寇既趨通番，奸人率假其名以掠財物，其實不盡倭寇也。實錄亦言諸奸勾引島夷，及海中巨盜所在劫掠，乘汛登岸，動以倭賊為名，其實真倭無幾也，故今仍據海盜之文書之。是年浙東之役，據明史日本傳起自貴官家負直不予，激之入寇，而據實錄所載言，海上之事，初起于內地奸商汪（王）直、徐海等常闌出中國財物，與番商市易，皆主于餘姚謝氏。久之，謝氏頗抑其直，諸奸索之急，謝氏度負多不能償，則以言嚇之曰：「吾將首汝于官。」諸奸民恨且懼，乃糾合徒黨及番客，夜刼謝氏，火其居，殺男女數十人，大掠而去。縣官倉皇申聞，上司輒云，倭人入寇，云云。此與明史所載大略相同，而謝氏即所稱貴官家者。始也，商負其直，及移之豪貴，則並倭與商而吞噬之，故倭寇之來，以商始，以商終，汪（王）直、徐海等皆奸商也，並坿識之。

○（嘉靖二十九年秋七月）壬子，逮巡視浙閩都御史朱紈並副使柯喬，都指揮盧鏜等。紈既罷職聽勘，給事中杜汝禎，巡按御史陳宗夔勘上悉如陳九德言，遂坐逮按問，趣紈對簿。紈聞之慷慨流涕曰：「吾貧且病，又負氣不能相下，縱天子不欲死我，閩、浙人必殺我，吾自決之，不須人也。」製壙志，作絕命詞，仰藥死。鏜、喬等皆論死，繫按察司獄。自紈死，並巡視亦罷不設，中外諸臣自此搖手不敢言海禁事。

註：

①「二十三年來貢」，考之日本史乘，日本未曾於二十三年遣使朝貢，故此次朝貢應屬私貢，與足利幕府無關。

②「駕舟百餘」，考之明世宗實錄、明史日本傳及日本史乘，此次至中國之船數為四艘，人員六百。故駕舟百餘之說不足採信。

○（嘉靖三十一年夏四月）丙子，倭寇浙江，大掠舟山、象山等處，復登岸流刼溫、台、甯、紹間。台州知事武暐追之于釣魚嶺，力戰死，浙東騷動。

攷異：武暐之死，紀事本末系之是月，溫、台之役下。據明史忠義傳，乃台州知事戰死釣魚嶺，今參書之。

○（五月）戊申，倭寇浙江黃巖縣，陷之，縱掠城中七日乃去。

○（秋七月）壬寅，以倭警命巡撫山東都御史王忬巡視浙江，兼轄福建濱海諸府。自朱紈罷後，巡撫並巡視官不設者四年，倭患益熾。于是給事中王國禎、御史朱瑞登交章言：「海氛不靖，自裁革巡視後，三省軍民無所鈐轄，雖設有海道副使，而權輕不便行事，往往狼狽失職。請復設都御史便。」吏部議：「既設巡視，必當兼總督巡撫，使之節制諸軍方可責其成功。」上從其言，且令暫復巡視，遂以命忬。初，國初沿海要地建衞所，設戰船，董以都司、巡視、副使等官，控制周密。迨承平久，船敝伍虛，及遇警，乃備漁船以資哨守。兵非素練，船非專業，見寇舶至，輒望風逃匿。以故賊帆所指，無不殘破。忬至，乃任參將俞大猷、湯克寬爲心膂，分隸諸將。布列沿海各鎭堡，嚴督防禦。而是時內地居民勾引、嚮導，益以大奸汪（王）直、徐海之（衍）等爲之主謀，遂至不可撲滅云。

攷異：諸書多系王忬任巡撫于是月，三編牽連前後書之，然亦不言先命忬為巡視官。惟明史、紀事本末皆作巡視。證之忬傳，蓋始命忬巡視，明年始以王國禎請改巡撫也。實錄亦云上命且設巡視，其兼言巡撫，俟賊平議處，今分書之。

○（嘉靖三十二年二月）丙寅，倭寇溫州，參將湯克寬等率舟師破之，俘十一人，斬獲二十八級。

○巡視王忬請定海防賞格四事，部議從之。

攷異：明史紀事本末作是月甲子，史稿作丙寅，實錄同此奏報月日，故先後稍異。

○（三月閏月）甲戌，海賊汪（王）直糾群盜，勾集各島倭夷大舉入寇，連艦百餘艘，蔽海而至，自台、甯、嘉、湖，以及蘇、松，至於淮北，濱海數千里，同時告警。

○乙亥，倭攻破浙江昌國衛，屯踞凡五日，參將俞大猷以舟師攻之始去。

○是月，釋前福建副使柯喬于獄。

○（夏四月）戊子，倭犯太倉州，攻城不克，分眾四掠。復有他舟載倭四十人，突至浙江乍浦所，遂及平湖、海鹽、海甯之境，肆其焚掠。官軍前後遇之輒敗，凡殺指揮四，把總一，千戶一，百戶六，縣丞一，所傷官軍數百人，凡十六日始徜徉奪舟去。

○癸巳，倭攻上海縣，破之。丁酉，分掠江陰縣，王忬請釋指揮盧鏜于獄。尋復條上海防八事，俱從之。

攷異：明史日本傳：是月犯太倉，破上海，掠江陰，攻乍浦，皆與實錄合。今據實錄日分書之，疑亦奏報日也。

○五月己酉，倭寇海鹽，參將湯克寬等守城。寇四門攻之，不克，焚城樓及城外民舍數百間而去。

○癸丑，倭寇復入上海，燒刼縣市，知縣喻顯科逃匿，指揮武尙文與戰于市中，不克，與縣丞宋鰲俱死之。賊屯城中凡七日，焚官民廬舍而去。

攷異：四、五兩月，倭兩入上海，武尚文等之死，從信錄系之四月，今據實錄在五月再入上海時。宋，沈氏作宗。

○壬戌，倭攻浙江乍浦所，陷之，尋去，流刼海上。參將湯克寬等追圍之于獨山，斬首千餘，餘衆浮海東遁。

○（秋七月）戊申，巡撫應天都御史彭黯、巡視浙閩都御史王忬，各以倭寇出境浮海東遁聞。倭自閏三月登岸至六月中，溫、台、甯、紹、杭、嘉、蘇、湖、揚、淮十郡各州、縣、衛、所被其攻破焚掠者凡二十餘，留內地三月，飽而去。忬奏將士逐燬其船五十餘艘。于是先所奪文武將吏俸皆得復。又請築嘉善、崇德、桐鄉、德清、慈谿、奉化、象山諸縣城，而恤諸府被寇之民，詔皆從之。已，給事中王國禎請改勅加　巡撫銜以重事權，亦從之。時國禎上善後三事，末言獎才傑，訪得入寇之初，凡守土諸臣，無不心喪膽落，相率奔逃，而松陽知縣羅拱辰、六合知縣董邦政，乃能以孤軍當勍敵，立有戰功，宜趣擢用之沿海地方，以資激勸。詔：「拱辰、邦政，俱添註浙江按察司僉事。」

○庚子，贈卹浙江被倭死事指揮陳善道，把總馬呈圖，及千百戶、典史等官十九人，從巡按御史趙炳然之請也。

○（冬十月）己卯，副總兵湯克寬，督兵擊倭于南沙，敗績。倭自東遁，江上稍甯，惟崇明、南沙泊失風倭三百人，舟壞不能去。克寬及僉事任環列兵守之，至是與戰不利，亡卒四百餘人。

攷異：據明史紀事本末書崇明南沙之役，言任環所率新募兵三百人，皆勵以必死，相守不下。賊潛出沒，環常夜追之，出其前後。有宰夫佩恐有失，衣環衣，介馬而馳。環被追急，遇死士以死捍環。環被傷，舁之至水濱，梁已徹丈餘，超而過，遂得免。宰夫留禦，死焉。環求其首，為流涕，報酹之。宰夫佩，不知何人，而明史環傳亦有宰夫捍環出死之語，疑據野史，坿識于此。

○免浙江被災、被寇秋糧，其海鹽、平湖二縣各兌運米，准折銀徵解，仍命有司發倉粟賑之。

○戊子，倭寇移舟泊寶山，湯克寬引舟師追之，擊于高家嘴，毀其舟，斬首七十三級。

攷異：實錄及紀事本末皆作高家嘴，明史日本傳「高」作「南」，疑誤字。

○是月，有倭舟失風，漂至興化府南日寨，登岸流刼，殺千戶葉亘卿，百戶張養正等。

攷異：張養正死事，據王忬奏中增。

○（十一月）是月，倭自崇明逸至常熟，擾及上海，復流刼南匯所、吳淞江所及嘉定地方，凡十九日始去。

○（十二月）是月，蠲蘇、松、常、鎮四府被寇者積逋，自嘉靖二十七年至三十一年悉停徵，從應天巡撫彭黯之請也。

○（嘉靖三十三年）二月庚辰，倭寇松江府，官軍敗績，縣丞劉東陽死之。

攷異：東陽之死，明史本紀不具，見從信錄，證之實錄是也。

○三月甲辰，以南京兵部侍郎屠大山兼僉都御史巡撫應天，巡撫彭黯丁憂，尋被劾罷。初以江西布政使陳洙代之，上令再推忠謹可任者，會吏部尚書李默言：「蘇松巡撫所轄一十二府，地遠不便轄，況當軍興之際，調兵轉餉，難責一人，請增設提督軍務大臣一員專責剿賊，而令巡撫專責軍餉。」兵部言：「兵、糧兩分，行事不便，不若依近年浙江添設提督軍務都御史例，令提督、巡撫合爲一人，以專責任。」上然之，乃令洙別用而改大山。于應天巡撫之兼提督，自大山始也。

○壬戌，倭分掠蘇、松等處，湯克寬逆戰于採淘港，斬首八百餘級。時克寬以南沙縱賊罪奪官戴罪剿賊，乃以通泰參將解仁道代之。尋王忬復薦克寬爲浙西參將。

○乙丑，倭自蘇、松掠民舟入海，趨江北登岸，薄通、泰等城，焚掠各鹽場，餘眾有剽入青、徐界者，山東震動。

攷異：諸書皆系之三月，實錄書是月乙丑，而明史本紀誤入乙丑于二月下。二月無乙丑，蓋乙丑上脫三月二字耳，今刊改。

○是月，倭復寇浙江甯波之普陀山，參將俞大猷率將士攻之。半登，賊突出，官兵敗績，陣亡武舉火斌等三百人。

攷異：見明史俞大猷傳書三十三年，實錄系之三月之末，蓋與蘇、松入寇之倭為兩事也。明史本紀不載，今據增。

○倭之掠蘇、松也，有莒州人孫鏜商販吳、越間，倭擾松江，堂謁郡守請輸貲佐軍。守薦之參政翁大立，試以雙刀，若飛躍，遂錄爲士兵。擊走倭，出參將。任環于圍中遣人還，莒括家貲，悉召里兒爲爪牙，吳中倚鏜若長城。倭舟渡泖澥，鏜突出酣戰竟日，援兵不至。還至石湖橋，半渡，遇伏，中刃，墮水死。踰年，巡按御史孫愼以聞，與同時陣亡之巡檢李叢祿，千戶董元，俱賜贈廕。

攷異：孫鏜死事見明史忠義傳。據實錄，三十四年孫愼請卹，奏中自鏜以下凡三人。奏稱三十三年蘇、松之役，今據書之。李叢祿、董元陣亡，同在一奏中，並錄之。

○（夏四月乙亥）倭犯嘉興，參將盧鏜等禦之，稍卻。次日，復戰于孟宗堰，伏發，殺官軍四百人，溺死五百人；都司周應禎，指揮李元聿①，千戶薛綱、宗②應瀾等俱死之。

攷異：周應禎死，見明史本紀；李元聿死，見從信錄，餘二人據實錄增入。又據實錄，與周應禎等同請卹者有百戶梁喻、趙軒、朱璽等，其陣亡地方、月日無考，並附識之。

○戊寅，倭寇嘉善，陷之。辛巳，復攻嘉興。副使陳宗夔帥兵禦卻之，焚其舟。賊遁入乍浦，尋掠海甯等縣。

○壬午，倭攻通州。揚州千戶洪岱，中所千戶文昌齡，泰州府千戶王烈，督兵赴援，遇賊于西門外三里橋，力戰，俱死之。

○乙酉，倭夜襲崇明，陷焉，知縣唐一岑死之。一岑建新城，議徙居之，爲千戶高才、翟欽所沮。至是，倭突入，一岑且戰且詈，遂被殺。

○五月壬寅，倭自崇明薄蘇州，大掠。至崑山，百戶劉愛臣死之。

○丁未，犯崇德。

攷異：據實錄增。

○丁巳，給事中王國禎等以倭寇猖獗，逼近留都，請設總督大臣督理南直隸、浙江、山東、兩廣、福建等處軍務，俾調兵餉得以便宜從事。先是，南京兵部尙書張經言：「洪武間，以倭寇不靖，命信國公湯和經略海防，凡閩、浙濱海之區，陸有城守，水有戰船，故百餘年來寇不爲害。其後法弛弊生，軍士有納料放班之弊。于是強富者放遣，老弱者充役。戰船損壞，亦棄不修，以致寇得而入。請行各巡撫嚴督所屬，預集兵船以守要害，追捕納料軍士以實行伍，清理積歲料銀以造戰船。」朝議是之。至是，廷臣交薦，乃以命經。

○是月，給事中王國禎言：「招撫降賊非計。」是時有議招汪（王）直之（衍）等，故國禎言脅從之賊猶可撫，而賊首必不可撫。降一汪（王）直，未必不生一汪（王）直，是賞以勸惡也。」上從之。然猶勅張經等勦、撫並行，毋誤事機。

○（六月）壬辰，擢徐州兵備副使李天寵以僉都御史巡撫浙江，代王忬也。時上已命張經總督南直隸、浙、閩等凡六省，專任勦倭事。會宣、大告警，乃以命天寵，忬受巡撫浙、閩之命，方視師閩中而賊復大至，犯浙江，盧鏜等頻失利。御史趙炳然請逮治，上特宥之。然忬在閩、廣，嚴偵哨，謹斥堠，起用盧鏜及薦湯克寬、俞大猷之（衍）等，後皆爲名將，至是去而海上復騷然矣。

○是月，倭自蘇州轉掠嘉興，都指揮夏光禦之，背王江涇而陣。倭鼓譟而前，官軍大潰，光中流矢溺死。事聞，贈都指揮同知，立祠祀之。

攷異：嘉興之掠，明史本紀不具。明史稿系之是月甲申，見實錄，今從之。

○秋七月丙午，蘇州倭寇流刼至嘉善，將趨吳淞江出海，參將俞大猷邀擊，敗之于吳淞所，禽七人，斬首二十三級。

○是月，總督張經請調廣西狼兵五千人至蘇、浙等處禦倭。從之。

○八月癸未，倭自嘉興還屯採淘港、柘林等處，進攻嘉定縣城。會山東募兵參將李逢時、許國以山東民鎗手六千人至，與賊遇于新涇橋。逢時率麾下先進，敗之，賊退據羅店，官兵追及之，斬八十餘級。已而國恨逢時與同事不約已，乃別從間道擊賊。庚寅復戰，追至採淘港，乘勝深入，伏起，大潰，指揮劉勇等死之。

攷異：明史本紀：八月癸未，倭犯嘉定，官軍敗之。庚寅，復戰，敗績。庚寅之敗，即許國追至採淘港之役也。今據本紀分紀之。又據實錄，採淘陣亡，自劉勇外，有千戶孫升、胡應麒，鎮撫李繼教，義勇官徐茶等，並附記之。

○（九月）乙卯，倭以七十餘人犯海門縣，焚舟登岸。淮揚兵備副使張景賢禦之于呂泗③場，盡殲其眾。

○辛巳，改張經為右都御史兼兵部侍郎專辦討賊，以南京吏部尚書周延代經為兵部尚書參贊機務。時倭二萬餘據柘林、川沙窪，其黨方踵至。經日選將練兵，為搗巢計。以江浙、山東兵屢敗，欲俟狼、土兵至用之。于是給事中李用敬劾其縱賊誤國四事，下兵部議：「經本以南京參贊之職節制東吳，內外掣肘，不便行事。乞量改一官，專以平寇為務，其參贊之任，更遣一人代之。」遂有是命。

攷異：經授侍郎，據實錄在是月，明史本傳系之十一月，據命下之月日也。又，經前授總督，仍用南京兵部尚書原銜，至此始命周延代之。本傳言五月命經總督解部務，與後改兵部侍郎矛盾矣。證之實錄，授經總督有不妨部務之語，是解部務在十月也。今據實錄。

○（十一月）壬戌，倭自柘林分掠嘉、湖二府，都指揮劉恩敗之于嘉興縣，賊遂攻嘉興府。

○（十二月）是月，倭寇圍嘉興不克，遂分刼秀水、歸安。巡撫李天寵遣副使陳宗夔，都指揮劉恩禦之，戰不利。會百戶賴榮華統福兵六百人至，鼓行直前，賊卻斂兵登舟。榮華乘勝薄之，中砲死。尋掠嘉善，知縣鄧植棄城走。

攷異：賴榮華死，見明史李天寵附傳，從信錄系之是年十二月。證之胡宗憲明年十二月勘上去年十二月嘉、湖禦倭功罪，榮華之死即在流刼秀水歸安時，與從信錄月分合。至容華死事，本末具見原奏中，今據書之。

註：

①「聿」明世宗實錄，卷四〇九，嘉靖三十四年四月辛未朔乙亥條，及許里熙，嘉靖以來注略卷四，嘉靖三十三年夏四月條俱作「律」。

②「宗」，註③所舉實錄、注略同年同月條俱作宋。

③「泗」，明世宗實錄，卷四一四，嘉靖三十三年九月己亥朔乙卯條、明史，日本傳俱作「四」。

卷六一

〇（嘉靖三十四年春正月丁酉朔）倭自柘林奪舟犯乍浦、海甯，攻崇德縣，陷之。又轉掠塘棲、橫塘等處，復攻德清縣，殺把總梁鶚，指揮周奎、孫魯，百戶陸陵、周應辰、理問①、陶一貫等，巡按御史胡宗憲以聞。時張經所調狼兵及保靖兵俱未至，持重不發，杭城數十里流血成川。

經駐嘉興，李天寵守杭州，倭攻之不克。

攷異：據胡宗憲原奏，倭陷崇德，攻德清在正月之朔，實錄書之三月，據奏至之月日也。明史本紀據失事月日，今據之。

○是月，以倭警，命南京左軍都督豐潤伯曹松專督孝陵衛軍防護陵寢，南京都督僉事萬表充（充）總兵官，提督漕運，塡守淮安。

○二月丙戌，遣工部右侍郎趙文華祭告海神兼區處防倭事。先是，文華疏陳備倭七事：一、祭海神，請遣官望祭于江陰、常熟；次令有司掩骼輕徭；次增募水軍；次蘇、松、常、鎭民田一夫過百畝者重科其賦，且預徵官田稅三年；次募富人輸財力自効，事甯論功；次遣重臣督師；次招通番舊黨、並海鹽徒，以忠義之名令偵伺賊情，因以爲間。兵部議行其五，惟增田賦、遣重臣二事不可行。上切責尙書聶豹等坐免。禮部議覆，請遣官祀神如文華言。上以問嚴嵩，嵩言：「賊擾蘇、松二載，調兵未見實効。奏報或多失實，宜如部覆遣大臣往祭，並宣布朝廷德意。即令察視賊情，請以文華任之。」乃有是命。

○三月甲寅，兵備副使任環，邀擊倭于南沙，敗之。

○（是月）張經請調狼、土兵，至是田州瓦氏兵先至，諸將欲速戰，經不可。已，東蘭兵繼至。經以瓦氏兵隸總兵俞大猷②，那地、南丹兵隸游擊鄒繼芳，以歸順及思恩、東莞兵隸參將湯克寬，分屯金山衛、閔港、乍浦，犄賊三面，以待永順、保靖兵之集。未幾，趙文華至，經遂以不時進兵得罪。

攷異：諸書多系之五月，蓋因王江涇之捷類記耳。明史張經傳書狼兵至于是年三月，今據之為張經被逮張本。

○夏四月辛未，工部侍郎趙文華至松江祭海神。時狼兵甫至，人心稍安。總兵俞大猷遣將會瓦氏兵邀擊賊于金山衛，頗有斬獲，文華遂趣經進兵，且厚犒狼兵，激之進剿。至曹涇，遇倭數百人，與戰不利，頭目鍾富、黃維等十四人俱死焉。于是賊知狼兵不足畏，益縱掠沿海等處。

○乙亥，倭犯江北淮、揚諸府，揚州同知朱裒擊敗之沙河。未幾復大至，薄城東門。裒督兵奮擊，兵潰死焉。賊由通州海門登岸，流刼狼山、利河等鎮，及通、泰鹽場。

○（戊子）倭自三丈浦分掠常熟、江陰。初，常熟知縣王鈇修城，練民兵禦倭，倭至，輒為所敗。至是，參政任環，檄鈇與指揮孔熹分統官民兵三千破其寨，斬百五十有奇，焚賊艘二十七。其至江陰者，游擊白泫邀擊，亦敗之，斬首三十七級，賊遂東遁。

○五月甲午朔，總督張經大破倭賊于王江涇。時柘林倭糾新倭四千餘人突犯嘉興，經遣參將盧鏜督狼、土等兵，水陸擊之。會保靖、永順兵俱至，保靖宣慰使彭藎臣，遇賊于石塘灣，敗之，賊北走平望。副總兵俞大猷會永順宣慰使彭翼南兵邀擊，又敗之。賊回王江涇。永順兵攻其前，保靖兵躡其後，參將湯克寬引舟師由中路蹴之，賊遂大敗，斬首一千九百餘級，焚溺死者稱是。餘眾奔柘林，縱火焚其巢，賊遂駕殘舟出海遁。自軍興以來戰功稱第一，而趙文華劾經之疏已先至矣。

○戊戌，川沙窪倭賊流刼崑山、石浦等鎮，僉事董邦政，游擊周藩引兵追擊，遇伏驚潰，藩被創，死之。

○乙巳，倭率舟三十餘艘約千餘人，自海洋突犯蘇州，登岸肆刼。復有新倭千餘，合犯蘇州之陸涇壩。南京都督周于德，引兵赴援，一戰而敗，鎮撫孫憲臣被殺。賊遂分其衆爲二，一北掠滸墅關，一南掠吳縣、橫塘等鎮，蔓延常熟、江陰、無錫之境，出入太湖，莫能禦者。

○己酉，逮總督張經及參將湯克寬。初，趙文華視師，恃嚴嵩黨庇，所至輒頤指大吏，廣納文武賄賂。時張經方議徵兵大舉，自以位在文華上，心輕之。巡按胡宗憲亦與經議軍事，不協。文華乃與之比傾經，屢趣經進兵，經欲待永順、保靖兵至，以取萬全。文華再三言，經守便宜，不聽，且慮文華輕淺洩師期，竟不以告。文華怒，密疏劾經養寇失機。方拜疏而永保兵已至，即有石塘灣之捷。比大敗倭賊于王江涇，文華欲攘其功，謂己與胡宗憲督師所致。上以問嚴嵩，嵩對如文華指，且言狼兵初至，經不許戰，蘇、松人咸怨經。上怒，即下詔逮經，並及克寬。尋改應天巡撫周珫爲兵部侍郎代經總督。

○癸丑，張經捷奏至，兵科給事中李用敬、閻望雲等言：「王師大捷，倭奪氣，宜乘勢擣柘林、川沙窪之巢以殲醜類，不宜臨陣易帥。」上大怒曰：「經欺誕不忠，聞文華劾方一戰，用敬等黨奸不可貸！」乃命錦衣衛執用敬等杖五十黜爲民。已而上疑之，以問嚴嵩。嵩言：「徐階、李本江浙人，皆言經養寇不戰。文華、宗憲合謀進剿，經冒以爲功。」因極言二人忠，上深入其言，遣使賜文華、宗憲銀幣。然狼兵素服經名，經去而狼兵復爲民害，東南事愈不可爲矣。

○乙卯，任環、俞大猷率永順土官彭翼南敗蘇州之賊于陸涇壩，斬首二百七十有奇，焚賊舟三十餘艘。

○丁巳，倭寇常熟，知縣王鈇率兵乘城禦之，不克。會邑人錢泮字鳴聲者以江西參政里居，忿倭爇其父柩，乃集鄉官耆長助鈇移舟泊三里橋敗之。追及于上倉港，倭掩擊之隘中，鈇陷淖，瞋目大呼，腹中刃死；泮被數鎗，殺三賊而死；耆長數人皆力鬬死。事聞，詔贈鈇太僕少卿，泮光祿寺卿，有司立祠祀之。

攷異：王鈇死事見明史忠義傳，傳于陣亡地方未詳。今據實錄增入三里橋上倉港等語。又，傳特書云三十四年五月今日，分據實錄。

○是月，陞浙江按察使曹邦輔以右僉都御史，巡撫應天，提督軍務。

○六月庚午，倭犯浙東，自上虞爵溪所登岸，犯會稽之高埠，奪民樓房據之。知府劉錫，千戶徐子懿等分兵圍守，賊縛木筏渡河，遂潰圍出。居家御史錢鯨遇害于蜖浦。賊遂流刼杭州，而西歷於潛、西興、昌化等處。

○丙子，倭踞江陰之蔡涇壩，分眾犯塘頭，知縣錢錞提狼兵禦于九里山。薄暮雷雨大作，伏四起，狼兵悉奔，錞戰死。事聞，贈錞光祿少卿，立祠祀之。

○庚辰，任環、俞大猷復敗倭于馬蹟山，斬首九十三級。

○壬午，罷總督南直隸、浙、閩等處都御史周琉、巡撫浙江都御史李天寵。先是，趙文華劾天寵嗜酒廢事，遂薦宗憲。而琉任總督，爲文華所制不得展，坐奪俸。至是，與天寵並黜爲民。琉在官僅三十四日耳，尋改南京戶部侍郎，楊宜代琉而宗憲代天寵。未幾，御史葉恩以北新關之敗劾天寵，而宗憲亦言其縱寇，遂逮天寵下獄。

○秋七月乙巳，倭陷南陵。先是，高埠之賊，自杭州西掠者沿途傷亡，至嚴州淳安縣，僅六十餘人，以浙兵逼急，遂踰山突入歙縣，流刼績溪至旌德。典史蔡堯率民兵千餘禦之，不克。賊焚掠南門外，過涇縣。知縣丘時庸引兵追擊于埠塘，敗績，賊遂趨南陵。莞民守分界山，聞風奔竄，賊至縣城，縱掠城內外。是時建陽指揮廖印、當塗縣丞郭耿郊，蕪湖縣丞陳一道，太平府知事郭章，各率兵赴援，與賊遇于縣東門。印等引弓射之，賊悉手接其矢反射，衆皆驚潰。惟一道所率多江湖驍健，乃麾衆獨進，力戰不克，遂被殺。一道子陳子義，橫身捍賊刃以蔽其父，亦死焉。

攷異：陳一道之死，諸書皆不載，惟從信錄有殺蕪湖縣丞一語，不著姓名。今據實錄增。又，與一道同請賜卹者有把總朱頂鶴，其陣亡地方、月日無考，並坿識之。

○丙辰，倭犯南京。先是，倭自南陵流刼蕪湖，渡河入北岸，肆掠各商民。義勇登岸擊以瓦礫，又燒石灰礶擲而下，賊多傷者。遂趨太平府，城中人斷河橋以守，賊遂引而東犯江甯鎭。指揮朱襄率衆迎拒，不克。襄力戰，身被數鎗墮馬死，官兵死者三百餘人。賊遂直趨南京，其酋皆黃衣紅蓋，率衆犯大安德門及夾岡，不克，乃趨秣陵關而去。

○丁巳，總督張經逮繫至京，詔下法司議罪。經上疏自理言：「臣任總督半載，前後斬首五千有餘，乞賜宥。」不省，遂與總兵湯克寬俱論死繫獄。

○八月壬辰，巡撫應天僉都御史曹邦輔，殲倭于滸墅關。先是，倭自南京出者，由溧水流劫至溧陽、宜興，聞官兵自太湖出，遂越武進抵無錫，駐惠山，一晝夜奔百八十餘里，遂抵滸墅關。時柘林倭遁入海，遭風壞三舟，餘賊三百有奇，登岸至松江之陶宅鎮，據之。邦輔慮二賊合爲患也，乃親督副使王崇古，會集各部兵扼其東路，四面蹴之。會僉事董邦政，把總婁宇督兵守陶宅，賊據險且衆，未可遽進，乃檄邦政、宇合剿滸墅之賊，敗之，斬十九級，賊始懼，欲潛走太湖，爲官軍所遏，追及于楊林橋，殲焉。是役也，賊不過六七十人，而經行數千里，殺戮、戰傷者幾四千餘人，歷八十餘日乃滅。趙文華欲攘其功，而邦輔捷奏已先上，文華銜之。

攷異：據明史日本傳，邦輔及董邦政等合剿滸墅關之賊，而據曹邦輔傳似是剿陶宅之賊，然以上下文義釋之，實滸墅也。明史本紀：是年八月，邦輔敗倭于滸墅，下文九月，乃書趙文華、胡宗憲等擊倭於陶宅敗績。據此則八月所剿非陶宅之賊明矣。今據本紀，參日本傳書之。

○九月乙未，趙文華進剿陶宅倭，敗績。文華恥不預滸墅功，又意陶宅倭乃柘林餘孽，乘邦輔之勝可取也，乃大集浙、直二省之兵，與胡宗憲、曹邦輔夾攻之。文華、宗憲以浙兵營于松江之塹橋，約邦輔以直兵會，各分三道，東西並進。賊悉精銳衝浙兵，諸營皆潰，失亡軍士一千餘人；邦輔率直兵進剿，亦遇伏，而敗死者二百餘人。是役也，浙兵指揮邵昇、姚宏，直隸領兵千戶劉勳，俱沒于陣，自是賊勢亦張。

○乙巳，免鳳、淮、揚三府及徐、滁二州被災秋糧。

○戊申，倭以三舟泊台州海洋之螺門，備倭指揮王沛等，引舟師擊敗之，賊弃舟登山走。會參將盧鏜以大兵至，入山搜剿，禽真倭八十四人，斬首三十餘級，三舟之倭殲焉。

○甲寅，杭嘉湖兵備副使劉燾，督兵五千餘，分三道攻陶宅倭巢，不克。倭以二百餘人迎敵，諸軍望見皆潰，而燾僅以身免。

○是月，戶科給事中楊允繩上禦倭三策，曰制，曰謀，曰法。又言：「今日之患，不專在外攘而重于內修。近者督撫命令不行于有司，非官不尊，權不重也。督撫蒞任，例賂權要，名曰謝禮；有所奏請，佐以苞苴，名曰候禮；及俸滿營遷，避難求去，犯罪欲彌縫，失事希芘覆，輸賄載道，爲數不貲。督撫取之有司，有司取之小民。有司德色以事上，督撫以靦顏以接下，上下相蒙，風俗莫振。不肖吏又乾沒其間，指一科十，孑遺殆盡之民，必將挺（鋌）而爲盜，其隱憂不止海島間也。」語頗斥趙文華等。未幾，允繩竟得罪。

考異：見明史楊允繩本傳，特書云三十四年九月，為允繩下獄張本。

○（冬十月丙子）巡撫應天曹邦輔，方報滸墅關之捷不數日，而陶宅敗問至。于是趙文華奏劾邦輔及僉事董邦政不能協力進兵，顧乃避難擊易，致師後期。兵部議：「二寇多寡雖殊，然以流刼者之慓悍，濟以屯聚者之繁眾，若使合而爲一，益滋蔓難圖。今蘇州之賊既滅，陶宅之勢自孤，宜令邦輔、邦政亟圖進兵，俟陶宅寇平，徐議功罪可也。」乃宥邦輔，逮邦政勅總督楊宜按問。

○丁丑，曹邦輔親督水、陸兵攻倭于周浦，敗績。先是，陶宅見我兵四集，夜走周浦，屯永定寺中，而周浦放洋之賊復以九舟至，巢于川沙窪。邦輔分五哨攻之，四哨俱潰，惟中哨以邦輔阻水而陣，得免。

○庚寅，殺前任總督南直浙閩等省都御史張經，巡撫浙江都御史李天寵，並及兵部員外郎楊繼盛。嚴嵩既茈趙文華而搆經等坐大辟，繼盛時繫獄三載，上初無意殺之也，已有爲繼盛營救于嵩者。其黨胡植、鄢懋卿怵之曰：「公不觀養虎者邪？留之將貽患。」嵩頷之。至是，嵩揣上意必殺經、天寵，比秋審，因附繼盛名，並奏得旨，俱決于市。初，繼盛繫獄，每當朝審，觀者塞衢，見繼盛囊三木輒憤嘆曰：「奈何不以囊嵩？」言者或至泣下。及繼盛臨刑，賦詩曰：「浩氣還太虛，丹心照千古。平生未報恩，留作忠魂補。」天下涕泣傳頌之。繼盛當刑，其妻張氏上書言：「臣夫某誤聞市井之言，猶狃書生之見，遂發狂論，聖明不即加戮，俾從吏議，兩經奏讞，俱荷寬恩。今忽闌入張經疏尾，奉旨處決。仰惟聖德，昆蟲草木，皆欲得所，何惜一迴宸顧下垂覆盆。儻蒙末減，不勝大幸。若以罪重必不可赦，願即斬臣妾首以代夫誅。夫雖遠禦魑魅，必能爲疆場効死，以報君父。」疏上，嵩格之。是歲論決當刑者凡百餘人，詔決九人而經、天寵預焉，並及繼盛，由是天下惡嵩父子及文華者益甚。

○是月，倭賊二百人自浙江樂清縣登岸，流刼甯、紹、台三府。

攷異：明史本紀：十月辛卯，倭掠甯波、台州，犯會稽。即日本傳所稱歷五十餘日連犯三府者是也。其所犯黃巖、仙居、奉化、餘姚、上虞、會稽等縣，據胡宗憲奏報，皆在十一月中，而日本傳所謂殲之于嵊縣者，據原奏在十二月二十四日。今分書之，為下文連犯三府張本。

○（十一月）乙未，倭二百餘人犯福建莆田縣及鎭東衛，千戶戴洪、高懷、張鸞③等俱戰死。

○戊午，倭五十餘人犯溫州之平陽縣，殺指揮祁嵩，平陽所百戶劉愍。又倭八十餘人犯舟山，進屯謝浦，參將盧鏜遣兵禦之，不克，指揮閔溶死之。

攷異：閔溶之死，見明史盧鏜本傳，餘俱據實錄增。

○（庚申）倭復犯福建之興化，平海衛正千戶丘珍、白仁，副千戶楊一茂死之。已，復犯福清海口，泉州衛指揮僉事董④乾震直入其壘殺十餘賊，亦遇害。事聞，詔：「各立祠祀之！」

○是月，巡撫應天曹邦輔言：「川沙窪之賊集至四十餘艘，而繼至者未已，恐與陶宅之倭合而爲一，請治副總兵俞大猷擁兵觀望罪，革職使戴罪立功。」從之。是時，趙文華以陶宅後期，請罷邦輔，亦從之。給事中孫濬言：「邦輔督大猷進勦陶宅在九月十一日，浙兵以次日至，則後期之罪不在直兵。矧蘇、松士民僉稱邦輔實心任事，何況留都流刼之倭一旦殄滅，功績顯然，而文華遽請罷黜，臣不知其何心。」兵科給事中夏栻亦言之。上乃飭文華秉公視師，以圖大效，而滸墅之捷，賞竟不行。

○是月，樂清登岸之倭流劫至黃巖、仙居、奉化、餘姚、上虞諸縣，官兵後至者多陷賊伏中。慈谿主簿畢清，鄉兵監生謝志望，生員胡夢龍，儒士金應暘，紹興知事何常明，皆中伏死之。賊由上虞渡曹娥江犯會稽，典史吳成器引兵遮擊之，禽斬三十餘人。

攷異：此所犯地方及死事之畢清等皆見實錄，蓋胡宗憲原奏也。原奏系之十一月，今從之。

○閏月癸亥，周浦之賊被官軍圍攻日急，乘夜東北奔，統領川兵游擊曹克新邀擊之，斬首百三十級，遂與川沙窪之賊合。四川、山東諸兵日夕伺擊之，乃焚巢載舟出海。己巳，副總兵俞大猷兵備副使王崇古，合兵入洋追及之于老鸛嘴，焚其巨艦八，餘賊奔上海浦東。

攷異：事見明史俞大猷傳。據實錄載原奏，稱周浦之倭于閏十一月初二日突圍出，是月壬戌朔，癸亥，初二日也，大猷破之老鸛嘴。實錄書之己巳，今分記之。

○庚午，胡宗憲進攻平陽之賊，遣守備劉隆禦之于三港，官兵敗績，隆及千戶劉綱，百戶張剛、張澄俱死之。

○癸酉，川兵游擊曹克新，擊倭于嘉定之高橋，鏖戰自辰及未，酉陽兵先潰，諸軍遂敗。越二日，克新復督蜀中土、漢兵，分三哨進，右哨酉陽兵復潰。我兵亂，賊乘之殺大渡河千戶李燦，成都衛百戶鄭彥昇，川兵傷亡及溺死者十之四，諸軍奪氣。先是，總督楊宜以狼兵徒剽掠不可用，請募江浙義勇、山東箭手，益以江浙、福建、湖廣漕卒，河南毛兵。比客兵大集，宜不能馭，川兵與山東兵私鬥，幾殺參將。而酉陽兵潰于高橋，奪舟徑歸蘇州。趙文華犒慰諭留之，不敢詰也。

○（十二月）甲辰，官軍合攻樂清之賊于嵊縣，殲之。是役也，賊不滿二百，深入三府，歷五十餘日始平。

○乙巳，趙文華疏請還朝，許之。文華視師數月，怙寵恣睢，百司震慴，公私財賄填集其門，因而牽制兵機，顛倒功罪，雖徵兵半天下，而倭勢日熾，官軍屢敗，文華率諉過于督撫。及甎橋之挫，始知賊未易平，欲委責去。會川兵破賊于周浦，俞大猷破賊于海洋，文華遂言水陸成功，江南清晏，故有是請。然是時倭尚泊浦東，而川沙舊巢及嘉定高橋，分黨盤踞，侵犯殆無虛日。及文華去，敗報復踵至矣。

○是月，倭賊屯于松江新場，參政任環與都司李經等，率永順、保靖兵攻之，中伏，保靖土舍彭翅，永順頭目田菑、豐年等俱死之。

攷異：事見明史任環傳，永保陣亡頭目，傳中但書彭翅，餘二人及月分皆據胡宗憲奏報增入。

○（嘉靖三十五年正月）壬戌，福建倭流入浙江界，留守官王倫，督容美土司田九霄等扼之于曹娥江，不得渡，還走，官民追及之于三江民舍及黃家山等處殲之。

○壬午，官軍擊新場倭于松江之四橋，敗績，參將尚允紹等死之，亡卒四百餘人。

攷異：據實錄，松江新場之敗，御史周如斗請卹奏中自尚允紹外，有指揮李田、鮑東萊，千戶郭勛、崔彥章、李尚節、李鼎，百戶趙武、陳清等八人，並識于此。

○（二月）己亥，總督南直隸浙閩軍務楊宜罷。宜徵調各兵久無功，會上年十二月新場之敗，御史邵惟中劾宜觀望畏怯，所督酉陽、永保兵再戰再北，請治其罪。會趙文華還朝，因言寇初起苦無兵，今徵兵四集，所苦督撫非人，不能調度，請罷宜以胡宗憲代。嚴嵩復言之于上，上然之，乃罷宜。宜在事僅踰半歲，以諂事文華，故得禍稍輕。尋授胡宗憲爲兵部侍郎兼僉都御史，總督沿海軍務。

○戊午，罷吏部尚書李默，尋下之獄。初，趙文華奏請還朝，因言餘寇無幾。及敗報踵至，上疑之，以問嚴嵩，嵩力爲營解，上意終不釋。默與嵩數爲異同，文華自江南至，默尤輕之。會楊宜罷，嵩、文華請以宗憲代，默獨推用兵部侍郎王誥，二人者尤恚甚。及是，文華所以謀自解者，稔上喜告訐，乃摘默部試選人策有「漢武、唐憲宗晚節爲任用匪人所敗」等語，指爲謗訕；又言：「臣前劾張經，默以同鄉思報復。及臣再論曹邦輔，則嗾夏栻、孫濬媒孽臣及宗憲而黨護邦輔。今地方之事，由于督撫非人，默乃不用宗憲而推王誥，懷私挾憤，豈奉公憂國之大臣所爲？」疏入，上大怒，下禮部三法司議。不稱旨，切責尚書王用賓等，皆奪俸而下默鎭撫司拷訊。刑部尚書何鰲遂坐默比子罵父律，絞。上怒不已，詔加等處斬，錮之獄。尋復逮邦輔至京師，謫戍邊，默竟瘐死獄中。

○（三月）是月，福建倭寇流刼古田，殺備倭指揮劉玠，副千戶王月。事聞，詔贈恤玠等，立祠祀之。

○（夏四月）己亥，倭舟二十餘艘自浙洋登岸，攻慈谿，陷之，殺鄉官副使王鎔，知府錢渙等，大掠而去，軍民死者數百人。

○甲辰，有續至倭寇三千餘人犯鎮江、瓜洲、儀真等處，流刼至圌山入港，遂犯無為州。同知齊恩率舟師迎戰，敗之，斬首百餘級。恩長子尙文、次子嵩、叔仲實、弟寶棨、姪慎、寅、友良、大卿、孫同俱在。嵩年十八，驍勇善射，獨前追賊至安港，恩率尙文等從之。會伏發，被圍，恩等及其家丁錢鳳等二十一人力戰，皆死之，惟嵩、慎、寅三人得脫。賊乘勝至金山，殺鎮江千戶沈宗玉、王世臣于江中，百戶戚繼爵戰沒。事聞，贈恩光祿丞，錄一子，並厚恤其家，建祠祀之。餘皆贈卹如例。

攷異：事見明史忠義傳，恩戰死月日見本紀。今據實錄並其一家及家丁姓名增入。又，戚繼爵戰沒同見請卹奏中。

○丙午，倭復攻慈谿，入之。倭之犯慈谿也，慈谿人杜槐為省祭官，倜儻任俠。寇至縣，僉其父文明為部長，團結鄉勇。槐傷，父老請身任之，數敗倭。副使劉起安，委槐守餘姚、慈谿、定海。遇倭于定海之白沙，一日戰十三合，斬十三人，馘一酋，身被數創，墜馬死。文明擊倭于鳴鶴場，斬首一人。倭駕遁，稱為杜將軍。無何，追至奉化楓樹嶺，戰沒。事聞，詔：「父子並贈卹，建祠祀之。」

攷異：見明史忠義傳，其卹在是年十月，見實錄，浸入之倭寇慈谿等縣下。

○辛亥，倭寇萬餘，趨浙江皂林等處，將攻杭州，游擊將軍宗禮，率九百人禦之于崇德三里橋，三戰俱捷。賊首徐海等皆辟易，稱爲神兵。會橋陷，軍潰亂，禮與鎮撫侯槐、何衡，義官霍貫道，俱力戰死之。賊乘勝攻桐鄉不克。是役也，禮所部皆死士，以寡敵衆，時以爲血戰第一功。自是海等亦病創奪氣。未幾，遂就撫。

○是月，倭寇圍溫州，同知黃釧死之。釧自去年擊走倭賊，知必將復來，日夜爲備。至是，果大至。釧出城逆擊，分軍爲三，釧將中軍，其二軍帥皆紈袴子。及與倭遇，倭遣衆分掩二軍，而以銳卒當中軍。釧發勁弩、巨砲，戰良久，倭方不支，突二軍望敵而潰。倭合兵擊釧，釧腹背受敵，遂被執，脅之降，不屈，責以金贖。釧笑且罵曰：「爾不知黃大夫不愛錢邪？」賊怒，裸而臠割之。子購屍不獲，具衣冠葬。事聞，贈浙江參議，有司建祀之。是時倭犯兩浙，官軍死事者有海甯衛指揮徐行健、松門衛指揮程祿，百戶方存仁。經巡按趙孔昭彙奏，得旨，贈卹如例。

攷異：倭寇溫州，明史本紀不載，黃釧死事見忠義傳。書云：「三十四年，釧擊走倭，知必將復來，備之。又三年，果大至。」云云。攷釧之死，明書、從信錄皆系之三十五年四月，而實錄所載趙孔昭請贈卹黃釧等在七月，則釧之死在是年之四月，為得其實，傳中以為又三年者，疑年字為月字，傳寫致誤也。今據明史及從信錄月分。

○初，倭屢犯浙東州縣，時胡宗憲巡按浙江，與趙文華定招撫計，乃令客蔣洲、陳可願往諭日本國王。遇汪（王）直養子滶于五島，邀使見直。直初誘倭入犯大獲利，各島由此日至。既而多殺傷，有全島無一歸者。死者家怨直，直乃與滶及葉碧川、王清溪、謝和等據五島自保，島人呼爲老船主。宗憲與直同鄉里，欲招致之。時直母、妻皆繫金華獄，宗憲命釋之，資給甚厚。洲等諭以宗憲，指直心動。又知母、妻無恙，大喜曰：「俞大猷絕我歸路，故至此，若貸罪許市，吾亦欲歸耳。但日本國王已死⑤，各島不相攝，須次第諭之。惟薩摩、大隅二島⑥已先入寇，不及止，誠許之通貢互市，願殺賊自効。」薩摩、大隅者，徐海所引以犯皂林等處者也。時方蹂躪浙之東西，直乃留洲傳諭國王而遣滶等護可願歸，至是宗憲以聞。兵部言：「直等本編民，既稱効順，即當釋兵，乃絕不言及，第求開市通貢，隱若屬國，叵測，未可遽許。宜令督臣振揚國威，嚴加防禦，移檄直等，俾剿除舟山諸賊巢以自明。果海畺廓清，自有恩賚。」從之。時兩浙皆被倭，而慈谿焚殺獨慘，餘姚次之。浙西柘林、乍浦、烏鎮、皂林間皆爲賊巢，前後至者二萬餘人。上命宗憲亟圖方略，或剿或撫，便宜行之。

○五月乙丑，復遣工部尚書趙文華提督浙直軍務。先是，倭警遝至，部議再遣大臣督師，已命兵部侍郎沈良才。良才陛辭，陳便宜三事，悉從之。會上諭輔臣嚴嵩，以東南事詢之文華，嵩乃乘間言文華自請行，且言：「江南人矯首望文華。」上信之，乃止良才而改命文華，立賜勅遣之。

○戊辰，以江南北被倭患，令各督撫官發銀糴米，仍縣示勸借賞格，軍民輸銀百兩或米百石以上者，勅旌其門，以下者令有司量加獎諭，以充軍餉，從戶部請也。

○丁丑，倭解桐鄉圍，以徐海之聽撫也。先是，海及陳東、麻葉等連兵攻桐鄉急，巡撫阮鶚在圍城中。宗憲謀赴援，既自計曰：「與鶚俱陷，無益也。」遂還杭州，遣指揮夏正等持汪（王）激書要海降。海驚曰：「老船主亦降乎？」謂：「直也然。」時海方受創于崇德，意頗動。因曰：「兵分三路進，不由我一人。」正曰：「陳東已他有約，所慮獨公耳。」海遂疑東。而東偵知海營有宗憲使者，大驚，由是有隙。正乘間說海降，海遣使來謝，索財物，宗憲如其請予之。于是海歸我俘二百人，解桐鄉圍。東留攻一日，亦去，復屯乍浦。

○（六月）丙申，總兵俞大猷敗倭于黃浦。時蘇、松之倭謀自黃浦出海，大猷督水兵追之，斬首三百餘級。

○丁酉，浙江倭寇仙居縣，陷之，乘勝趨台州。副總兵盧鏜，邀擊于彭溪鎮，斬首二百餘級。

○是月，倭犯丹陽呂城，守備王介擊卻之。

○秋七月戊午，總督浙直胡宗憲奏：「賊首毛海峰自陳可願歸後，嘗一敗倭寇于舟山，再敗之于瀝表，又遣其黨說諭各島相率効順，乞加重賞。」毛海峰即汪（王）激也。部議謂：「兵法，用間，用餌，或招或撫，要在隨宜濟變，不從中制。」乃如宗憲請，賜海峰等銀幣，有差。

攷異：據明史胡宗憲傳，言蔣洲等奉使諭日本國王，遇汪（王）直養子滶于五島，其後遣滶送可願還。宗憲厚遇滶，令立功。滶遂破倭于舟山，再破之瀝表，與日本傳所載大略相同。惟日本傳則言汪（王）直養子毛海峰，蓋毛海峰即王滶，故日本傳後書汪（王）直遣王滶入見宗憲。下書云：「滶即毛海峰，汪（王）直養子也。」證之實錄，先書毛海峰，後則俱書王滶，其為一人明矣。汪滶，諸書俱作王滶，汪直本姓王也，見後汪（王）直伏誅條下。

○辛巳，官軍破倭于乍浦。先是，徐海許降，宗憲遣人語海曰：「若已內附，而吳淞江方有賊，何不擊之以立功，且掠其舸為緩急計？」海以為然，逆擊之朱涇，斬三十餘級。宗憲令俞大猷潛焚海舟，海心怖，以其弟洪來質獻所戴飛魚冠、堅甲、名劍及它玩好。宗憲因厚遇洪，諭海縛陳東、麻葉，許以世爵。海果縛葉以獻。宗憲解其縛，令以書致東圖海，而陰洩其書于海。海怒。海妾受宗憲賂，亦說海。于是海復以計縛東來獻，帥其眾五百人去乍浦，別營梁莊。官軍遂焚乍浦巢，斬首三百餘級，焚溺死者稱是。餘賊遁入海，指揮鄧城追及之，沈其舟，殲焉。

○（八月）辛亥，胡宗憲破海賊徐海等于梁莊。初，海既縛陳東等，退屯梁莊聽撫，宗憲與之約，海先期猝至，留甲士平湖城外，率酋長百餘冑而入。趙文華懼，欲勿許，宗憲強許之。海自擇沈莊屯其眾。沈莊者東、西各一，以河為塹，宗憲居海東莊，而以西莊處陳東黨，令東致書其黨曰：「督撫檄海，夕禽若屬矣。」東黨懼，乘夜攻海，海扶兩妾走間道稍。明日，官軍圍之急，海投水死。會盧鏜亦破大隅島賊，禽其島主辛五郎至，遂俘海弟洪及陳東、麻葉、五郎並海首獻京師。海餘黨奔舟山，宗憲遣俞大猷以冬月雪夜焚其柵殲焉，兩浙倭漸平。

攷異：據實錄所記，梁莊之役，言海就撫，索船，索賞，進退未決。其部眾被圍急，時出虜掠，官兵四面俱集。文華欲乘勢剿之，執海眾虜掠為詞以責海，海知有變，乃阻深塹自守，為迎戰備。信好既絕，我師遂薄賊營。會大風，縱火，諸軍鼓譟從之。海等窮迫，闔戶投火中死，云云。按此據文華報捷之奏，而海之授首，乃胡宗憲設計攜其黨，始令徐海執陳東等以獻。至是復令東黨攻海，皆間也。明史宗憲傳所記為得其實，今據之。

○九月戊午，免山東旱災通賦，又免南直隸、江北諸州縣被寇者稅糧。

○壬午，以倭寇平，祭告郊廟社稷。

○（冬十月）是月，免浙江被寇，福建被災稅糧。

○倭由溫州海洋犯福甯州，百戶黃宏，生員陳坡死之。

○（十一月）庚午，以倭寇平論功，進趙文華少保，胡宗憲右都御史，餘皆陞賞，有差。召文華還。

○（十二月）丁未，海賊陳東等伏誅，告于太廟。

○（三十六年春正月）丁卯，改巡撫浙江阮鶚于福建，其浙江巡府命總督胡宗憲兼理，從趙文華之請也。鶚自桐鄉解圍，遂東渡錢唐（塘）禦他賊，亦以附文華故得不劾。福建沿海之地，向歸浙江巡撫兼轄，至是，文華請特設之，遂以命鶚。

考異：據明史職官志，福建泉、漳沿海之地，向歸浙江巡撫兼轄，志以為嘉靖二十六年，即朱紈任是職也。三十五年，以閩、浙道遠，設提督軍務兼巡撫與漳泉福甯海道都御史。明年改設巡撫統轄福建全省，今據書之。

○夏四月甲午，倭犯如皐，登岸焚刼，官軍追擊，敗之于白滿（蒲）鎮。是時，浙江自徐海、陳東等授首後，諸寇略平。而倭之在江北者，犯常、鎮，燒漕艘，官吏不能禦，至是勢復熾。

○庚子，倭流刼海門縣，凡二千餘人登岸刼掠。

○（壬寅）倭攻通州不克，遂分二路西行，復犯如皐及泰興。是日，復有倭舟七自金沙登岸。

○五月癸丑，倭轉掠揚、徐二州，遂入山東界，官軍禦之，多敗。百戶劉魁、許勇、邵宗智、王介等死之。

○己巳，揚州倭犯天長縣，都司沃田，把總丘君寵禦之，不克，皆死焉，亡卒一百七十餘人。賊遂掠盱眙，攻泗州，不克，遂入高郵、寶應。丙子，犯淮安。

○（六月）乙酉，淮揚兵備副使于德昌，督水陸兵擊倭于安東縣，參將劉顯，直前衝賊，斬其渠，諸軍鼓譟競進，水陸夾擊，斬首百餘級。賊多焚溺死者，餘眾乃駕舟遯入海，泊于廟灣。

○八月辛丑，趙文華罷。初，文華掌工部時，上于西苑造新閣久不成。一日登高，見長安街有高甍，問：「誰宅？」左右以文華新宅對。又一人言：「工部大木，半為文華住宅，何暇營新閣。」上益愠。會三殿災，上權視事于端門，亟欲建正朝門樓。文華猝不能辦，上不懌，且聞華視師江浙，黷貨邀功狀，思逐之，重違嚴嵩，意以問嵩。嵩乃言：「文華觸暑南征，疾尚未瘉，請添註侍郎一員協理。」上以大工方興，不宜稱疾自便。嵩尋令文華上章引疾。上手批：「令回籍休養。」制下，舉朝稱賀，嵩獨不怡者累日。

○甲辰，浙直總督胡宗憲奏稱：「前遣諭日本之生員蔣洲還。」初，汪（王）直送陳可願還，留洲徧諭各島。至豐後被留，令僧人往山口等島⑦傳諭禁戢，于是山口都督源（大內）義長，具咨送還被掠人口，而咨乃用國王印。豐後太守源（大內）義鎮，遣僧德陽等具方物，奉表謝罪，請頒勘合修貢，送洲還。前楊宜所遣鄭舜功出海哨探者，行至豐後島⑧，島主亦遣僧清授附舟來謝罪，言：「前後侵犯皆中國奸商潛引諸島夷衆，義鎮等實不知。」于是宗憲疏陳其事，言：「洲奉使二年，止歷豐後、山口二島，或有貢物而無印信、勘合，或有印信而無國王名稱，皆違朝典。然彼既以貢來，又送被掠人口，實有畏罪乞恩意，宜禮遣其使，令傳諭義鎮、義長轉諭日本王，禽獻倡亂諸渠及中國奸宄，方許通貢。」詔：「可。」

○九月辛亥，革趙文華職爲民。文華既罷，上意猶未平，而言官皆懼嚴嵩，無敢攻發之者，而上怒無所洩。會文華子錦衣千戶懌思，以齋祀停封章日上疏請假送父回籍。上大怒曰：「文華以吉修限內引疾，欺褻巳（已）甚；而其子又復疏擾，不敬莫大焉。」因並發文華視師黷貨，殺無辜狀，黜爲民；懌思發邊衛充軍。又以禮科失糾，令對狀，乃杖給事中謝江等于端門外，俱斥爲民。初，文華未第時在國學，嚴嵩爲祭酒，才之。後仕于朝而嵩日貴幸，遂相與結爲父子。

嵩念己過惡多，得私人在通政，劾疏至，可預為計，故以文華任之。文華欲自結于上，進百花仙酒，詭曰：「臣師嵩服之而壽。」上飲甘之，手勅問嵩。嵩驚曰：「文華安得為此？」乃宛轉奏曰：「臣生平不進藥餌，犬馬之壽，誠不知何以然。」嵩恨文華不先白己，召至直所詈責之。文華跪泣，久不敢起。徐階、李本見之，為之解，乃令去。嵩休沐歸，九卿進謁，嵩猶怒文華，令從吏扶出之。文華大窘，厚賂嵩妻，嵩妻教文華伺嵩歸，匿于別室。酒酣，嵩妻為之解。文華即出拜嵩，乃待之如初。既以倭患上書，嵩復薦視師浙、直，復以總督江浙軍務，獲徐海，俘陳東，日益寵貴，志日驕，事中貴及世蕃漸不如初，諸人憾之。至是被譴，臥舟中病蠱。一夕，手捫其腹，腹裂，臟腑出，遂死。

○（十一月）乙卯，總督浙直胡宗憲，以計誘海賊汪（王）直，誅之。初，蔣洲等既還，直乃集山口、豐後二島主源（大內）義長、源（大內）義鎮等備方物入貢，遂遣夷目善妙等四十餘人隨直來，于十月泊舟山之岑港。浙人聞直以倭舟至，大驚。巡按御史王本固亦言不便，聞于朝。朝臣謂宗憲且釀東南禍，令陳兵嚴備之。直乃遣汪（王）滶即毛海峰詣宗憲，曰：「我等奉詔來，將息兵安境，宜遣使者遠迎，宴犒交至。今盛陳軍容，禁舟楫往來，公得毋紿我耶？」宗憲解諭至再，直不信。復令滶以書招之，直因要貴官為質，宗憲立遣指揮夏正偕滶往。宗憲嘗預為赦，直疏引滶入，臥內陰窺之。滶還以語直，直疑稍解，乃偕其黨葉宗滿、王清溪等入謁。宗憲慰藉之甚至，令至杭見本固。本固遂下直等獄。宗憲疏請曲貸直死，俾戍海上，繫番夷心。

本固爭之彊，而外議且疑宗憲納賊賂。宗憲懼，易詞以聞。直論死，宗滿等戍邊。滶等聞，大恨，遂支解夏正，柵舟山，阻岑港而守，于是賊復流入閩、廣界。

攷異：事見明史胡宗憲及日本傳，實錄所載互有詳略。惟王滶即毛海峰，實錄不著。倭變紀略又以為汪（王）直養子毛烈，疑毛烈即海峰，亦即王滶也。至汪（王）直就禽，據紀略載，胡宗憲原奏稱王直即汪五峰，直隸徽州縣民氏，是直一人，汪王雜稱，故其養子亦然。實錄又有毛滶之稱，其與毛海峰為同一人明甚。諸書皆不見，惟明史兩書之，並著之日本傳中，今從之。

○（十二月）癸未，免浙江被災稅糧。

○（嘉靖三十七年春正月）是月，倭犯潮州，千戶魏岳等死之。

攷異：此據實錄四十年請䘏原奏增入，蓋是年正月事。

○（三月）甲子，逮福建巡撫阮鶚。初，鶚提學浙江，會倭薄杭州，鄉民避城者有司拒不許，鶚手劍開門納之，全活甚眾。後以附趙文華、胡宗憲，得超擢右僉都御史。初巡撫浙江不主撫，自桐鄉被圍，懼甚。洎改福建，倭犯福州，賂以羅、綺、金花及庫銀數萬，又遺巨艦六艘，俾載以走，不能措一籌而斂括民財動千萬計。帷、帟、盤、盂，率以錦、綺、金、銀爲之，于是御史宋儀望等交章論劾。及逮至京，仍以賂嚴嵩，得薄其罪，黜爲民。

○是春，新倭大至，犯浙江台、溫等府，台州之太平縣數被攻圍，百戶陳椿，太平典史葉宗皆死之。

攷異：太平死事之百戶、典史姓名，皆據實錄增。

○夏四月辛巳，有新倭自浙江台、溫等府入福建之福州、興化、泉州，皆登岸焚掠而去。

攷異：此皆據奏報月日，而阮鶚以三月被劾，其時即有倭犯福州之語，蓋倭之犯浙，自浙至閩，皆在是年之春，史彙書之。至汪（王）直餘黨，據明史日本傳，由岑港移之柯梅，造新舟出海，是年十一月始犯福建，故四月之寇，實錄以新倭書之是也。

○丁亥，總督浙直胡宗憲，得白鹿于舟山，獻之。是年之春，新倭大至，

攷異：此據明史胡宗憲傳，證之阮鶚之被劾，皆在春間，是新倭之寇，不始于四月也。

○嚴旨責宗憲，宗憲懼得罪，上疏陳戰功，謂賊可指日滅。所司論其欺誕。上怒，盡奪諸將俞大猷等職，責宗憲，令剋期平賊。而趙文華已死，宗憲失內援，見寇患未已，思自媚于上，遂有是獻。上果大悅，行告廟禮，厚賚宗憲銀幣。

○五月甲寅，倭攻惠安，知縣林咸率兵乘城禦之，五日不克，引去。咸乘勝追賊于縣境之鴨山，中伏死之。事聞，贈泉州同知，賜建祠祀，並贈卹同時死事之巡佐汪詔等。

攷異：據實錄，詔與咸同時請卹，其陣亡地方不可考。

○甲戌，福建倭結艘自海口出港，參將尹鳳督武舉、楊承業等引舟師擊之，衝沉賊舟七，斬首六十八級，生禽七人，餘舟敗遁。鳳等追至東洋，斬首百餘級而還。

○丙戌，浙西倭分犯樂清、永嘉等縣，指揮劉茂、朱廷鑰，千百戶周賓、季爵、劉源、秦杭等禦

之于白塘港，敗績，皆死之。永嘉致仕僉事王德，偕族父沛，督義兵擊倭，倭宵遁。俄一舟突來，犯沛及族弟崇堯、崇修，殲焉。亡何，復至，大掠。德憤怒，勒所部追襲，至龍灣，軍敗，手射數人，罵賊死。然倭自是不敢越德鄉，侵郡城矣。事聞，賜贈廕，立祠，曰愍忠，沛等皆祔祀。

攷異：實錄有王崇大者，或別一人，或大字誤也。今據明史忠義傳書之。

○（冬十月）己未，命郎中唐順之視師浙江，與胡宗憲協謀剿賊。先是，浙江岑港倭巢于柯梅，造新舟出海，宗憲利其去之，不之追，賊遂揚帆而南入閩界，勢將與新倭合。宗憲屢討之不能克，于是南京御史李瑚，以私誘汪（王）直啓釁爲宗憲罪。宗憲奏辨（辯），上曰：「宗憲設計誘賊，人所皆知，小人嫉功，會以彼奏上元瑞，遂有言朕以此寬假者，其勿問。」

○（十一月）丙戌，浙江柯梅倭出海，總督⑨俞大猷自沈家門引舟師橫擊之，沉其米⑩艘，稍有斬獲，賊遂揚帆南去。自是倭患盡移于福建並湖廣間，亦紛紛以寇警聞矣。

註：

①「理問」，明世宗實錄，卷四二〇，嘉靖三十四年三月丙申條作「副理問」。

②「總兵俞大猷」，如據何世銘撰俞大猷年譜（泉州歷史研究會刊行）的記載，嘉靖三十四年當時，俞大猷係副總兵而非總兵。證之後文，此應是副總兵之誤。

③「鷩」，明世宗實錄，卷四二八，嘉靖三十四年十一月壬辰朔乙未條作「鼇」。

④「董」，前註所舉書同卷同年同月同日條作「童」。

⑤「日本國王已死」，如據日本史乘的記載，此一時期的日本國王亦即室町幕府將軍為第十三任的足利義輝（一五六五年，即嘉靖四十四年為松永久秀等所攻殺），當時尚在世。

⑥「薩摩、大隅二島」，薩摩、大隅俱位於九州南端，非二島，今均屬鹿兒島縣。

⑦「山口等島」，山口位於現今山口縣，非島嶼。以下同此。

⑧「豐後島」，豐後位於九州東北部，屬現今大分縣，非島嶼。以下同此。

⑨「督」，明世宗實錄，卷四六六，嘉靖三十七年十一月甲戌朔丙戌條作「兵」。按：俞大猷未曾擔任總督。

⑩「米」，前註所舉書同卷同年同月同日條作「未」。

卷六二

○（嘉靖三十八年春正月）壬午，巡按直隸御史尚維持言：「吳淞、柘林、川沙、陽舍、孟河五處爲蘇、松、常、鎮要害，請以蘇松參將移駐金山，督守柘林、青村、南滙、川沙諸處；常鎮參將移駐陽舍，督守圌山、孟河二地；而浙直總兵專駐吳淞調遣。」兵部覆議，從之。維持又言：「吳淞舊有守禦所，而四城未有專官，宜各設千戶所一員及注選倉大使一員，以司糧餉。」

部議：「四城設守禦所，必須改調官軍，抽補軍士，坐派月糧，計畫允當方可議行。」請下撫按官議之。報可。

○（三月）癸巳，倭犯浙東之象山，海道副使譚綸敗之于馬岡，斬首七十七級。

○甲午，逮總兵官俞大猷至京師。初，柯梅倭之出海，胡宗憲實陰縱之。大猷在浙，前後殺倭四五千，賊幾盡，而官軍圍之一年，宗憲不督諸將邀擊。及倭出舟山，駕帆南泛，泊于福建之浯嶼，閩人謂宗憲實嫁禍焉，于是御史李瑚劾宗憲三大罪。瑚與大猷皆閩人，宗憲疑大猷洩之，乃委罪大猷縱賊以自解，遂有是逮。陞協守浙直副總兵盧鏜代之。

○是月，倭犯崇明，泊舟于三沙，登岸肆刦。

○夏四月壬寅，復有倭舟數百艘轉掠江北。

○丙午，福建浯嶼之倭，自去冬出掠同安、惠安、南安諸縣，遂攻福甯州，經旬不克。至是移攻福安縣，破之。時廣東亦有流倭往來詔安、漳浦間，于是福、漳、泉諸州縣無不被倭者。

○丁未，江北倭自南沙登岸，犯通州，副總兵鄧城敗績，指揮張谷死之。

○辛亥，總兵盧鏜，敗崇明之倭于三沙。

○甲寅，福建倭攻福州，不克，遂圍之。

○庚申，巡撫鳳陽都御史李遂討江北倭，大敗之。先是，犯通州之倭退駐白滿鎮，海道副使劉景韶與戰于如皋，大敗之。會復有數百艘寇海門，遂語諸將曰：「賊趨如皋，其眾必合，合則侵犯之路有三：由泰州逼天長、鳳、泗，陵寢驚矣；由黃橋逼瓜、儀，以搖南都，運道梗矣；若從富安沿海東至廟灣，則絕地也。」乃命景韶及游擊邱陞扼如皐，而身馳泰州當其衝。時賊知如皐有備，將犯泰州，遂急檄景韶、陞遏賊，連戰丁堰、海安、通州，皆捷。賊沿海東掠，喜曰：「賊無能爲矣。」令景韶尾之，而致賊于廟灣。復慮賊突淮安，乃夜半馳入城。賊尋至，遂督參將曹克新等禦之于姚家蕩。會通政唐順之、副總兵劉顯皆以兵來援，賊大敗，以餘眾退保廟灣，凡前後斬首四百七十餘級，焚死者二百七十餘人。

攷異：據實錄所記，言劉景韶所破乃通州白滿鎮之倭，而廟灣之倭，又一隊也。據明史李遂傳，則通州、海門兩處之倭，並致之于廟灣而大敗之。實錄所載，皆據臨時奏報，不詳其所從人與所從出之路，今據李遂傳書之。

○丙寅，副使劉景韶敗倭于印莊。賊之保廟灣也，其眾復有遁入印莊者，景韶乘勝追擊于新洲及新河口。賊敗，遁入民家，我兵以火攻之，凡前後斬首三百餘級，餘悉焚死，無一人得脫者。惟廟灣之賊，據險固守不出，官兵水陸環其四面攻之。

○五月壬申，浯嶼之倭結劇賊洪澤珍等棲泊海山，水陸分擾。巡撫福建王詢，率兵擊敗之，以捷聞。時胡宗憲及巡按御史周斯盛，亦以浙東之捷馳報兵部。兵部覆言：「自倭患以來，廷議增設總督、總兵等官，其于選將、練兵，徵調轉餉，諸凡經略詳且盡矣，而未收全効。如舟山之賊剿逐殆盡，將謂無遺孽矣，而春汛一臨，群然四集，新舊之倭，無慮數萬，豈盡皆島夷哉！

實沿海頑民互相搆結，或盤踞近地，或潛泊海洋。方其煽亂，則謂之來，及其少熄，遂謂之去。乘其稍挫，便謂之捷，及其他往，因謂之安。如此不已，恐徵調日煩，催科日擾，將致生他變。請勅宗憲等仰思重寄，共矢遠猷，嚴督水陸官兵，刻（剋）期掃蕩，毋徒紓目前之急，必潛消意外之虞可也。」上深然之。

○戊寅，福建倭圍福州且一月，不克，乃解圍去。

○倭屯浯嶼且經年，至是出洋。而毛海峰者復移眾聚南澳，建屋而居。

○壬午，倭陷福建之永福縣。

○己丑，三沙倭連艘出海，官軍邀擊，斬首百餘級。賜胡宗憲、唐順之銀幣。

○甲午，副使劉景韶破廟灣倭，平之。倭被圍日久，官兵亦困乏，巡撫李遂集水陸兵攻之，百計挑戰，終不出。景韶乃督卒塡濠塹，夷樹木，又令水兵載葦焚其舟。賊爭救舟，乃撤其所營西街牆屋。賊移營東街，致死拒我，殺傷相當。景韶約以二十四日水陸夾擊。是夜雨，倭遁入舟，我兵追奔至蝦子港，頗有斬獲。餘倭無幾，不復能戰，乘風開洋而去，于是江北倭盡平。

○（秋七月戊子）先是，巡按浙江御史王本固復會南京御史李瑚，劾胡宗憲岑港養寇，溫、台失事掩敗飾功狀。詔下查盤科道官羅嘉賓、龐尙鵬等從實覈報。至是，嘉賓等奏覆三十六年以後禦倭功罪，而獨劾宗憲爲奸邪巨蠹，欺君誤國之尤者。因稱：「柯梅之倭自焚舟廠，全浙所共知也，乃稱官兵攻剿以飾其玩寇之愆；溫、台被創，生靈荼毒，人所共傷也，乃稱斬獲數多，以掩其殃民之罪。擁勁兵以自衛，惡聞警報之宵傳；罪將領以文奸，專冀本兵之內召，廉恥掃地。沈湎喪心，捧觴拜舞于軍前，而伏地讙呼，而讚趙文華爲島夷之帝，攜妓酣歌于堂上而迎春宴客。視總督府爲褋劇之場，萬金投款權門而醉發狂言，畢露其彌縫之巧。千里追回章疏而旋更情節，不顧其欺罔之私賄贖，因仍征輸繁急，夷情漏洩，致啓軍門倭主之謠；邊餉侵漁，遂有總督銀山之號。招藝流而豢養盈庭，皆狗鼠之雄。假贊畫爲利謀入幕，悉衣冠之盜。此一臣者，宜寘之重辟，以彰天討之公，用洩人心之憤者也。」疏入，上以宗憲有功，卒不問。

○是月崇明三沙之倭突犯江北，由海門縣七星港登岸，流刼金沙、西亭等處，將犯揚州。海道副使劉景韶督參將丘陞等併立禦之，戰于鄧家莊，斬首六十九級。賊敗走仲家園，我兵縱火急攻，斬首二百八十餘級。陞輕騎追賊，賊覘無後繼，盡銳來衝。陞馬蹶，遂遇害。陞，山西驍將，是年江北之捷，率陞爲前鋒，屬以屢勝輕敵致敗。胡宗憲奏其身經百戰，屢立奇功，臨難奮勇，不惜捐軀，若概從陣亡之科，實有未盡之論。請厚加贈恤，以慰忠魂。詔：「贈陞都督同知，世襲指揮僉事，立祠死所，春秋祀之。」

○倭自閩流入溫州，出掠平陽、泰順等處。泰順生員林田，督義師擊賊不克，死之。

○八月己未，江北倭自鄧莊之敗，沿海覓舟不得，我兵追之急。會雨，賊犇入劉家莊，官軍四面圍之。時胡宗憲遣江南副總兵劉顯以銳卒赴援；李遂乃檄顯盡護，江北軍悉聽節制。顯刻期進兵，率所部先登，各營繼進。自辰至酉，賊始破。追至白駒場，前後斬首六百有奇，賊遂殄。

而遂謂賊由三沙來，爲顯及盧鏜罪，坐停俸。其後應天巡撫翁大立，薦顯驍勇，請久任，詔可之。

○九月己巳，以通政使唐順之爲僉都御使，巡撫鳳陽。時李遂遷南京兵部侍郎，以順之代之。初，順之視師浙、直，力言：禦倭上策，當截之海外，若使登陸，則內地咸受禍。乃躬泛海，自江陰抵蛟門大洋，一晝夜行六七百里，從者咸驚嘔，順之意氣自如。倭泊崇明三沙，督舟師邀之海外，斬馘一百二十，沉其舟十三。擢太僕少卿。宗憲言權輕，乃加右通政。順之擊賊于廟灣不能克，復回援。三沙盛暑，居海舟兩月，得疾。及受遂之代，趣渡江，則賊已爲遂等所滅。條上海防善後事宜，踰年力疾巡視海洋，遷至通州而卒。順之博通載籍，善爲古文。生平苦節自勵，又聞良知之說于王陽明弟子王畿，頗多所自得。惟晚以趙文華薦，驟躋通顯，聞望由此漸損云。

○（冬十月）是月，總督浙直胡宗憲，請定列死事諸臣爲三等：有功而又能死事者爲一等，雖無功而能忠于所事者次之，勤無可錄，而事適不幸者又次之，其或失機僨事，雖身故，仍須追奪官廕。部議，從之。

○（十一月辛巳）初，蘇州自倭寇興，招集武勇以爲義兵，市中惡少起應之，後遂群聚剽刼，有打行紮火諸囮名，武斷坊廂間。巡撫翁大立至，稍稍禁戢之，諸惡少咸懼。乃于是月大立攜孥至蘇，相與插血，以白巾抹額，各持長刀、巨斧攻吳縣、長洲及蘇州衛，刼獄囚，鼓譟攻都察院，劈門入。大立率妻子踰墻逃出。諸惡少乃縱火焚公廨及大立所奉勅諭、符驗、旗牌，一時俱毀。復引衆欲刼府治。知府王道行，督兵敗卻之。諸惡少乃衝葑門，斬關而出，逃入太湖。官司遣兵分路搜捕，獲首從周二等二十餘人。事聞，詔大立尅期殄滅，以靖地方，縣以下俱付按臣逮問。

○（十二月）乙巳，贈故蘇松參政任環光祿寺少卿，勅有司建祠蘇州祀之。環，志在平倭，衣服皆自識其姓名，誓必死。倭猝犯蘇，諸城皆閉，鄉民被寇者不得入，繞城號泣。環按劍開門納之，全活以數萬計，蘇人德之。後以母喪守制，遂不起。至是，因給事中徐師曾之請，特贈官、秩，祀以報其功。

○（嘉靖三十九年）二月癸卯，更定浙東守巡官信地，以台、金、嚴爲一道，文官則以分巡甯、紹，僉事改爲台州分巡，兼管三府。兵備武官則添設參將一員，以甯、紹爲一道，其原設甯、紹、台兵備副使及參將，俱令止領甯、紹二府；以溫、處、衢爲一道，其原設兵備副使，令兼領衢州，從總督胡宗憲議也。

○甲辰，論禽海賊汪（王）直功，兵部尙書楊博等會廷臣議，言：「自直等煽亂，朝廷不惜萬金、封爵之賞，令天下討賊，而宗憲卒以計禽之功，實非常賞，宜從重。」詔加宗憲太子太保左都御史。其餘如原任總兵俞大猷，許除罪錄用；副總兵盧鏜，參將戚繼光，及蔣洲、陳可願等，各陞賞，有差。繼光出備倭山東，改僉浙江都司充參將，分部甯、紹、台三郡，從俞大猷圍岑港倭久不克，坐免官戴罪殺賊。已而倭遁，他倭復焚掠台州。給事中羅嘉賓等劾繼光無功且通番，按問。旋以論平汪（王）直功復官，改守台、金、嚴三郡。繼光至浙，見衛、所軍不習戰，而義烏、金華俗稱慓悍，請召募三千人，教以擊刺法，長短兵迭用，由是繼光一軍特精。又以南方多藪澤，不利馳逐，乃因地形制陣法，審步伐，便利一切戰艦、火器、兵械，精求而更置之，由是戚家軍名聞天下。

○丁巳，南京振武營軍變。振武營者，南京尚書張鏊募健兒以禦倭寇者也，素驕悍。舊制：南軍有妻者月糧米一石，無者減其四，春秋二仲，米石折銀五錢。馬坤掌南戶部，奏減折色之一，而督儲侍郎黃懋官又奏革募補者妻糧，諸軍大怨。代坤者蔡克廉方病，諸軍以遂饑求復折色故額于懋官，懋官不可給餉，又復踰期，諸軍大怒，遂以都肆日殺懋官，裸屍于市。守備太監何綬等特遣吏持黃紙許給賞萬金，卒輒碎之。許犒十萬金，乃稍定。侍郎李遂，託病閉閣，給免死劵，以慰安之，而密捕首惡二十五人繫獄。事聞，追褫懋官官，止誅叛卒三人，而三人己（已）前死，兵自此益驕。

攷異：南京兵亂，諸書系之三月，據奏報也。本紀書于二月丁己（巳）。證之實錄，即倡亂之本日，原奏稱以二月都肆日鼓譟殺懋官者是也，今據之。

○（戊午）倭寇六千餘人流刼廣東之潮州，廷議以閩、廣二省並鄰南海，其寇粵也，率以閩人爲鄉導，請勅福建撫臣會剿，從之。

○（五月）乙亥，總督浙直胡宗憲，上疏請得節制三省巡撫及操江都御史如三邊故事，從之。尋晉宗憲兵部尚書。

○六月壬寅，給事中羅嘉賓等，查覈倭寇以來督撫諸臣侵盜軍需之數，因劾故尚書趙文華以十萬四千計，總督御史周珫二萬七千，胡宗憲三萬三千，原任福建巡撫阮鶚五萬八千。

攷異：明史胡宗憲傳言阮鶚所侵盜軍餉浮于宗憲，即指此也。

其他或以萬計，或以數千計，至有攘取軍餉公行賄賂者，並宜逮問追贓。上以宗憲功多不問。尋宗憲奏辯言：「臣爲國除賊，用間，用餌，非小惠不成大謀。」上以爲然，更慰諭之。

○（秋七月庚午）大同總兵劉漢復襲北寇于豐州，搗其巢。豐州者，邱富、趙全等所築板升以自衛者也（事見三十四年），時諳達等西掠留所部千餘人于豐州，全、富皆居板升主其謀。漢欲乘隙取之，謀于巡撫李文進及原任總兵官俞大猷，乃遣參將王孟夏等率銳卒三千，緣夜疾馳，昧爽抵豐州，鼓譟奮擊，禽斬一百五十餘人，焚板升略盡。惟富已隨寇帳他徙，全亦遁免。捷聞，亟命兵部議賞功之典。初，大猷被逮錦衣衛，都督陸炳與之善，密以己資投嚴世蕃解其獄。會論平汪（王）直功，許錄用。炳勸之立功塞上。文進素習其才，與籌軍事，至是以功復其世職。

○八月戊戌，胡宗憲復獻芝草五、白龜二。上悅，名曰「玉龜仙芝」。禮部請謝元告郊廟，許之。賚宗憲銀幣，加等，並賜金鶴衣一襲。宗憲性喜賓客，招致東南才學之士，如：山陰徐渭，歸安茅坤，及歙之余寅，鄞之沈明臣，同入幕府，用是名日起。其獻白鹿也，渭爲之草表，上稱善。宗憲以是益重渭。渭知兵，好奇計，宗憲禽徐海，誘汪（王）直，皆預謀焉。後宗憲敗，渭佯狂自廢卒。

○己亥，福建叛兵三百餘人自沙縣將樂攻泰甯縣，破之，守備王址，百戶戴權皆戰死。賊遂流入江西界，官兵擊之，遁去。先是，閩中以倭亂召募廣兵，後以犒賞不饜所欲，遂有是變。

○是歲，福建之倭流刼各州縣，加以奸民乘間迭起，遂有大埔之窖賊，南灣之水賊，尤溪之山賊，龍岩之礦賊，南靖、永定等處之流賊，無不蠭起。而窖賊張璉等最強，福建巡撫劉燾應接不暇，惟椎牛饗賊，擁眾自衛而已。報功既多不實，而所募廣兵復扣給行糧，以致兵與盜合，所過無不殘破者。官軍每戰輒敗，惟報効把總沈講率水兵遇賊于馬溪，俘斬數百人，力盡死之。至是，胡宗憲以聞。僅奪燾俸，仍令戴罪剿賊。

○（嘉靖四十年秋七月）是月，福建巡按御史李廷龍言：「山賊四起，與福、興、漳、泉殘倭聲勢相倚，自建甯以北，福甯以南，無處不爲盜藪。加以江西之賊流入閩界，請勅江西、福建及兩廣三省撫臣會剿。」從之。

○（冬十月）是月，海寇破福建甯德縣，參將王夢麒，知縣朱堯卿死之。

○（嘉靖四十一年二月）壬戌，福建同安倭，夜襲破永甯衛城，脅指揮王國瑞、鍾塤，千戶蔡朝陽降之。

○己卯，提督兩廣侍郎張臬奏：「逆賊張璉等勢甚猖獗，延蔓三省，請調集狼兵十萬，與福建、江西會兵進剿。」從之。璉本饒平縣之烏石村人，以歐（毆）死族人懼誅，亡命入窖賊鄭八、蕭雪峰黨後，八死，璉與雪峰分部其眾，而璉爲最強。知縣林叢槐親至其巢約降，給以冠帶。璉益驕甚，與雪峰合兵縱掠汀、漳、延、建，及江西之甯都、瑞金等處，又攻陷南靖等城。其巢界三饒之間，四面皆山，有司未敢訟言剿之。璉雖叛，猶揚言聽撫，以緩我師。至是，臬等始議大征之。

○（三月）是月，總督浙直胡宗憲，請于南贛設副總兵官以守，吉安守備屬之；于建昌撫州設參將，以鉛山守備屬之。復設遊擊于南昌省城，而以播陽守備改爲參將，令專練舟師，控制九江。兵部議，從之。

○五月丁亥，命南京都督僉事劉顯充總兵官，鎮守廣東南贛參將俞大猷副之，一應戰守事宜，悉聽二臣會同督撫協謀剿賊，仍令江西紀功御史段顧言兼覈廣東功罪以聞。從兵部尚書楊博議也。

○乙未，提督兩廣侍郎張臬奏廣東三饒賊平。初，閩、廣討賊，積年不能平，乃移鎮筸，參將俞大猷于南贛會兵進剿。時胡宗憲兼制江西，知張璉遠出，檄大猷急擊之。大猷謂宜以潛師擣其巢，攻其必救，奈何以數萬眾從一夫浪走哉！乃疾引萬五千人登柏嵩嶺，嶺（衍）俯瞰賊巢。璉果還救，大猷連破之，斬首千二百有奇。賊懼不復出，復用閒誘璉出戰，從陣後禽之，並禽蕭雪峰，散其脅從者二萬，不僇一人。是役也，廣人攘其功而大猷不與之校，以是賞獨薄云。

攷異：大猷平三饒賊功，實錄不著，今據明史本傳書之。

○（十一月）丁亥，南京給事中陸鳳儀，劾總督胡宗憲黨嚴嵩及奸貪十大罪，疏下吏部，請下巡按御史勘報。上命錦衣衛械繫至京師。于是浙直總督遂罷不補，以左副都御史趙炳然爲兵部侍郎，提督軍務巡撫浙江。

○己丑，免福建被寇各州縣稅糧。

卷六三

○（嘉靖四十二年春正月）癸巳，廣東倭寇犯潮、惠二府之黃崗、大澳等處，登岸肆掠。

○（二月）乙亥，福建興化倭結寨于峙頭。

攷異：峙頭，實錄，峙作埼，今據明史地理志，其地在興化之東。

○夏四月庚申，福建新倭自長樂登岸，流刼福清等處，總兵官劉顯、俞大猷合兵邀擊于遮浪，殲之。時平海倭引舟出海，把總許朝光以輕舟抄之，賊乃盡焚其舟還屯平海衛。

○丁卯，副總兵戚繼光統浙兵至，與劉顯、俞大猷合兵攻平海衛之賊，巡撫譚綸令繼光將中軍，顯左，大猷右。繼光率中軍先登，左、右軍繼之，遂大破倭，復興化，斬級二千二百，還被掠男婦三千餘人。自倭起以來二十餘載，攻破城邑，殺傷官吏軍民不可勝紀；轉漕增餉，海內騷然。至是始大創而去，浙、閩以次漸平。

○六月庚戍（戌），巡按御史李邦珍上福建勦平舊倭功罪，言：「橫嶼之賊，于去年七月，總督胡宗憲檄參將戚繼光統浙兵七千餘人，令軍中人持一束塡河而進，遂大破賊巢，斬首二千六百餘級。遂乘勝剿福淸牛田之賊，追至興化，功最多，宜從重賞。宗憲雖去任，亦宜優錄。」兵部議，從之。

○倭之陷興化也，自通判奚世亮外，知縣周尙友、縣丞葉德良、徐九經、訓導盧學顏同時遇害。又，齊天祥、倪錄之死，同時陣亡者指揮張光祥，千戶魯思亮、邵于藩、張珊，至是李邦珍以聞，皆請賜贈卹。從之。

○（秋七月）壬辰，巡撫福建都御史譚綸上四月平倭之捷，以戚繼光爲首功，顯、大猷次之。詔告謝郊廟，大行敘賚，繼光受上賞，進都督同知，世廕千戶。

○（嘉靖四十三年二月）戊午，福建興化倭餘黨復糾新倭萬餘，圍攻仙遊縣三日，總兵官戚繼光擊敗之城下，又敗之王倉坪，斬首數百級。餘黨復分據漳浦蔡丕嶺，繼光分五哨，身持短兵緣崖上，俘斬數百人。餘賊遂掠漁舟出海去，福建倭平。

○是月，更定鎭守江南分守信地，以江南屬之劉顯，專駐吳淞江；江北屬之副總兵王應麟，專駐狼山；俱給關防。

○三月己未，廣東官軍擊潮州倭賊，破之。初，歸善縣盜伍端、溫七作亂，敗參將謝敕。未幾，俞大猷改塡潮州，七被禽，與端首軍門求殺倭自効。大猷乃與總兵吳繼爵受其降。會巡撫吳桂芳至，使爲前驅，討倭官軍繼之，圍倭于鄒塘，四面舉火，一日夜連克三巢，焚斬四百餘人。

上以廣東連年征剿無功，聞捷大喜，賜桂芳、繼爵等銀幣。

○（夏四月）戊子，福建巡撫譚綸以寇平請終喪，許之。

○（六月）辛卯，總兵俞大猷大破倭于惠州之海豐縣。初，倭自福建流入廣東，會兩廣、南贛所調土、漢兵大集，乘其初至敗之。倭悉奔崎沙甲子澳，奪漁舟入海，舟多沒于風，脫者二千餘人，還保海豐金錫都。大猷圍之兩月，賊食盡欲走，副將湯克寬設伏邀之，手斬其梟將三人。參將王詔等繼至，賊遂大潰，禽斬千二百餘人。初，潮州大盜吳平與倭相掎（犄）角，時諸峒自伍端、溫七外，有藍松三、葉丹樓之輩皆附之，日掠惠、潮間。大猷既平海豐之倭，乃移師潮州，以次降松三、丹樓，遂招降吳平，居之梅嶺。

○（嘉靖四十四年夏四月）己丑，梅嶺降賊吳平叛。平爲俞大猷招降，使居梅嶺殺賊自効。久之，平私造戰船數百，聚眾萬餘，築三城守之。行刼惠、潮，遂及福建詔安、漳浦等處。福建總兵戚繼光督兵襲之。平移其輜重入舟，率眾遁入海保南澳。詔督撫等官協力會剿，毋再以招安爲名養寇貽患。

○甲午，倭犯福甯。先是，倭出入浙江溫、台等境，官軍擊敗之。至是，復由台州海洋入閩，攻福甯。總兵戚繼光督參將李超等，合水、陸兵擊之，斬首二百餘級。乘勝追永甯賊，斬馘三百有奇。

○（八月丁丑）廣寇吳平等駕船四百餘艘，出入南澳、浯嶼間，謀再犯閩。把總朱璣，協總王亳，引兵擊之海中，賊掩至，圍官軍數重，璣、亳俱戰沒，平遁去。

○（嘉靖四十五年春正月）庚申，奪惠湖總兵俞大猷職。初，吳平出入南澳，大猷將水兵，戚繼光將陸軍，大破之，平僅以身免，奔據饒平鳳凰山。繼光留南澳，大猷部將湯克寬、李超等躡賊後，連戰不利，平遂掠民舟出海。閩、廣巡按交章論大猷，乃褫職。命戚繼光以福建總兵兼管惠、潮二府討賊事。

○（夏四月壬戌朔）閩、廣官兵追擊海寇吳平，大敗之。初，平出海，爲官軍所敗，將奔安南。巡撫吳桂芳檄安南萬甯宣撫司發兵會剿，遣參將湯克寬，都司傅應嘉等，以舟師夾擊于萬橋山下。會大風，我軍用火攻，焚平所乘舟，平軍大潰，赴水死者無算。閩、廣奏報，或稱平已遠遁，或稱平已溺水死，然自是不復犯閩、廣矣。

○（九月）是月，以俞大猷爲廣西總兵官。時給事中歐陽一敬言：「兩廣舊各巡撫一員，後因提督閩府蒼梧而巡撫遂罷。今地方多事，請復設巡撫于廣東，其廣西總兵官，原以流官都督爲之，後改用勳臣，與提督同駐梧州，重爲地方繁擾。今宜召恭順侯吳繼爵還京，仍選用流官移填廣西。」會城部議請暫設廣東巡撫，而以大猷填廣西代繼爵。從之。

○乙丑，復設填守廣東總兵官，以原任惠潮參將署都指揮僉事湯克寬爲之。時歐陽一敬請兩廣各置填守大帥，乃並設總兵官而罷勳臣。

攷異：據明史俞大猷傳言，命大猷充廣西總兵官，而以劉顯填廣東，兩廣並置帥，自大猷及顯始也。按：顯是時自狼山移填鎮江，被劾革任候勘，以巡撫劉畿薦命充為事官，填守如故。又，證之劉顯傳，以四十一年填廣東未赴，且彼時亦非額設。據實錄，是年十月復設廣東填守總兵官，以湯克寛為之。然則兩廣並置帥，實始于大猷、克寛，明史蓋誤以顯前事當之，今據實錄更正。

○庚子，詔廣東新設巡撫駐惠州府城，有警移駐長樂縣，調度惠、潮二府兵食。先是，上用歐一敬言設廣東巡撫，以江西布政司參政李佑爲之，復有是命。又以四川巡撫譚綸總督兩廣軍務，兼巡撫廣西。

卷六四

○（隆慶元年）是歲，廣東海賊曾一本等作亂。

○（隆慶二年三月）乙丑，詔廣西總兵官俞大猷討廣東賊。初，曾一本者吳平之黨降而復叛，執澄海①知縣，官兵擊之，不利，守備李茂才中砲死。事聞，乃命大猷兼督廣東兵協討。

○（十一月）己巳，廣東賊曾一本以海艘橫行閩、粵間，遂犯福建。時俞大猷解廣州之圍，將赴廣西。總督劉燾奏請留，會閩師夾擊。詔合廣東總兵官郭成、福建總兵官李錫討之。

○（隆慶三年三月）戊辰，廣賊曾一本陷碣石衛，叛將周雲翔殺參將耿宗先②逃亡入賊中，詔廣東總兵官郭成等渡海擊之。

攷異：據明史本紀，裨將周雲翔殺參將耿宗先叛附于賊，郭成附傳同三編云：「裨將周雲翔，參將耿宗先叛附于賊。」蓋雲翔下脫殺字也，今據明史先傳作元。

○（八月）癸丑，廣東賊平。初，詔俞大猷會閩、廣兵剿賊。時曾一本由海道犯福建，總兵官李錫出海禦之，與大猷遇賊于柘林澳，三戰皆捷。賊遁馬耳澳，復戰。會廣東總兵官郭成破平山之賊，率參將王詔等以師會次萊蕪澳，分三道進。一本駕大舟力戰，諸將連破之，燬其舟。詔生禽一本及其妻，斬首七百餘，死水火者萬計。時廣盜蠭起，潮州諸屬邑賊巢以百數，郭明據林樟，胡一化據北山洋，陳一義據馬湖，前後剽刼二十載。成督諸軍擊殺明等，斬首千三百有奇，而一本最強。至是兩省協力平之，而錫功尤鉅云。

註：

①「澄海」，疑為「海澄」之誤。明梁兆陽撰海澄縣志卷一輿地志所錄建置沿革云：「海澄縣在漳東南，距郡五十里，本龍溪八、九都地也。舊名月港，唐宋以來，為海濱一大聚落，至明生齒益繁。正德間，豪民私造巨船，揚帆他國，以與夷互市。久之，誘寇內訌，所司法繩不能止。嘉靖九年，巡撫都御史胡璉，議移巡海道駐漳彈壓之，而海滄置安邊館，歲擇諸郡別駕一員爰鎮，其地半載一易。二十七年，巡海道柯喬，議設縣治於月港。都御史朱紈，巡按御史金城，咸具疏聞。會地方稍寧，事暫停止。三十年，復於月港設靖海館，以郡卒往來巡緝。至三十五年，海寇謝老突犯波心，屠掠甚慘。都御史阮鶚，誠諭居民築土堡為防禦計。其明年，都御史王詢，更議設縣，未就。亡何，

倭奴傳警，廬舍、田土，煨燼荒蕪。鄉曲頑民，乘機搆逆，自號二十四將，結巢盤踞，殆同化外。四十二年，都御史譚綸，下令招撫為羈縻之術，乃請設海證同知以顓理海上事，更靖海館為海防館。然跋扈既久，食椹尚乖，官民相視褫氣。四十三年，巡海道周賢宣，計擒巨魁張維等，駢戮以殉。境內甫戢時，聽選官李英、陳鑾在都下相率叩閽，仍申設縣之請。有旨下閩，當道議覆。四十四年，知府陳九德，議割龍溪自一至九都，及二十八都之五圖，并漳浦二十三都之九圖，湊立一縣。於是都御史汪道昆，御史王宗載，咸具疏聞。有旨報可，錫名「海澄」。隆慶元年，唐守躬履海上定基鳩工，不移時，縣治告成。……」又，同卷錄有「聽選官李英等謹奏為添設縣治以救生靈以弭寇亂事」疏。

②「先」，明穆宗實錄，卷三〇，隆慶三年三月乙巳朔戊辰條，萬曆三十年刊廣東通志，卷六，藩省志，同年春正月條，明刊粵大記，卷三二，政事類，同年正月條俱作「元」。

卷六五

○（隆慶六年二月）丙申，倭犯廣東。初，曾一本之亂，粵中諸盜蠭起，率借倭為助，于是倭分道犯化州石城，陷錦囊所，殺千戶黃隆。至是，又陷神電衛，大掠吳川、陽江、茂名、海豐、新甯、惠來諸縣。于是惠、潮間山賊藍一清、賴元爵為首，與其黨黃民太、卓子望、曾仕龍等各據險結砦，連地八百餘里，黨數萬人。詔殷正茂提督兩廣軍務，會廣西巡撫郭應聘、兩廣總兵官張元勳、李錫等大征之。
○乙亥，倭寇高雷，官軍擊卻之。

卷六七

○（萬曆八年）秋七月，後軍都督府僉事俞大猷卒。大猷以平古田獞功進世廕，已，為巡按御史所劾，回籍聽調。久之，起是職，領軍營訓練，三疏乞歸，卒贈左都督，賜祭葬，諡武襄。武平、崖州、饒平皆為立祠。大猷少好易，嘗以易推衍兵家奇正虛實之權，謂兵家之數起五，猶一人之身有五體，雖將百萬，可使合為一人也。初為汀漳守備，涖武平，作讀易軒，與諸生為文會，而日教武士擊劍。及為大將，持身廉，馭下有恩數。歷東南大小百十餘戰，所向無不剿滅，威名震南服。其用兵先計後戰，不貪近功。忠誠許國，老而彌篤。譚綸嘗與書曰：「節制精明，公不如綸，信賞必罰，公不如戚，精悍馳騁，公不如劉，然此皆小知，而公則堪大受。」戚謂戚繼光，劉謂劉顯也，其為綸推重如此。

卷六九

○（萬曆二十年）五月，倭入朝鮮，逼王京。初，倭酋有平（豐臣）秀吉者，薩摩州人①，起自人奴。初隨倭關（織田）信長②，會信長為其下所弒，秀吉遂統信長兵，自號關白③，刦降六十餘州。朝鮮與日本對馬島相望，時有倭夷往來互市。秀吉於去冬揚言犯朝鮮④，朝鮮國王李昖以聞。詔兵部申飭海防。至是，秀吉分遣渠帥（小西）行長、（加藤）清正等，以舟師進逼釜山鎭，潛渡臨津。時朝鮮承平久，兵不習戰，昖又湎酒弛備，猝聞難，望風皆潰。昖弃王城，奔平壤，令次子琿攝國事。已，復走義州，求內屬。

○（秋七月）甲戌，倭陷朝鮮，入王京。刦王子、陪臣，掠府庫，八道幾盡沒。旦暮渡鴨綠江，請援之使絡繹于道。廷議以朝鮮爲國藩蔽，在所必爭，遣人諭李昖，以興復大義，揚言大兵且至。而倭業抵平壤，游擊史儒等帥師至，戰死。副總兵祖承訓渡鴨綠江援之，敗績，承訓僅以身免，中朝震動。

攷異：明史稿系倭侵朝鮮于四月壬寅，入王京于五月。明史但書其五月陷王京之事，證之朝鮮傳，倭犯在五月，陷王京在七月。今據本傳分書之。⑤

○八月乙巳，以兵部右侍郎宋應昌爲經略，備倭軍務。時倭入豐德等郡，兵部尙書石星計無所出，議遣人偵之，于是嘉興人沈惟敬應募，惟敬者市井無賴也。是時平（豐臣）秀吉次對馬島⑥，分其將行長等守要害。惟敬至平壤，執禮甚卑。行長紿曰：「天朝幸按兵不動，我亦不久當還，當以大同江爲界，平壤以西盡歸朝鮮耳。」惟敬以聞。廷議以倭詐難信，趣應昌進兵。而星頗惑其言，假惟敬游擊赴軍前，並資以金，爲行間計。

○（冬十月）壬寅，命李如松提督薊遼保定山東軍務充防海禦倭總兵官，並其弟如柏、如梅，皆充禦倭副總兵官，援朝鮮也。時甯夏平而倭患方棘，乃趣如松統諸道兵尅期東征。初，如松提督陝西軍務，自以權任重，不欲受總督制事，輒專行。尙書石星言非制，上乃下詔申飭。至是，新立功，氣益驕，與經略宋應昌不相下，故事：大帥初見督師，甲冑庭謁，出易冠帶，始加禮貌。如松用監司謁督撫，儀素服側坐而已。

○（十二月）是月，李如松至軍，會沈惟敬自倭歸，復伸封貢之請。如松叱惟敬憸邪，欲斬之。參謀李應試曰：「藉惟敬紿倭封而陰襲之，奇計也。」如松以爲然，乃置惟敬于營，誓師渡江。

論曰：「石星以文臣而受惟敬之紿，李如松以武臣而燭惟敬之奸，人之度量相越，豈不遠哉。然惜也如松以李應試一言而宥惟敬，若使斬之，則關白、行長之輩，固已喪膽褫魄矣。紿而襲之，孰與夫聲罪而討之？然則碧蹄一敗，如松輕敵而已，先為敵所輕也，即于其不斬惟敬見之矣。」

○是月，播州楊應龍詣重慶，對簿繫獄論斬，請以二萬金贖。會倭大入寇朝鮮，羽檄徵天下兵，應龍願自將五千人從征倭，立功自贖，詔釋而許之。

註：

①「秀吉者薩摩州人」，如據土屋知貞著太閤素性記的記載，豐臣秀吉係尾張國（愛知縣）中村人，非出身九州薩摩（鹿兒島縣）。

②「初隨關白信長」，關白係職稱，織田信長未曾任斯職。如據前註所舉太閤素性記所紀，豐臣秀吉在少年時代仕於松下元綱，至一五五八年二十三歲時始改仕織田信長。

③「自號關白」，如據日本史乘的記載，豐臣秀吉係於一五八五年（萬曆十三年，天正十三年）七月，由其正親町天皇任命為關白，明年十二月為太政大臣，故他非自號關白。

④「秀吉於去冬揚言犯朝鮮」，如據伴信友所輯中外經緯傳的記載，豐臣秀吉在前往征討山陰、山陽時已表明他有遠征大陸之志，一八八五年則在大阪城將其侵略中國之野心告訴傳教士斯巴爾·凱羅。明年於征討九州薩摩之島津氏時，則公開發表其對外侵略之意圖，故其揚言侵略朝鮮的時間並非一五九一年。請參看鄭樑生著明代中日關係研究（臺北，文史哲出版社，民國七十四年三月）第五章第四節。

⑤「明史稿系倭侵朝鮮于四月壬寅，……倭陷王京在七月」，如據明史日本傳、朝鮮宣祖實錄、寄齋史草、壬辰日錄等的記載，日軍於萬曆二十年四月十三日開始侵略朝鮮，十五日，東萊城被陷。十七日，梁山城淪陷。十八日，密陽城易主。二十一日，大邱、慶州落入敵人手中。十九日，彥陽失守，二十八日宣祖以其次子光海君琿為王世子，設分朝。三十日，宣祖抵開城。五月二日，侵略部隊渡漢江，首都失守。故此段「攷異」文字有違史實。

⑥「秀吉次對馬島」，前舉太閤素性記、中外經緯傳均未書秀吉在發動大軍入侵朝鮮時曾前往對馬島，只言坐鎮於九州西北部之名護屋（佐賀縣）。

○萬曆二十一年春正月癸亥，總兵官李如松攻倭于平壤，克之。先是，如松師次肅甯館，倭酋（小西）行長以爲封使將至，遣牙將來迎。進次平壤，行長猶未覺，竚風月樓以待。如松分布諸軍，抵平壤城。諸將逡巡未入，形大露。倭悉登陴拒守，如松令諸軍圍之。以倭數易朝鮮軍，令副將祖承訓詭爲其裝潛伏西南，令游擊吳惟忠攻迤北牡丹峰，而如松親提大軍直抵城下，攻其東南。倭礮矢如雨，官軍稍卻，如松斬先退者以徇。募死士，援鉤梯直上。倭方輕南面，朝鮮軍、承訓等乃卸裝露甲，倭大驚，急分兵捍拒。如松已督副將楊元等軍自小西門入，火器並發，烟焰蔽空。惟忠中礮傷胸，猶奮呼督戰。如松馬斃于礮，易馬躍塹而上，麾兵益進，遂克其城，獲首功二百有奇。倭退保風月樓，行長渡大同江遁。

攷異：明史稿，克平壤在正月癸亥，明史書之甲戌。證之明史李如松傳，言正月四日行次平壤，明旦直抵城下，是夜克之。故大事記、紀事本末諸書皆云正月四日次肅甯，六日抵平壤，八日克之。蓋明史三大征日月最詳，故諸書及明史皆據原奏月日，推歷是月丙辰朔，史稿書之癸亥者是也。若甲戌乃復開城日，乃分傳中以為十九日者，本紀不具，故牽連並記耳。本紀倒書甲戌于辛未之前，恐仍是癸亥二字之誤，今據史稿仍分書之。

○甲戌，李如松復開城，得級百六十五，朝鮮所失之黃海、平安、京畿、江原四道並復之。

○壬午，李如松進攻王京，敗績。時如松謀咸鏡道，而據咸鏡之倭酋（加藤）清正聞開城失，遁還王京。王京爲朝鮮都會，頗具天險，而官軍連勝，有輕敵心。是日再進師，朝鮮人以賊弃王京逎告知，如松信之，將輕騎趨碧蹄館。距王京三十里，猝遇倭，圍之數重，如松幾不免，官軍喪失甚多。會天久雨，騎入稻畦中不得逞。而倭背岳山，面漢水聯營，城中廣樹飛樓，箭砲不絕，官軍乃退駐開城。

○（二月）甲寅，發帑金二十萬勑勞東征將士。

○是月既望，諜報倭以二十萬入寇，李如松令諸軍分布要害，而身自東西調度。聞倭將平（宇喜田）秀嘉（家）據瓏龍山，積倉粟數十萬，如松遣參將查大受募死士焚之，倭遂乏食。

○夏四月壬寅，倭棄王京逎。李如松既敗衄，氣大索，宋應昌亦欲暫休師。會倭以糧盡去王京，如松與應昌入城，將遣兵尾擊之，而倭步步爲營，官軍不敢擊，于是沈惟敬封貢之議復行。

攷異：明史李如松傳：倭以四月十八日弃王京逎，是月乙酉朔壬寅即四月十八日也。明史作癸卯，今從史稿日分。

○五月，倭退據滏（釜）山。時四川參將劉綎率兵五千赴援朝鮮，詔以副總兵從征，至則倭已弃王京逎。綎趨尙州鳥嶺，亙七十里，峭壁通一線。倭據險，諸將查大受、祖承訓等，間道踰槐山，出鳥嶺後，倭大驚，遂移駐滏（釜）山浦。綎及承訓等進屯大邱、忠州，以全羅水兵布滏（釜）山海口，朝鮮略定。

○（六月）癸卯，沈惟敬歸自滏（釜）山，同倭使小西飛（驒守）來請款。尋復犯咸安、晉州，逼全羅。李如松急遣李平胡、查大受屯南原，祖承訓、李甯屯咸陽，劉綎屯陜川扼之。倭果分犯，諸將並有斬獲。

○秋七月，倭自淦（釜）山移西生浦，送王子歸朝鮮。癸丑，詔撤李如松大軍，還止留劉綎及游擊吳惟忠兵合七千六百人，分扼要口。而尚書石星一意主款，謂留兵轉餉非策，乃命沈惟敬復入倭，趣具謝表。于是並撤惟忠兵，止留綎兵防守。

○（九月）朝鮮王李昖以三都既復，疆域再造，上表謝恩。然是時倭猶據釜山，而石星一意主款。兵部主事曾偉芳言：「關白大衆已還，行長留待，知我兵未撤，不敢以一矢加遺，欲歸報關白。捲土重來則風不利，正苦冬寒，故款亦去，不款亦去。惟敬前於倭營講購，咸安、晉州城陷而欲恃款，冀來年不攻，則速之款者，正速之來耳，故款亦來，不款亦來。宜令朝鮮自爲守，弔死問孤，練兵積粟，以圖自強。」上以爲然，因勅諭昖如偉芳言。

攷異：李昖謝恩，蓋沈惟敬趣之也。明史朝鮮傳書于是年之九月，今從之。

○（十二月）丙辰，命薊遼總督顧養謙兼理朝鮮事，召宋應昌、李如松還。先是，養謙力主撤兵，因復申封貢之請。下九卿科道會議。時御史楊紹程奏：「臣考之太祖時屢卻倭貢，慮至深遠。永樂間或一朝貢，漸不如約。自是稔窺內地，頻入寇掠。至嘉靖晚年，而東土受禍更烈，豈非封貢爲厲階耶？今關白謬爲恭謹，奉表請封之後，我能閉關拒絕乎？中國之釁，必自此始矣。且關白弒主篡國①，正天討之所必加，彼國之人方欲食其肉而寢，處其皮，特刼於威而未敢動耳。我中國以禮義統禦（御）百蠻，而顧令此篡逆之輩，褻天朝之名號耶？宜急止封議，勅朝鮮練兵以守之，我兵撤還境上以待之，可計日而敗也。」是時廷臣禮部郎中何喬遠，科道趙完璧、王德完、逯中立、徐觀瀾、顧龍、陳維芝、唐一鵬等交章止封，而薊遼都御史韓取善亦疏倭情未定，請罷封貢。不從。

○（萬曆二十二年）九月己丑，朝鮮國王李昖請許倭封貢。初，昖進貢方物謝恩，禮部郎中何喬遠奏昖使金晬等涕泣言：「倭寇猖獗，朝鮮束手受刃者六萬餘人，乞特勅亟止封貢。」時廷臣交章，皆以罷封貢，議戰守爲言，而顧養謙已定講貢議，請封關白爲日本王，上猶未決。至是，昖亦以許貢保國爲請，上乃切責群臣，追怒前主議撓封貢者。以御史郭實倡首，斥爲民，並勅石星盡錄異議者名，將大譴責，內閣趙志皐等力解乃已。

○（冬十月）丁卯，詔倭使小西飛（驒守）入朝，集多官面議二（三）事：一、勒倭盡歸巢。一、既封不與貢。一、誓無犯朝鮮。倭俱聽命。以聞。上復諭之于左闕，語加周複，封議遂定。

○（萬曆）二十三年春正月癸卯，遣都督僉事李宗城，指揮楊方亨充正、副使，封倭酋平（豐臣）秀吉爲日本王，令偕沈惟敬往。

註：

①「關白弒主簒國」，如據日本史乘的記載，豐臣秀吉所仕主人織田信長，係在一五八二年（萬曆十年，天正十年）受其部將明智光秀之襲擊而自盡（本能寺之變），當時在妙覺寺的信長長子信忠亦

自殺。同日，光秀進入坂本城，旋往安土城，致力經營近畿地方，但與突然從中國地方向東進軍之秀吉戰於山崎而見敗。之後，秀吉遂取代信長而逐漸統領全國武將，登上關白的地位，故他並無弑主篡國之實。

○（萬曆二十四年）夏四月己亥，朝鮮正使李宗城自倭奔還王京。是時沈惟敬至釜山，私奉平（豐臣）秀吉蟒玉、翼善冠、地圖、武經、良馬，而宗城以貪淫爲倭守臣所逐，①棄璽書夜遁。事聞，詔逮宗城下獄。

○（五月）庚午，復議封倭。時石星力主款，上惑之，欲遣給事中一人充正使，因察視情實。御史曹學程抗疏言：「邇者封事大壞，而楊方亨之揭謂封事有緒，星與方亨表裏應和，不足倚信。爲今日計，遣科臣往勘則可，往封則不可。星很愎自用。」趙志皐碌碌依違。東事之潰裂，元輔樞臣俱不得辭其責。是時上因遣使不得要領，罷之，即以方亨爲正使，惟敬副之。而學程方督畿輔屯田不知也。疏入，上大怒，疑前之被譴諸臣暗囑關節，詔逮學程下錦衣衛嚴訊搒掠，無所得，移刑部定罪。尚書蕭大亨請宥，不許，命坐逆臣失節罪斬。刑科事中侯廷佩等訟其冤，志皐及陳于陛、沈一貫言尤切，皆不省。自是救者不絕，且言其母年九十餘，哭子待斃。上卒不聽，數遇赦，亦不原。其子正儒朝夕不離犴狴，見父憔悴骨立，嘔血仆地，久之乃甦。因刺血書奏，乞代父死，終不省。自是長繫者十年。

◯九月乙未，楊方亨至日本，關白怒朝鮮王子不來謝。語沈惟敬曰：「若不思二子、三大臣、三都八道悉遵天朝約付還，今以卑官、微物來賀，辱小邦耶？辱天朝耶？且留石曼子兵于彼，候天朝處分，然後撤還。」于是復侵朝鮮，所進表文慢無人臣禮。②

◯是歲，朝鮮國王李昖請立其次子琿。初，昖庶長珒陷倭中，驚憂成疾，琿亦庶出而收集流散頗著功，昖奏請立之。③禮部尚書范謙執不可。是年之夏復疏請，謙仍執不可。詔如謙議。是時國儲未建，中外恫疑，故謙于朝鮮易封事三疏皆力持云。

◯（萬曆二十五年）二月丙寅，復議征倭。丙子，以前都督同知麻貴爲備倭總兵官，統南北諸軍。

◯三月乙巳，以山東右參政楊鎬爲僉都御史，經略朝鮮軍務。己未，以兵部侍郎邢玠爲尙書，總督薊遼保定軍務，經略禦倭。鎬未至，先陳十事請令朝鮮官民輸粟，得增秩授官贖罪，及鄉吏、丁夫等免役，大氐皆苟且之事。又以朝鮮君臣隱藏儲蓄不餉軍，劾奏其罪，由是朝鮮多怨。

三編發明曰：「出師必先量敵慮勝，成竹在胸，而後可以刻（剋）期奏捷，此李如松等師出無功已有明驗。乃當撤兵之後復命征倭，而所任者一庸懦無能之楊鎬，不量其事之能濟與否，輕率前驅，知己知彼之謂何？觀所陳奏事皆茍且，竟若助兵供餉，全有恃于朝鮮者。以中國而征一倭，必藉助于外藩之眾，即使克捷，已傷國體，況朝鮮兵不習戰，素為倭所輕。島山一敗，徒旅盡喪。而茲役也，以救朝鮮為名，而實則驅朝鮮之眾，盡化為沙蟲猿鶴耳，失機辱國，莫此為甚。至于加募江南水軍，為分路搗寇之計，而卒以無成，亦歸于謀國之不臧。廟堂既無長策，擇帥又非其人，而欲懾威海嶠，何可得耶？」

○五月，邢玠至遼，倭酋（小西）行長建樓，（加藤）清正布種，島倭窖水，索朝鮮地圖。邢玠決意用兵，麻貴望鴨綠江東發所轄兵僅萬七千人，請濟師。玠以朝鮮兵惟嫻水戰，乃疏請募兵川、浙，並調薊、遼、宣、大、山、陝兵，及福建、吳淞水師，劉綎督川、漢兵聽剿。貴密報俟宣、大兵至，乘倭未備掩釜山，則行長禽，清正走。玠以爲奇計，乃檄楊元屯南元，吳惟忠屯忠州。

攷異：邢玠至遼謀用兵，明史朝鮮傳系之是年五月，紀事本末同，今據之。

○八月丁丑，倭破朝鮮閑山。閑山島在朝鮮西海口，右障南原，爲全羅外藩，一失守則沿海無備，天津、登萊皆可揚帆而至。是時我水兵三千甫抵旅順，經略檄守王京西之漢江、大同江，扼倭西下。未幾，（加藤）清正圍南原，乘夜猝攻，守將楊元遁。倭破南原，遂犯全慶，逼王京。

○（是月），邢玠聞閑山失，退守王京。王京爲朝鮮八道之中，東阻鳥嶺、忠州，西則南原、全州，道相通。自二城失，東西皆倭，我兵單弱，因退守王京，依險漢江。麻貴請於玠，欲棄王京，退守鴨綠江。海防使蕭應宮以爲不可，自平壤兼程趨王京止之。麻貴發兵守稷山，朝鮮亦調體察使李元翼，由鳥嶺出忠清道遮賊鋒。玠既身赴王京，人心始定。玠召參軍李應試問計，應試請問：「廟廷計畫云何？」玠曰：「陽戰陰和，陽剿陰撫八字，密畫無洩也。」應試曰：

「然則易耳，倭叛以處分，絕望其不敢殺，楊元猶望處分也，直使人諭之曰：『沈惟敬不死，則退矣。』」因請使李大諫於（小西）行長，馮仲纓於（加藤）清正。玠從之。

○九月壬辰，逮故兵部尙書石星下獄，與沈惟敬俱論死。

○是月，倭至漢江，楊鎬遣張貞明持惟敬手書往責其動兵有乖靜候處分之實。（小西）行長、（寺澤）正成亦尤（加藤）清正輕舉，乃退屯井邑。貞明反至中途，爲人刺死，麻貴遂報青山、稷山大捷。蕭應宮揭言：「倭以惟敬手書而退，青山、稷山并未接戰，何得言功？」玠、鎬怒，遂劾應宮恇怯，不親解惟敬，並逮之。

○（十一月）是月，邢玠徵兵大集，上發帑金犒軍，賜玠尙方劍，而以御史陳効監其軍。玠大會諸將，分三協，楊鎬、麻貴率左右協，自忠州鳥嶺向東安，趨慶州，專攻（加藤）清正。使李大諫通（小西）行長，約勿往援。復遣中協屯宜城，東援慶州，西扼全羅，以餘兵會朝鮮合營，詐攻順天等處，以牽制行長等東援。

○（十二月）是月，邢玠、楊鎬會師于慶州；麻貴、黃應賜④賄（加藤）清正約和，而率大兵攻倭于蔚山。時倭依山爲險，中一江通釜山寨，其陸路由彥陽通釜山。貴欲專攻蔚山，恐釜倭由彥陽來援，乃多張疑兵，又遣將扼其水路，遂逼倭壘。遊擊擺寨⑤以輕騎誘倭入伏，斬殺四百餘，獲其勇將；乘勝拔兩柵，倭焚死者無算。遂奔島山，連築三寨。翌日，遊擊茅國器統浙兵先登，連破之，斬獲甚多。倭堅壁不出。方諸軍之攻山寨也，鎬等議進兵方略，分四萬人爲三協：副將高策將中軍，李如梅將左，李芳春、解生將右，合攻蔚山。先以少兵嘗賊，賊出戰，大敗，悉奔據島山，結三柵城外以自固。鎬官遼東時，與如梅深相得。及是，遊擊陳寅連破賊二柵，第三柵垂拔矣，鎬以如梅未至，不欲淫功出其上，遽鳴金收軍，賊乃閉城不出，堅守以待援，官軍四面圍之。地泥淖，且時際窮冬，風雪裂膚，士無固志。賊日夜發砲，用藥煮彈，遇者輒死。官軍攻圍十日不能下，賊知官兵懈，詭乞降以緩之。未幾而（小西）行長援兵大至，遂不克。

攷異：明史本紀系攻蔚山不克于明年正月，諸書及楊鎬、朝鮮本傳皆在十二月，而據鎬傳行長援兵之至，在二十六年正月二日，蓋圍攻在十二月，而楊鎬之奔實正月事。今仍系之十二月，為明年鎬敗張本。

○（萬曆二十六年）二月，邢玠益募江西水兵，議海運爲持久計，于是都督陳璘以廣兵，劉綎以川兵，鄧子龍以浙直兵先後至。玠分兵三協爲水陸四路，置大將：中路如梅，東路貴，西路綎，水路璘，各守汛（信）地，相機行剿。時倭亦分三窟，東路則清正據蔚山，西路則行長據粟林，曳橋建砦，中路則石曼子據泗州。而行長水師番休濟餉，往來如駛。我師約日並進。尋報遼陽警，李如松敗沒。詔如梅還赴之，中路以董一元代。

○六月丁巳，楊鎬罷職聽勘。

○丙寅，張位罷。初，日本封事壞，位力薦鎬才，請付以朝鮮經略。鎬遭父喪，又請奪情視事，上皆從之。及蔚山之敗，丁應泰劾其拔擢由賄位得之。位皇（惶）恐奏辯。給事中趙完璧、徐觀瀾復交章論之。位窘亟奏：「群言交攻，孤忠可憫，臣心無纖毫愧，惟上矜察。」上怒曰：「鎬由卿密揭屢薦，故奪哀授任，今乃朋欺隱慝，辱國損威，猶云無愧。」遂落職閒住。會妖書獄起，給事中劉道亨劾士衡之疏，張位實使之。上以呂坤既罷，置不問。未幾，御史趙之翰言是書非出一人，主謀者張位，奉行者士衡，同謀者右都御史徐作禮，禮部侍郎劉楚先，國子祭酒劉應秋，故給事中楊廷蘭，禮部主事萬建崑諸臣，皆位心腹爪牙，宜並斥。乃奪楚先作官，出應秋于外，廷蘭、建崑謫邊方。侍郎裴應章等再論救，上不悅，斥位爲民，士衡等再更赦不原。

○（秋七月）庚寅，平（豐臣）秀吉死，福建都御史金學曾偵得之，奏報秀吉死于七月九日，各倭俱有歸志。是時朝鮮王李昖請回乾斷，崇勵鎮撫，以畢征討，上許之，趣諸將進兵。

○（九月）是月，東征將士分道進兵，劉綎逼（小西）行長營，約行長爲好會。翌日，行長至，司旗鼓者遽傳礮。行長覺有異，騰躍上馬，奪路而去。我兵進攻城，斬首九十二。陳璘以舟師協堵，擊毀倭船百餘。行長潛出千餘騎扼之，綎不利，退，璘亦弃舟走。麻貴至蔚山，頗有斬獲，倭僞退誘之，貴入空壘，伏兵起，遂敗。董一元進取晉州，乘勝渡江，連燬二寨。倭退保泗州老營，鏖戰下之。游擊盧得功沒于陣前逼新寨。寨三面臨江，一面通陸，引海爲濠。海艘泊寨下千計，築金海、固城爲左右翼，官軍四面攻之不拔。

攷異：劉綎、麻貴分道擊倭，明史本紀系之十月，董一元敗績之上，證之諸書及明史朝鮮傳，皆九月事，蓋先攻後敗也，今仍據傳分書之。

○冬十月乙卯，董一元攻倭于新寨，敗績。時一元遣將環攻，用火器擊碎寨門，兵競前拔柵。忽營中火藥崩，烟焰漲天，倭乘勢衝擊。會固城倭亦至，我兵大潰，奔還晉州。徐觀瀾以敗聞。詔斬游擊馬呈文、郝三聘以徇；一元等各戴罪立功。會平（豐臣）秀吉死，問至，諸軍乃稍稍復振。

○十一月戊戌，倭弃蔚山遁。時（小西）行長、（加藤）清正以關白死，皆懷去志，清正發舟先走，陳璘提督水軍，副將鄧子龍，游擊馬文煥等皆屬焉。戰艦數百分布忠清、全羅、慶尙諸海口。會賊將遁，璘亟遣子龍偕朝鮮將李舜臣邀之。子龍素慷慨，所在立戰功。至是，年踰七十，意氣彌厲，駕三巨艦爲前鋒，邀之釜山南海，攜壯士三百人躍入朝鮮舟，直前奮擊，賊死傷無算。他舟誤擲火器入子龍舟，舟中火起，賊乘之，遂與舜臣俱戰沒。會副將陳蠶、季金等軍至，夾擊，而倭無鬭意，官軍焚其舟，賊大敗，得脫登岸者又爲陸兵所殲，焚溺者萬計。時劉綎方攻行長，奪曳橋砦，璘以舟師會擊，復焚其舟百餘。行長黨石曼子引舟師來援，璘邀之半洋擊殺之。于是諸倭揚帆盡去，餘賊退保錦山，官軍挑之不出。

攷異：李舜臣，諸書皆作李舜，今據明史本傳。

○十二月，倭復渡，匿乙山，崖深道險，將士不敢進。陳璘夜潛入，圍其崖洞。比明，礮發，倭大驚，奔後山，憑高以拒。將士殊死攻之，賊遁走。璘分道追擊，賊無脫者。自亂朝鮮七載，喪師數十萬，糜餉數百萬，中國與朝鮮迄無勝算，直至關白死，禍始息。萬世德代鎬經略軍務，畏倭不敢前。比聞倭退，始會同邢玠以捷聞，時論薄之。

註：

①「宗城以貪淫為倭臣所逐」，如據李光濤著萬曆二十三年封日本國王豐臣秀吉考，及朝鮮宣祖實錄等書的記載，當時在釜山等待的冊封正使李宗城，是因聽信流言以為豐臣秀吉將拘囚使節，更因見渡朝鮮更戍之日軍，認為戰火重燃，竟惴惴不安而拋棄國書、金印，微服逃走，故非被倭臣所逐。

②「所進表文謾無人臣禮」，神宗實錄及日本史乘未記豐臣秀吉於被冊封後進表文事，故此事與事實有出入。

③「庶長琿陷倭中驚憂成疾琿亦庶出而收集流散頗著功，昖奏請立之」，如據朝鮮宣祖實錄，卷二六，二十五年辛酉朔四月丁巳、戊午條的記載，宣祖李昖於離開王京後的萬曆二十五年（一五九二）四月下旬提議建儲。因無嫡長子，乃以其第二子光海君聰明好學為理由，欲以他為世子而獲眾議之決定。

④「賜」，諸書皆「暘」。

⑤「寨」，諸書皆作「賽」。

○（萬曆二十七年三月）甲戌，御午門受俘，磔平（豐臣）秀政（次）、平（寺澤）正成于市①。

初，丁應泰復劾諸臣賄倭賣國，上以將士久勞苦，仍發金十萬兩犒師。至是，敘東征功，首陳璘，次劉綎，又次麻貴，皆加都督同知，及右都督職；邢玠、萬世德各予世廕；董一元、楊鎬俱復原職。先是，東征奏捷，督學御史李堯民馳疏言諸臣欺罔狀，上不悅，抵其疏于凡（几）而罷。未幾，勘臣徐觀瀾疏參沈一貫、蕭大亨、邢玠、萬世德四凶黨和賣國。疏至京師，戶部侍郎張養蒙尼之不得上。時觀瀾方駐遼造冊，身歷釜山、蔚州、忠州、星州、南原、稷山查覈各路敗狀，據實冊報。大亨危之，沈一貫簡觀瀾前疏，有抱病語，票准回籍調理，改遣給事中楊應文代之。乃盛稱東征攻伐，一如邢玠指，而丁應泰以劾楊鎬，故尋爲玠所劾，亦落職。

谷應泰曰：「丁應泰之疏，能直伸于關白未死之前，而李堯民之章，（通紀、從信錄所記謂：上見丁應泰疏，謂御極二十六年，未見忠直如此人者，書其名于御屏，云云。史言：上覽疏震怒，欲寘楊鎬于法，是其說之伸也。）反見抵于關白已死之後者，蓋用兵之初，神宗氣自甚銳。銳則期其速濟，故必欲核其真。用兵之久，神宗憂自甚深，深則幸其成功，故不欲明其偽。卒之真言者落職，欺君者冒功，而所遭逢異矣。」

○（九月）乙卯，石星瘐死獄中。

註：

①「磔平秀政平正成于市」，平秀政即豐臣秀吉之養子秀次，如據日本史書的記載，秀次於一五九五年（萬曆二十三年，文祿四年），受秀吉之命自殺於高野山；平正成即寺澤正成，正成之受磔刑問題，日本史書亦無相關紀錄。

明詩綜

清朱彝尊錄，涂永宣緝評，四庫全書館考證

卷二八

顧應祥

海寇

高皇啓天運，龍飛當九五。萬國盡來王，惟詔絕倭虜。惡其性狡猾，外服心跋扈。所以備之嚴，兵防遍斥鹵。後雖容入貢，來往亦有數。奈何海濱氓，趨利者蟻牛。自決中夏防，勾引島夷部。偵知躲虛實，公然肆侵侮。攻城殺官吏，燎原損稌黍。剽掠入閭闠，屠僇及乳哺。結巢據險要，呼類益屯聚。承平紈綺習，詎識干戈苦。聞風輒先奔，隳塹等盲瞽。去年檇李敗，慘極不忍覩。浮骸滿溝渠，行不通商旅。堂堂會城中，三司列文武。長驅且深入，無人敢撐拄。坐令北關外，一炬成焦土。脅從半吾民，如以翼加虎。元帥乃書生，市兒充行伍。縱有百萬家，竟不能彀弩。

見說賊兵來，城門已先杜。十室九逃竄，止遺甑與釜。算緡科兵田，招兵沿門戶。東南財賦區，中病在肺腑。天子怒按劍，新命改督府。彼倭干天憲，凶殘久自沮。會見一掃平，四方盡安堵。

卷四二　章　煥

聞寇至吳門焚刧登樓作

江上黃塵慘不開，吳門不見使人哀。虛聞青海無傳箭，始信昆池有刧灰。忝竊自慚稱吏穩，故園何日賦歸來？傷心野哭千家處，愁倚滁南百尺臺。

卷五六　區大相

紀朝鮮事萬曆戊戌九月

自有東師六七載，廟堂歲歲議封貢。近者群公幸主戰，折將隳軍竟何用。海闊舃不易渡，五鍾一石勞傳送。橫征頗慮空杼軸，轉輸未免妨耕種。去年小挫由忌功，今年大衄緣輕縱。執事顏行屢見逆，天王威命何曾共？封既無成戰失利，公私之積咸哀痛。更無一人能畫策，徒有諸僚成聚訟。要荒交侵古來有，更於中國何輕重。當時只合問曲直，按兵境上不為動。朝廷制馭自有道，豈在勞民與動眾。奈何誤聽小人計，日以和好自愚弄。從此兵端尋歲月，豈知海內為虛空。財傾左藏不足惜，民傷萬命能無慟？近聞有議留屯戍，老成億度或屢中。充國金城上方略，李牧雁門費邊供。年來喪敗咎北軍，弓馬雖閑備騎從。吳越少年習水戰，檣楫輕利過飛鞚。儻能訓練三萬人，坐見狡番受羈控。腐儒何敢與肉食，聊以短章代微諷。繞朝勿謂秦無策，中興尚看甫作頌。

區大相

定朝鮮

皇赫怒命，東征千翼。舉七萃行，渡綠江援。王京鼇足，斷海波平。扶桑拂暘，谷升旭日，中仰大明解一。戮群倭定，朝鮮武功。振文德宣，櫜弓矢戢。戈鋋蕃服，固王會全。祥瑞降諸福，駢祝聖壽萬斯年解二。

卷五九　袁懋謙

東封日本歌

司馬頻年苦運籌，東封擬解廟堂憂。如今却似商人婦，愁水愁風望去舟。

詩話：此嘲東明石（星）尚書拱辰作也。

卷六三　柳應芳

初聞警有感

東倭海外播風烟，回首扶桑氛祲連。白羽插書傳幕府，黃金刻印拜樓船。朝廷欲問來王日，父老曾經入寇年。辛若折衝胡少保，永陵一詔至今憐。

卷八三

伐倭告祭南郊 嘉靖中撰

天啓有明，百神率職。殄逆助順，無征不克。九州奠安，維帝之德。載獻載趨，既齊既稷。

告祭北郊

粢盛既潔，齊明是將。精誠感通，昭格洋洋。威靈贊翼，我伐用張。邊燧永清，海波不揚。

高麗國鄭夢周

使日本書懷

水國春先動，天涯客來行。草連千里色一作綠，月共故鄉明。游說黃金盡，思歸白髮生。男兒四方志，不獨爲功名。